Judith Morgan
Spring - 1958

ROMANZI MODERNI GARZANTI

Opere dello stesso autore

24 ORE IN UNO STUDIO CINEMATOGRAFICO, Corticelli, 1935

SALMACE, La Libra, 1929.

LA VERITÀ SUL CASO MOTTA, Rizzoli, 1941.

L'AMICO GESUITA, Rizzoli, 1943.

FUGA IN ITALIA, Longanesi, 1946.

A CENA COL COMMENDATORE, Longanesi, 1952.

LA CONFESSIONE, Garzanti, 1955.

AMERICA PRIMO AMORE, nuova edizione Garzanti, 1956.

MARIO SOLDATI

LE LETTERE DA CAPRI

ROMANZO

GARZANTI

Prima edizione: aprile 1954
Seconda edizione: luglio 1954
Terza edizione: agosto 1954
Quarta edizione: dicembre 1954
Quinta edizione: agosto 1955
Sesta edizione: luglio 1956

AVVERTENZA DELL'AUTORE

Benchè le vicende e i personaggi di questo romanzo siano presi dalla realtà, ogni coincidenza di nomi è casuale.

1

PASSAVO per via Margutta, un mattino di primavera, l'anno scorso. Andavo a un piccolo stabilimento di doppiaggio, che ha la sua sede in uno di quegli antichi cortili tra le pendici del Pincio e la via Margutta: improvvisi spazi tranquilli dentro l'agitata complicazione di muri scale ringhiere case e casette.

Mezza sole e mezza ombra, via Margutta era nell'ora più allegra della giornata, le undici. Varcato il mezzodì, già la ruota gira. È vero che, quasi per fermarla, i romani ritardano il pasto e prolungano il mezzodì fino alle due e più in là. Ma l'ora più allegra resta sempre le undici. Passavo tra le botteghe degli artigiani, fabbricanti di cornici, falegnami, una piccola officina di riparazioni meccaniche che probabilmente era succeduta a un antico fabbro, una mescita di vino, una stireria. Gli operai lavoravano anche sulla strada, tutta ingombra dei loro attrezzi e di automobili e motociclette al posteggio. E lavoravano, pareva, lietamente, picchiavano con esagerato fracasso su legni e lamiere; si chiamavano l'un l'altro, qualcuno cantava. Camminando, rallentavo come per raccogliere un po' di più di quella

gioia, prima di arrivare allo stabilimento. Là mi attendeva il mio lavoro.

A un tratto mi sentii chiamare; mi volsi e riconobbi, che mi raggiungeva in fretta, quasi correndo, col suo passo lungo e dinoccolato, una bottiglia di latte in mano, il mio amico americano Harry Perkins.

Da molti mesi, forse da più di un anno, non lo vedevo. Era mutato. Gli occhi, nocciola chiaro, stanchi nel volto ancora più pallido del solito. Spettinato e non rasato, come non l'avevo mai visto, come non credevo che mai potesse presentarsi. La barba, erano rari peli biondicci come i capelli, sparsi su un mento delicato, quasi adolescente. Pareva che gli fosse successo qualche cosa. Compagni di lavoro in un ufficio della radio americana durante la guerra, eravamo amici; ma non abbastanza perchè gli potessi chiedere, così a bruciapelo, che cosa gli era successo.

Mi venne incontro con la sua abituale affettuosità, sorridendo il suo abituale sorriso malinconico, e mi abbracciò per un istante: sentii la bottiglia di latte contro la schiena.

Mentre parlavamo del tempo trascorso senza vederci, ed io mi giustificavo col mio lavoro, che mi aveva segregato lunghi mesi dalla compagnia degli amici, lui col suo, che l'aveva obbligato a frequenti viaggi a Parigi a Londra e a New York, osservavo che anche il suo abbigliamento era strano. Finita la guerra, egli aveva sostituito alla smilza eleganza della divisa americana la severità delle grisaglie grigie e dei doppi petti, e tutto quanto, nell'aspetto, meglio si conveniva al nuovo ed alto ufficio. Era funzionario all'Unesco, con residenza a Parigi, ma con incarichi di frequenti sopra-

luoghi a Londra e a Roma, per organizzare lo scambio di esposizioni artistiche, antiche e moderne, tra gli Stati Uniti e l'Europa. Era obbligato, quasi ogni giorno, come un diplomatico, a visitare personaggi importanti, a partecipare a ricevimenti e riunioni.

Per questo mi stupii vedendolo con un paio di calzoni di flanella, la camicia aperta, senza cravatta, e uno sdrucito pullover: abbigliamento trasandato, malandato, che s'accordava però con la strana espressione del suo volto. Se non ero abbastanza amico per domandargli che cosa gli fosse accaduto, i suoi abiti e la bottiglia di latte furono un facile pretesto:

« Sei in vacanza, vedo. »

« Sì; ma per sempre, » mi rispose con esagerata prontezza, e con un sorriso amaro.

« Che cosa vuoi dire? Non sei più all'Unesco? »

« Grazie a Dio, no! Ho scelto la libertà, anch'io! Ero stanco. La diplomazia non è il mio forte. A me piace soltanto la storia dell'arte. Anzi, mi piace soltanto Jacopo Torriti e Piero Cavallini! »

Su questi due pittori romani del Duecento, che egli era venuto a studiare in Italia ancor prima della guerra, aveva scritto delle monografie mai pubblicate.

« Ho piantato tutto. Parigi non la sopporto più. È gente che vive, come dice qualcuno che non ricordo chi sia, vive come se dovesse vivere sempre. In Italia no. Qui la morte è sempre vicina, se Dio vuole! Non faccio più niente. Non vedo più nessuno. Vado tutti i giorni in Trastevere, a studiare gli affreschi di Donna Regina. »

« E non sei contento? »

« Sarei contentissimo, figurati! » di nuovo rise amaramente. « Ma c'è una piccola difficoltà. Non posso continuare. Tra poco non avrò più soldi, e dovrò tornare in America. Per questo, appena ti ho visto, ti sono corso dietro. Volevo telefonarti; ma avevo perso il tuo numero. Soltanto tu puoi aiutarmi. Sei l'uomo, » concluse ridendo ancora di più, fissandomi coi suoi grandi dolci occhi e mettendomi una mano sulla spalla, scherzosa e pudica finzione, come se mi offrisse, non chiedesse soccorso, « sei l'uomo della provvidenza! »

Mi era molto simpatico, e gli volevo bene. Provai tuttavia quel piccolo stringimento di cuore (oh Dio, come faccio adesso? un altro fastidio!) che ci assale quando anche il migliore nostro amico ci chiede aiuto o denaro. Invano approfittiamo della contrarietà che l'egoismo ha dipinto sul nostro volto e cerchiamo di trasformarla in un'espressione di affettuosa tristezza. Le prime frasi, con le quali rispondiamo all'improvvisa richiesta dell'amico, sono sempre incerte, stentate. A chi è naturale la carità? Forse soltanto ai santi.

Ma Harry, intelligente quanto simpatico, sapeva benissimo che nemmeno io ero un santo: notò senza stupirsi il mio imbarazzo, e riprese il discorso. Non voleva a nessun costo tornare in America. Voleva restare in Italia. E per restare in Italia aveva bisogno di soldi. Mi ricordai che aveva famiglia: e la moglie e due bambini. Azzardai una domanda, per prendere tempo.

« Oh, i bambini sono in America, » rispose. « Sono a Philadelphia coi nonni. Stanno benissimo. Anch'io potrei stare là e lavorare. Ho sempre un posto di professore, all'Università di Princeton. Ma sarebbe la fine, capisci? La morte dello spirito. Io ho bisogno di vivere

qua, di queste pietre, di questa gente, di questa luce. » Si guardò intorno. Via Margutta era, in quel momento, l'immagine migliore della vecchia Italia e del vecchio mondo: vecchi ma vivi. Dissi:

« Hai bisogno di denari? Ma perchè hai lasciato l'Unesco? »

« Storia troppo lunga. Te la racconterò un'altra volta. Ora devi aiutarmi a guadagnare. »

« Perchè non scrivi degli articoli? Non mandi delle corrispondenze a qualche giornale americano? »

« Qualche cosa faccio. Ma se uno non è del mestiere, e già lanciato, pagano una miseria. No. Tu solo mi puoi aiutare. »

« Che cosa vuoi fare? »

« Quello che vuoi tu. Sei regista, vedi tu. Nel cinematografo ci sono mille cose che potrei fare. L'attore, l'aiuto regista, sceneggiature, traduzioni, doppiaggio... Non ho bisogno di molti denari. »

Disse che aveva affittato, per una cifra relativamente assai piccola, uno studio da pittore lì accanto; e con gli incerti degli articoli, se io gli davo un po' di lavoro nel cinematografo, era sicuro di farcela.

« Vieni su a prendere un drink. Così ti rendi conto. »

Guardai l'ora e rifiutai ringraziando: ero già in ritardo per il mio doppiaggio. C'incamminammo. Gli spiegai che fino al prossimo film, e cioè fino alla prossima estate, non avrei potuto, anche nel migliore dei casi, dargli nessun impiego. I posti erano già tutti occupati, le mansioni attribuite.

Mi accompagnò fino allo stabilimento, non persuaso, insistendo. Avrebbe potuto scrivere dei soggetti. Sapeva il prezzo di un buon soggetto: era quanto gli sarebbe

bastato per vivere un anno a Roma. Risposi che vendere un soggetto era un colpo di fortuna: a me, per esempio, che in tanti anni di cinematografo ne avevo scritto almeno una cinquantina, non era mai riuscito. Tuttavia, appunto perchè era un colpo di fortuna, poteva provare. Da parte mia, gli garantivo ogni aiuto.

Intanto, eravamo nel cortile. Gli attori del doppiaggio, e i tecnici dal grembiule nero, passeggiavano nel sole, fumando e chiacchierando, davanti alle porte-finestre del piccolo stabilimento. Credendo che mi attendessero, mi affrettai a chiedere scusa del ritardo; ma il capo fonico mi disse ridendo di non preoccuparmene. Un'interruzione di corrente li obbligava a star fermi un'altra mezz'ora.

Harry ne approfittò per rinnovarmi l'invito: lo studio era a due passi.

Riuscimmo in via Margutta e pochi metri avanti entrammo in un portoncino.

Percorso un andito stretto, buio, lunghissimo, salimmo una scala di pietra dalla ringhiera di ferro, attraversammo una terrazza sudicia, selciata di vecchie mattonelle, quasi tutte rotte o sconnesse, e chiusa tra le vetrate a smeriglio di studi di pittori e balconi gremiti di piante di pomidori e basilico, appartamenti di piccoli borghesi o di artigiani. Una ragazza in sottoveste, che stendeva bucato, ci guardò indifferente. Un altro andito, e un'altra scala, arrivammo infine a un cortiletto chiuso per tre lati dalle solite casette e dalle solite vetrate ma aperto, davanti a noi, sull'alta, folta, verde massa del Pincio. Bisognava fermarsi e guardare, per un istante incantati.

« Com'è bello! » dissi.

« Non conosci questi studi? »

« Altri, qui vicino, simili. Ma qui non ero mai stato. »

Harry mi strinse per un braccio:

« Vedi, » disse sottovoce, « se avessi un boat-house nel Minnesota, sul lago, o una casa di caccia nelle foreste del Wyoming, allora forse mi piacerebbe anche vivere negli States. Ma Princeton! ma Philadelphia! ma perfino New York! No, no. »

Tacque: poi si voltò adagio, mi mostrò un terrazzino che era alle nostre spalle, poco più alto delle nostre teste, al quale si accedeva per un'angusta scaletta di maiolica. Concluse:

« La mia casa è là. »

Ci avviammo; ma subito si fermò, mi strinse un'altra volta il braccio, e mi fissò in silenzio, sorridendo. Poi guardò in alto, verso il terrazzino, esitò ancora, disse con un filo di voce:

« C'è una cosa di cui ti devo avvertire. Non so come dirtelo. La donna, la donna che adesso vedrai non è... non è la donna di servizio, ecco. »

« Mi prendi per un imbecille? Allora è italiana? »

« Ciociara, » rispose col suo sorriso amaro. Ma questa volta fu quasi un ghigno. Ciociara: la parola, anche da sola, pareva dargli un doloroso piacere.

2

Mentre salivamo la breve scaletta di maiolica, mi congratulai con me stesso. Prima, quando gli avevo chiesto notizie della famiglia, non avevo, per un istinto giusto, accennato alla moglie, ma soltanto ai bambini. Avevo visto la moglie due o tre volte, ai ricevimenti del British Council, qualche anno prima. Era una piccola bruna, non brutta, non bella, magra, elegantissima. Un ciuffo di capelli sulla fronte, in studiato disordine; gli occhi vivaci; e un'aria, un'espressione, in tutta la persona, raffinata, nervosa, intelligente. Sapevo che tra lei e Harry erano litigi continui, e già allora Harry parlava di separazione.

La donna che non era una donna di servizio si annunziò, appena Harry aprì l'uscio, con un grido strascicato:

« Harry! » anzi Arry, senza aspirare l'acca. « Che fai con questo latte! Spicciati! »

« Eccolo qui, cara, » e di corsa scomparve dietro un tramezzo di legno scuro, che chiudeva, lungo un intero lato, il vasto ambiente. Era uno studio da pittore, come

tanti di via Margutta. Una grande vetrata, di fianco all'uscio d'ingresso, incorniciava la veduta del Pincio. A sinistra era il tramezzo. Le altre due pareti erano attraversate da un soppalco triangolare che poggiava su grosse travi. Soppalco e travi erano dipinti di nero come il tramezzo: s'indovinava, lassù, un letto matrimoniale. L'arredamento era quello solito degli ambienti della bohème romana e che tanto garba agli intellettuali stranieri. Poltrone semisfondate, una rete metallica per divano, cuscini sdruciti, tele stampate alle pareti, un tavolone e un buffet massicci, ornati, finto rinascimento. Disordine, polvere, sudiciume. Sul tavolo, tra bottiglie e piatti, c'eran libri, giornali, una macchina da scrivere, un bicchiere con dei fiordalisi.

Harry riapparve subito, conducendo la donna.

Alta, forte, in carne, i fianchi rotondi, i seni grossi, sodi e sporgenti. I capelli, neri corvini, erano tirati, lisci, lucidissimi, sulla testa piccola e ben fatta, e finivano sulla nuca con uno chignon compatto, all'antica. Gli occhi erano grandi, verde chiaro, bellissimi. Il naso diritto, classico, la bocca carnosa. Un corpo da modella. Un volto, proprio, da mosaico del Cavallini. Comunque, ebbi subito l'impressione, se non di conoscerla, di averla già vista e di non ricordare, lì per lì, dove e come; ma pensai, l'attimo seguente, che questa impressione era invece dovuta all'aspetto della donna, che era aggressivo, provocante, addirittura impudico, e per il momento come costretto in una volontaria, anche se forse soltanto apparente modestia: l'aspetto inconfondibile delle « professioniste » in riposo, che cercano e credono di non tradirsi.

Aveva un grembiule di tela attorno ai fianchi. Fece

appena due passi verso di me. Accennando al grembiule e asciugandovisi le mani:

« Buongiorno. Scusi, non le dò la mano, sto cucinando. »

« Martini? Pink-gin? » mi domandò Harry raggiungendo il tavolo. Alzò una bottiglia, e la guardò controluce per vedere quanto ce n'era ancora. Ma, invece di stapparla, interruppe il gesto con uno scatto improvviso, e si rivolse alla donna:

« Scusa, Dora, non ti ho chiesto. Tu che cosa prendi? »

« Oh, quello che vuoi, lo sai che per me è lo stesso. Non ci capisco niente, nei vostri pasticci. Non dovresti bere neanche tu, ti fa male! »

« Ma perchè dici questo? Hai bevuto migliaia di Martini nella tua vita. Non sai fare un Martini? Prova! »

« Che provare e provare! Non so neanche che cosa sia, » e a me: « È un bel tipo il suo amico! Glielo dica lei, non si vuol persuadere che noi italiane siamo donne alla buona. »

« Harry lo sa benissimo, » dissi. « E gli piace così. Ma vuol scherzare. »

Harry mesceva il gin, rideva, pareva contento.

« Scusi il disordine, » ricominciò Dora. « È una casa per modo di dire. Ma è centrale, a due passi da Piazza del Popolo. »

Bevemmo un Martini. Harry ricordò a Dora che avevano parlato di me parecchie volte.

« Tu non la conosci, » mi spiegò. « Ma lei, te, sì. Ti ha visto tante volte. Anche in fotografia, nei giornaletti cinematografici. E ha anche lavorato con te, come generica. »

La donna fece il nome del film. Ricordai allora dove

l'avevo vista; nè ciò, naturalmente, corresse la prima idea che il suo aspetto mi aveva suggerito. Harry concluse:

« Se hai bisogno di generici, adesso siamo due. Perchè non ci chiami? Ma anche lei sola, sai, se non è possibile per me. »

Dicendomi questo, mi fissava sorridendo. Lo fissai anch'io, un istante, negli occhi. Capivo e sentivo che egli era innamorato di quella donna. Ma in quell'istante capii e sentii altro. Harry era un carattere nobile. Se egli si abbassava a chiedermi lavoro davanti a lei, e addirittura per lei, e se aveva, così facendo, tutta l'aria di offrirmi la sua donna, non soltanto il bisogno di denaro lo costringeva a tale estremità, ma anche un altro impulso, forse più profondo.

Ero certo, per la stessa ragione, se avessi osato corteggiare Dora, di farlo soffrire, e di sollevare, a un certo momento, il suo sdegno. Devo dire tuttavia che l'ambiguità della situazione mi attraeva. La donna, per suo conto, mi piaceva. Scivolai nel giuoco pericoloso e diedi, ora, a Harry, maggiori speranze di prima:

« Non te lo prometto; ma ti assicuro che farò tutto il possibile. Spero, credo, tra quindici giorni. Dammi il numero del tuo telefono. Ecco il mio. »

Mi levai, dovevo andare. Questa volta Dora mi offrì la mano. Aveva le grosse braccia nude. Ma la mano era piccola; e il polso relativamente sottile, cinto dal braccialetto dell'orologio. Mi salutò, tuttavia, con una precisa sfumatura di freddezza, senza sorridere, e prendendo, per ringraziarmi di quello che avrei fatto, un tono convenzionale e cortese:

« Grazie tante ma non s'incomodi. Io devo partire,

la settimana ventura. Anche Harry deve partire. E non so neppure se ci saremo, tra quindici giorni. »

Era come se le premesse di correggere l'ambigua audacia di Harry; come se mi dicesse: « Guardi bene, caro signore, che se lei crede di combinare qualcosa con me, sbaglia; forse sembro una donna facile, ma non lo sono: voglio bene a Harry. » Oppure, più sinceramente: « Sono stata una donna facile e continuo ad esserlo, di nascosto da Harry. Ma se lo fossi anche con lei, caro signore, che è un amico di Harry, Harry finirebbe per saperlo. E questo mi rovinerebbe. Perchè Harry è di gran lunga il più generoso dei miei clienti, mi dà quello che nessuno mi aveva mai dato: una sistemazione. »

Benchè capissi subito tutto questo, o forse proprio perchè lo capivo, nel salutarla le tenni la mano, premendole le dita sul polso, per quella frazione di secondo più del normale che è sempre, da uomo a donna, o viceversa, una sufficiente *ouverture*. Ed ella, allarmata, volle mostrarmi che si risentiva perfino di quel brevissimo indugio: rovesciò il polso, sciogliendolo dalla mia stretta, con una velocità ed una violenza misurate quanto bastava perchè Harry non le notasse ma esagerate, al tempo stesso, quanto bastava perchè le notassi io.

« Arrivederla, » disse intanto fissandomi duramente, coi grandi occhi verdi; e prolungando questo sguardo oltre la normalità, almeno quanto io avevo prolungato la stretta di mano, « tanto piacere di averla conosciuta. »

Harry mi accompagnò giù per il labirinto.

Eravamo arrivati all'ultimo andito buio, prima del portoncino, quando si fermò e con un breve discorso esitante mi domandò del denaro.

Certo, ne aveva bisogno. Altrettanto certo, vedendo che la donna mi piaceva, aveva preso coraggio. Ma, certissimo, insieme al bisogno del denaro provava il gusto abbietto di chiedermelo.

Non avevo sufficiente denaro con me, dovevo fare uno chèque. Tirai fuori il libretto e mentre palpavo la stilografica nel taschino del gilet dissi, vinto dall'improvvisa tentazione di rivedere Dora e di farmi rivedere da lei nell'atto di dare del denaro al suo uomo:

« Non ho la penna, però. »

« Mi rincresce che devi rifare le scale, » disse lui.

Le rifacemmo di corsa. E fui subito punito. Harry andò da lei, in cucina. Con studiata lentezza io compilai l'assegno su un angolino del tavolo. Tornò Harry. E Dora non riapparve.

« È vero, » domandai a Harry porgendogli lo chèque. « È vero che dovete partire, tutti e due, a giorni? »

« Ma no, affatto, » rispose ridendo Harry.

« Allora perchè lo ha detto? »

« Per scusare in qualche modo la mia richiesta di lavoro, teme che tu ti disturbi troppo. »

« Così non dovete partire, nè tu nè lei? »

« No. Dorothea vorrebbe, » abbassò la voce, « vorrebbe che io tornassi in America, e venire con me. Non capisce perchè io stia qui a fare la fame. Non lo può capire. E io come faccio a spiegarglielo? Tu lo capisci, no? Ma lei muore per venire in America. Forse non mi ama neppure, o il suo amore è una cosa sola con questa idea fissa: andare in America. »

« Le italiane sono così, » osservai.

« Le italiane della sua classe, vuoi dire. »

« No, non credo: anche le altre. »

« Non capiscono niente. Come tutte le donne, del resto, » concluse ridendo Harry.

Intanto Dora, o Dorothea, non si era mostrata. Non potevo più aspettare. Me ne andai, deluso; e poi, subito, vergognoso di me stesso: il vizio di Harry sembrava che mi avesse contagiato.

3

BENCHÈ lo desiderassi, non mi fu possibile, nei giorni che immediatamente seguirono, visitare Harry e Dorothea. Harry mi telefonò un paio di volte, e mi disse che, seguendo il mio consiglio, aveva pensato a un soggetto cinematografico. Ci stava lavorando. Appena ci saremmo rivisti me ne avrebbe parlato. Lo incoraggiai a scriverlo, pur trattenendomi dal dargli eccessive speranze. Pensavo in ogni modo che (anche se finanziariamente mi costava di più e costituiva per me, con ogni probabilità, una pura perdita) dargli del denaro come anticipo sulla possibile vendita del soggetto era una condotta molto più facile e prudente che non affidargli un qualsiasi impiego od incarico.

Una domenica mattina, verso i primi di giugno, Harry mi telefonò se volevo andare al mare con lui e Dorothea. Per caso, non avevo nulla da fare. Mi si presentava una giornata solitaria, vuota di tutto se non del ricordo più triste: le ambizioni abbandonate, i desideri ai quali abbiamo da tempo rinunciato. Accettai.

Vennero a prendermi con una vecchia jeep. Salii

davanti. Harry guidava; Dorothea sedeva in mezzo, stretta tra me e lui.

Aveva i neri capelli legati in un foulard rosso che donava al suo volto forte, ai suoi occhi di smeraldo; e un prendisole di tela anche rossa, a grandi fiorami gialli, che le lasciava nude le spalle, il dorso, il ventre.

Nel sole, nel caldo, nel vento, nell'odore del mare sempre più vivo a mano a mano che ci allontanavamo da Roma, il contatto del suo corpo seminudo, il peso del suo braccio sul mio, l'irregolare premere delle sue gambe contro le mie, e il suo umore che oggi, non capivo perchè, pareva scherzoso, leggero, e verso di me molto più amichevole della prima volta, mi gettarono presto in uno stato di tormentosa eccitazione, tra una promessa di piacere incertissima e una certissima coscienza del dovere.

Quando fummo in aperta campagna, e mancava ancora una trentina di chilometri alla spiaggia dove eravamo diretti, Harry volle parlarmi del soggetto. Aveva incominciato a scriverlo, e poi si era fermato, preso da mille dubbi. Voleva dirmi di questi dubbi, chiedermi consiglio.

Ma Dorothea si oppose ridendo: era giorno di festa, il cielo limpido, il sole splendente; non dovevamo discutere: pensare soltanto a un bel bagno e una bella mangiata.

« Non ho voglia di sentir parlare di lavoro! La vita è bella! » gridava nel rombo della jeep. La sua pelle era naturalmente bruna, liscia come un ciottolo levigato dalle acque. Due larghi bracciali dorati le cingevano i polsi.

Harry, questa volta, pareva seccato dell'allegria di

lei. E più Dorothea rideva e ciarlava, più egli taceva e si faceva serio. E il risultato era l'opposto di quello che Harry col suo contegno probabilmente si prefiggeva. Dorothea continuava a scherzare, e rivolgeva i suoi scherzi sempre più verso di me.

« Oggi mi sento bella! Mi sento fotogenica! » diceva. « Perchè non mi fa un provino, eh? So recitare, sa? Adesso alla spiaggia le faccio vedere! »

« Certo! » rispondevo, trascinato. « Con grande piacere! Sono sicuro che lei è bravissima! »

Harry intervenne secco:

« Per carità, ci mancherebbe altro, » e tacque, guardando fisso la strada.

Capivo Harry, per naturale istinto. Non avevo sbagliato, fin dal primo momento, sulla natura doppia e contorta della sua passione. Se allora, al contegno riservato di lei, egli aveva reagito quasi come se volesse offrirmela; oggi, della sua provocante allegria, era decisamente geloso.

Ci fermammo dopo Tor San Lorenzo, a metà di un lungo rettilineo deserto, fra Pratica di Mare e Lavinio. Lasciata la jeep in un viottolo, prendemmo i pacchetti delle cibarie che Harry e Dorothea avevano preparato, attraversammo la grande pineta incolta, scendemmo alla spiaggia.

Deserta anche questa, benchè fosse domenica. S'indovinavano appena all'orizzonte le cabine di Lavinio; e qua e là, ma distanti da noi e tra di loro qualche centinaio di metri, rare tende di bagnanti che, per la fattura rustica e improvvisata, facevano assomigliare il luogo ancora di più alla riva di qualche isola selvaggia.

Harry, come quasi tutti gli americani appena si presenta l'occasione, aveva preso un'aria metodica da Robinson Crosue. Trovò dei pali che erano sparsi per la spiaggia, lì radunò, li piantò, costruì l'armatura di una capanna. Lavorava serio, taciturno, esigendo che io l'aiutassi, mentre Dorothea, poco lontana, giaceva bocconi sulla sabbia. Egli ricordava, certo, gli organizzati campeggi della sua infanzia nelle foreste del Minnesota. Ma se la gravità ch'egli metteva in questa occasione poteva passare, ai miei occhi, per il dispiacere che l'eccessiva familiarità dimostratami da Dorothea gli aveva dato, e per un severo ammonimento che egli desiderava senza parlare rivolgermi in proposito, tanto meglio.

Mi ordinò, quindi, di seguirlo alla pineta, dove, cacciato fuori un coltello a molla, tagliò una gran quantità di rami. Mi caricò, se ne caricò, e tornammo alla spiaggia.

Dorothea si era levata, sbadigliando e stirandosi.

« Sono cotta, » disse. « Ora vado in acqua. Chi mi ama mi segua. »

Non dissi nulla perchè vidi che Harry guardava me e lei, accigliato.

« Vai pure, se credi, » le rispose. « Noi, prima, dobbiamo finire qui. »

Disponemmo i rami sull'armatura, facendo un pergolato d'ombra. Intanto seguivo, di sottecchi, l'alta figura della donna che s'avviava lentamente al mare. Si era messa un costume da bagno verde chiaro, di maglia elastica, che slanciava e modellava le rotondità del gran corpo. Distolsi lo sguardo e dissi a Harry:

« Se vuoi parlarmi del soggetto, adesso... »

« No, non ho più voglia. Non oggi. Oggi dobbiamo

divertirci, e basta. Ma ti telefono domani all'una, prendiamo un appuntamento. Sei stato così gentile ad aiutarmi, voglio farti vedere che ho lavorato, ho pensato. »

« Se hai bisogno ancora, dimmelo pure. Venderemo il soggetto. E se no, mi restituirai i denari quando li avrai. »

Allungai una mano verso la giacca e presi il portafoglio. Volevo dissipare tra noi ogni malinteso. Era chiara la mia delicatezza. Approfittavo di un momento, che forse non si sarebbe più ripetuto durante la giornata: Dorothea era lontana, non si sarebbe accorta di nulla. Gli offrivo del denaro, era anche chiaro, perchè egli, seppure non ne aveva in quel momento particolare bisogno, potesse, accettandolo, dimostrarmi che non era offeso.

Così fece, infatti. E sorrideva finalmente il suo abituale sorriso, dolce e malinconico:

« Grazie, sei un vero amico. »

Sorriso, sguardo, che non mi aveva più mostrati in presenza della donna.

La raggiungemmo in mare, poi facemmo colazione, fumammo qualche sigaretta, chiacchierammo, riposammo: ma, comportandoci, tutti e tre, meglio di prima. Ciascuno di noi si era accorto che, continuando come prima, si andava a finire male. Dorothea fu meno provocante, Harry meno suscettibile ed io più distratto.

Cercavo di distrarmi, per la verità. Cercavo di guardare altrove. Ma, ogni volta che i miei occhi si posavano su di lei, era come se scattassi un'istantanea che avrei poi sviluppato quando sarei rimasto solo. E quella notte, a casa mia, tardai a prendere sonno. Sentivo sul mio corpo il bruciore del sole, e negli occhi, se li chiudevo al buio, mi era rimasto come un oro caldo, dal sole,

dalla sabbia, dal cielo, dal mare confusi insieme; e in quell'oro caldo le istantanee si sviluppavano una a una senza che io volessi. Vedevo Dorothea che emergeva dall'acqua, stillante di infinite gocce che sulla sua pelle bruna parevano preziose. La vedevo di schiena, sdraiata sulla sabbia e appoggiata ad un gomito in una posa abbandonata e monumentale: ed era come se, per uno strano prodigio, avessi potuto contemplare il rovescio di una pittura famosa, un'odalisca che Delacroix aveva rappresentato di faccia. Oppure mentre mangiava avida, con le mani, una coscia di pollo, una fetta di prosciutto: e mi dicevo tristemente che essa mi piaceva anche così, nella naturalezza e nella volgarità del cibarsi. Infine nel sonno, supina, che muoveva lenta una gamba. Nel riso, nel brillio smeraldino degli occhi, nel gesto di una mano, nel lieve, breve ondeggiare di un piede dalle unghie di rubino, che strisciava su e giù sulla sabbia...

L'indomani, per una di quelle improvvise decisioni non infrequenti nella produzione cinematografica, mi fu comunicato che dovevo, di lì a pochi giorni, partire per Parigi, dove avrei collaborato alla sceneggiatura del mio prossimo film. Era prevista un'assenza di circa due mesi.

Verso l'una, Harry mi telefonò allo stabilimento come d'accordo: non so perchè, gli tacqui della mia partenza, pur così prossima; e dissi che quel giorno non potevo vederlo, nè il giorno dopo. Agganciando il ricevitore, capii perchè avevo taciuto: avevo, all'improvviso e quasi involontariamente, ideato un piano.

4

SAPEVO che ogni sera, tra le otto e le dieci, Harry passava alla Sala Stampa e vi si fermava qualche tempo raccogliendo notizie per le corrispondenze che inviava, saltuariamente, al suo giornale di New York.

In quell'ora, l'ultimo giorno prima di partire per Parigi, avevo pensato di fare una visita, senza avvertire, allo studio di via Margutta; e di tentare la sorte.

Era il viaggio che mi faceva osare. Se c'era pericolo di strascichi, la partenza, troncando tutto, li avrebbe evitati. E se mi fossi, dopo, sentito troppo colpevole, la lontananza, il non rivedere Harry almeno per due mesi, avrebbe addolcito il mio rimorso.

Fare il proprio comodo e poi tagliare la corda è l'ideale delle avventure galanti. E chi non può sempre tagliare la corda, chi è trattenuto in un dato luogo dal suo lavoro, capita che, addirittura, inverta i termini. Tagliare la corda non sia più una conseguenza dell'avventura, ma l'occasione, la causa. Si cerchi e si corra l'avventura quando, per altre ragioni, si parte.

D'altra parte, Dorothea mi piaceva. L'ultima volta, al mare, mi aveva fatto capire di non sdegnarmi. Volevo bene a Harry, lo stimavo: il mio progetto dunque non era

molto bello. Ma cosa c'entra, mi dicevo finalmente la mattina del giorno stabilito, mentre mi facevo la barba ed ero ripreso dagli onesti scrupoli, cosa c'entra una avventura, un breve piacere, con il rispetto e l'amicizia? Io non corrompevo Dorothea. Se non io, sarebbe stato un altro. Anzi, concludevo: perchè tanti altri, e io solo no?

Meditavo, si capisce, anche gli argomenti contrari. In fondo, anche se rinunziavo a Dorothea, non ci avrei, come si dice, fatto una malattia. Perchè dunque per un così breve piacere barattare il lungo, se pur lieve. dolore del rimorso? Perchè incrinare la mia amicizia con Harry, finora integra?

Ma proprio per questo, ritorceva il diavolo. Quella donna, se non te ne cavi la curiosità, sarà sempre tra voi due. Curiosità, non passione. Proprio per salvare l'amicizia tu devi, in piccolissima parte e per brevissimo tempo, tradirla.

Infine, chi è uomo lo sa. Siamo forti contro le tentazioni forti. Contro le deboli, deboli. Non vale la pena, ci diciamo, fare gli eroi delle occasioncelle perdute.

Come fu lungo, però, quel pomeriggio di giugno! E come tardava, in fondo a via Margutta, a venire la notte!

Nell'aria azzurra e tepida, le ultime strida delle rondini, grida di bambini che giocavano davanti al garage, saluti, risa di passanti: era una sera della settimana di San Giovanni a Roma, quando il peccato sembra che non esista più, e l'antica saggezza riaffiori, col primo alito dell'estate che torna. Si accesero le luci. Le ombre si disegnarono. Gli occhi dei passanti sfavillarono. Il traffico spicciolo della stretta via, e le grida e le risa e

i saluti e i gesti e le guardate, parve prendere tutto la stessa maliziosa e gioconda intenzione. Se avevo ancora avuto scrupoli, gli ultimi svanivano senza che io me ne accorgessi. E quando vidi l'alta siluetta di Harry uscire dal portoncino, saltare sulla jeep, allontanarsi fragorosamente verso via Alibert, accesi una sigaretta e mi avviai senza esitare. Ridevo tra me e me, il mondo è di chi se lo piglia.

Entrai nel portoncino, m'inoltrai. Silenzio appena rotto dagli strilli di una radio, dagli scoppi di una motocicletta, rumori vicini, giù in via Margutta, ma fatti improvvisamente lontani dalle grosse mura. Buio appena screziato dal riflesso di qualche vecchia lampadina sugli scalini, sulle mattonelle sconnesse. E silenzio e buio, mentre salivo per il labirinto delle scalette, dei cortiletti, degli anditi, avevano qualche cosa di trepido e di sacro.

Venne ad aprirmi la porta a vetri e mi sorrise subito invitante:

« Avanti, s'accomodi, Harry è uscito, ma torna presto, » (sapevo che non era vero). « S'accomodi, prego, scusi se è così buio. La lampadina di centro si è fulminata proprio adesso. »

Era acceso, infatti, soltanto un piccolo abat-jour rosso, in mezzo al tavolo, tra la catasta delle carte che circondavano la macchina da scrivere, e una teiera e due tazze, posate su altre carte e giornali.

Dorothea era vestita molto semplicemente. Una gonna nera e una camicetta di tela azzurra senza maniche. Le grosse braccia brune, nude fino alle spalle. I capelli raccolti, al solito, sulla nuca in un grosso nodo, lucidi e tirati con cura.

Mi offrì il tè, e una fetta di una torta rotonda, schiac-

ciata, coperta di perline zuccherate, bianche azzurrine verdine gialline rosa violacee, che facevano un delicatissimo effetto di colore. La pasta era compatta, saporosa, appena dolce, squisita. Si capiva che era un dolce patriarcale, indizio sicuro di una tradizione antica e civilissima.

« L'ho fatta io, » disse ridendo Dora, soddisfatta che lo apprezzassi. « È un dolce del mio paese. »

« È strano, » dissi. « Sono stato tante volte a Frosinone e non l'avevo mai gustato nè veduto. »

« Che c'entra Frosinone? » esclamò sorpresa.

« Ma sì, Frosinone, la capitale della Ciociaria, » risposi con un certo imbarazzo, perchè di ciociari e Ciociaria, a Roma, si parla sempre con spregio. « Lei non è di quelle parti? »

« No, affatto! Io sono pugliese. Questo dolce è pugliese. Noi lo chiamiamo la *scarcella.* »

Riflettevo allo sbaglio di Harry, senza stupirmi. Quante volte, della persona che più si ama e frequenta, erriamo anche sui fatti e i dati essenziali!

Pugliese. Guardavo Dora. Le perline dai teneri colori e il gusto della *scarcella* spiegavano, mi pareva, e accrescevano l'incanto della sua bellezza, che, pur nel provocante atteggiarsi della professionista moderna, era rimasta arcaica, pagana, contadina.

« Sono venuto, » le dissi sedendomi vicino a lei sulla rete metallica, « a salutarvi perchè domani parto. Vado a Parigi e sto via qualche mese. » Esagerai a bella posta la durata della mia assenza per giustificare la cifra, piuttosto elevata, del denaro che intendevo offrirle. Avevo preparato dei biglietti da diecimila, li estrassi e li posai sul tavolo senza contarli, si capisce, ma in modo che essa vedesse subito di che somma all'incirca si trattava.

Dorothea si rabbuiò, come alla mia prima visita, e non si mosse.

Ci fu un silenzio imbarazzante.

« Scusi se glieli dò così, » dissi.

« S'immagini, » rispose secca.

Eppure, ero certo della sua venalità: e avevo preparato dei contanti, invece di un assegno, perchè più facilmente ella se li potesse appropriare, all'insaputa di Harry.

Ora il suo volto serio mi sconcertò. Avrei giurato che, alla vista del denaro, ella avrebbe preso il solito contegno scherzoso e distratto delle prostitute, quando l'affare è concluso. Invece guardava dura davanti a sè e non diceva niente. Io non sapevo da che parte incominciare. Il silenzio si faceva penoso. Cominciai a parlare della nostra gita al mare, della sua fotogenia, della buona, della grande probabilità che c'era, per lei, di fare una parte in un mio film.

« Appena torno da Parigi, » mi affannavo per vederla sorridere, « le farò un provino, e vedrà, vedrà che riusciremo... »

Dorothea mi sorrideva:

« Grazie; ma a Harry farebbe dispiacere. »

« Ma come? Lo ha detto lui, che era contento se la chiamavo a lavorare! »

« Lo ha detto per scherzo: non vuole. »

« Che cos'ha oggi, Dora? » le dissi infine, avvicinandomi, mettendole un braccio attorno e carezzandole la spalla nuda. « Perchè così triste? »

« Sono triste perchè sono delusa: la credevo un vero amico di Harry, e invece vedo che non lo è. »

In un lampo sperai di riuscire. Ormai lei aveva par-

lato, aveva accennato alla verità della situazione. I miei timori erano infondati. Avevo sbagliato tattica, ecco tutto. Il mio attacco, muto, breve, chiuso e dissimulato in quella esagerata offerta di denaro, era stato offensivo. Dora s'era fatta seria soltanto per non cedermi troppo presto, soltanto perchè io non pensassi troppo male di lei. Avrei dovuto prenderla più alla larga. Un po' di sentimento ci voleva. Rimediai subito:

« Non dica sciocchezze, Dora! Cosa c'entra la mia amicizia per Harry? Non si è accorta di niente, domenica scorsa? Eppure credevo che se ne fosse accorta. Non capisce che da quando l'ho vista, non penso che a lei... » e così via, cercando a fatica di evitare le frasi che suonassero troppo falso. Poichè un fondo c'era, poichè Dora mi piaceva davvero e avevo davvero, molte notti, pensato a lei, provai a dirle, senza fingere amore, la mia capricciosa passione.

Non bastava.

A poco a poco, allora, salii di tono; arrischiai via via espressioni sempre più tenere e spirituali, la strinsi a me, e quando infine le parole mi mancavano e il mio desiderio si fece urgente, cercai di baciarla.

Si levò di scatto, sciogliendosi:

« No, » disse. « Le ho detto che non voglio. Si vede che lei non ha mai sofferto di queste cose. Io avevo un fidanzato, lo dovevo sposare. Mi lasciò per andarsene con una mia amica intima. Sono stata per morire. Ho giurato che nessuno al mondo avrebbe, per causa mia, passato quello che ho passato io. Si figuri una persona come Harry, che gli voglio bene. »

« Ma Harry non lo saprà mai, » osservai debolmente.

« Non importa. Sono io che non voglio. Non ci pro-

verei nessun gusto. Penserei, tutto il tempo, che sto facendo qualche cosa che offende Harry, qualche cosa che gli fa male. »

Pronunciò queste ultime parole molto semplicemente guardandomi diritta negli occhi.

Ero arrabbiato.

« Allora lei, » dissi con cattiveria, « lei forse fa con altri, con degli uomini qualunque, quello che non vuol fare con me soltanto perchè io sono amico di Harry! »

« Quello che faccio io non la riguarda. Voglio bene ad Harry e non ho bisogno di nessun altro. »

Istintivamente, posai la mano sul pacchetto del denaro che era sempre sul tavolo dove l'avevo messo. Avrei voluto ritirarlo, o per lo meno diminuirlo. Ma sentii, subito, la meschinità del gesto. Avevo sbagliato, dovevo pagare. Ci guadagnava Harry. Era giusto. Tanto meglio. Ritirai la mano lasciando i denari dov'erano e mi alzai:

« Dica a Harry di telefonarmi questa notte. Rientrerò tardi; ma starò su a far le valigie. Mi telefoni a qualunque ora, finchè mi trova. »

La salutai con dolcezza, le baciai la mano a lungo ed essa, con eguale dolcezza, lasciò fare.

« Buon viaggio! » mi disse accompagnandomi sul terrazzo fino alla scaletta. « Ci mandi una cartolina da Parigi! Non ci sono mai stata, ci vorrei tanto andare... »

Harry mi chiamò verso le tre di notte. Avevo finito di fare le valigie e stavo per coricarmi. Cominciò ringraziandomi commosso per il prestito; e facendo l'esatta somma di questo denaro con quello che gli avevo dato nelle due precedenti riprese, mi disse che calcolava la intera cifra come anticipo sulla vendita del soggetto.

« Ti ringrazio, » mi spiegò, « non soltanto del denaro

in sè, benchè mi faccia veramente comodo; ma anche perchè, così, sono obbligato sul serio a scrivere il soggetto. Se poi non lo venderai, non devi aver paura. Ho dei parenti ricchi in America, lo sai: un giorno o l'altro potrò restituirti tutto. »

« Un giorno o l'altro, molto presto, tornerai a lavorare, » gli dissi.

« Non credo. Sono stufo di tutto. Non ti ho poi detto nulla, non abbiamo ancora parlato. È un anno che faccio questa vita. Tu non sai... »

Mi domandò l'indirizzo del mio albergo a Parigi, voleva spedirmi il soggetto appena scritto. Forse, a Parigi, lo avrei collocato con maggiore facilità.

Ci salutammo molto affettuosamente, e io ripensavo a Dorothea. Quando l'avevo lasciata (scendevo di corsa, come un ladro, le scale, e svicolavo per via Margutta e il Babuino, rapido, timoroso d'incontrare Harry) mi ero detto che sì, forse sì, era sincera ed onesta, voleva davvero bene a Harry. Ora non ne ero più sicuro. Poteva essere stato un calcolo. O anche un misto dei due, calcolo e sincerità. Insomma, ero perplesso. E ancora indispettito.

Poche ore dopo, quando il treno di Parigi uscì dalla stazione di Termini, non ci pensavo più.

5

Il mio soggiorno a Parigi si prolungò oltre il previsto. Il film che là dovevo soltanto sceneggiare, e poi girare in Italia, fu messo in lavorazione negli studi di Joinville. Credendo di mentire, avevo detto a Dorothea la verità.

Verso l'inizio del secondo mese, ricevetti questo telegramma da Harry:

« Domani domenica ore 9 Gare de Lyon treno Roma pregoti ritirare personalmente dal conduttore carrozza letti numero 4 dattiloscritto soggetto grazie abbracci. »

Perchè non per posta?

Il conduttore mi consegnò un fascicolo spesso, accuratamente incartato e legato, e una lettera.

« Il signor Perkins, » mi spiegò, « mi ha detto di dirle che sono a sua disposizione, se ha bisogno di comunicare con lui. Riparto per Roma domani sera alle venti. Lei mi può telefonare all'Hôtel Moderne, 3 Rue Parrot. Il mio nome è Borruso. Conosco il signor Perkins da molti anni. Siamo buoni amici. Si può fidare. Del resto, ci sarà anche nella lettera. »

Lo guardai stupito, senza capire il perchè di tali preoccupazioni e precauzioni. Era un uomo tarchiato, bruno, all'aspetto e all'accento calabrese o siciliano; aveva la barba lunga, e le guance pallide e flaccide della gente che dorme poco e male, come anche i croupiers e i tipografi dei quotidiani.

« Quando ha visto lei il signor Perkins? » gli domandai.

« Ieri mattina a Termini, alla partenza del treno. Non si sentiva troppo bene. »

« È malato? »

« Sì, credo. Mal di fegato. Ma non è questo il suo vero male. Senta. So che lei è il migliore amico che il signor Perkins abbia in Europa... » Il conduttore esitò, si cavò il berrettino marrone, si passò un fazzoletto sulla fronte sudaticcia. « Posso offrirle un caffè? Due minuti soli, prendo la mia roba. »

Risalì sul treno. Intanto aprii la lettera di Harry. Traduco dall'inglese. Diceva:

« Caro Mario,

« non ti stupire della lunghezza del soggetto, e scusami di averti fatto venire alla stazione. Ho pensato che la domenica avresti potuto, senza troppo disturbo.

« Leggendo capirai perchè non ho voluto affrontare il rischio, anche minimo, di un disguido postale. E c'è un'altra ragione: questa è la stesura originale e unica, scritta direttamente a macchina e senza far copie, per rapidità.

« Il racconto non è finito, come vedrai. Troverai il seguito al tuo ritorno a Roma.

« Ho buttato giù tutte queste pagine in meno di tre settimane. Ho lavorato con estrema facilità dal mo-

mento che, rinunciando a costruire un soggetto vero e proprio, decisi di scrivere semplicemente tutta la realtà della mia vita in questi ultimi anni.

« In principio avevo pensato a dei personaggi di fantasia, e a una vicenda cinematografica che in qualche modo riflettesse i miei fatti e i miei problemi. Ma non riuscivo mai ad andare avanti. Non riuscivo a far combinare ciò che mi era successo e che ancora mi fa soffrire con la trama che avevo immaginata. Sono troppo angosciato e non posso inventare nulla, neanche mascherare i miei ricordi e i miei rimorsi. Posso soltanto confessarmi. Ecco tutto.

« Anche i nomi, le date e i luoghi, tutto nel mio racconto è dunque vero. Guarda un po' tu che cosa ne puoi fare. Guarda se puoi tirare fuori un film. Se non lo credi possibile, non importa: avevo bisogno di raccontare non dico soltanto a un amico ma perfino a me stesso, raccontare questa serie di avvenimenti che ricordo e ripenso senza tregua, come un peso, come una montagna sul cuore, che mi schiaccia, da un anno a questa parte. E raccontare è l'unico sollievo. Ti ringrazio di avermi dato questa possibilità.

« Ti abbraccio

Tuo Harry.

« P.S. dalla stazione. Il conduttore Borruso, al quale affido il dattiloscritto, è persona di mia assoluta fiducia. Lo conosco dal 1938. Se vuoi rispondermi, ti prego di servirti di lui. *Non impostare.* Non sono sicuro di Dora, capisci: vedendomi scrivere a macchina, credeva, naturalmente, che lavorassi, e non ne era curiosa. Poi, non legge l'inglese facilmente. Ma le lettere, le apre. Ciao. H. »

Borruso scese dal treno con la sua borsa a tracolla, una valigetta e un grosso pacco. Insistette per offrirmi il caffè. Arrivammo al buffet. Mi parlò di Harry con un'aria amichevole, quasi paterna, che proprio non mi pareva interessata. Il signor Perkins, mi disse, era esaurito: un collasso nervoso, dopo le sue disgrazie... Borruso credeva che io sapessi tutto; nè io potevo dirgli che, invece, non sapevo ancora niente. Alla fine, dopo molte esitazioni, rivelò quello che, forse, era il vero scopo delle sue confidenze. Aveva imprestato a Harry, in varie riprese, più di mezzo milione. Nessuno lo sapeva, fino allora. Io ero il primo. Egli credeva Harry una persona d'onore. Era a conoscenza della sua posizione negli Stati Uniti, i parenti ricchi, ecc. E non metteva in dubbio la sua buona volontà. Ma lui, Borruso, aveva famiglia a Roma, quattro bambini e la moglie: anche se guadagnava benino, mezzo milione era sempre mezzo milione.

Risposi che avrei fatto di tutto per aiutare Harry, ed ero sicuro che si sarebbe ripreso.

« Lei dovrebbe persuaderlo a tornare in America, » concluse il conduttore. « Che cosa sta a fare a Roma? Guardi, sembra che io parli contro il mio interesse. Un creditore che si allontana... Ma le ripeto che conosco il signor Perkins. Appena avesse i denari me li restituirebbe. Ora, soltanto se torna in America li potrà avere. Vede come mi fido. Parlo non soltanto per il mio ma anche per il suo bene. Non crede? »

Rientrato all'albergo, lessi subito il dattiloscritto. Lo riporto qui per intero, traducendolo dall'inglese e correggendo alcune inesattezze che gli erano sfuggite nella fretta della stesura.

DATTILOSCRITTO DI HARRY

Penso a Jane ogni giorno, ogni ora, si può dire ogni minuto. Ma se voglio raccontare ciò che accadde a lei, a me, a noi due insieme, dal giorno del nostro primo incontro fino alla fine, non mi sento di andare sempre per ordine, come forse, per chiarezza, dovrei. Perchè un momento, anzi un attimo mi è presente, vivo, più di tutti gli altri: e mi torna alla memoria continuamente, angosciosamente, inutilmente.

L'attimo di un suo sguardo. La camera al Grand Hotel, il giorno dopo il nostro arrivo a Roma, l'ultima volta. I suoi occhi, mentre parlava al telefono, che per rispondere alla mia sussurrata, ma non sospettosa domanda « Chi è? », ebbero un'espressione, quell'attimo, cupa, torva, che non avevo mai visto in lei e sul cui significato lì per lì m'ingannai completamente.

Conoscevo Jane da cinque anni. Era mia moglie da quattro, poi madre dei miei due bambini. La giudicavo moglie e madre perfetta, quanto io imperfetto padre e marito.

Ero riuscito, o mi pareva di essere riuscito, a nasconderle sempre le mie colpe, le piccole frequenti infedeltà, e l'abitudine viziosa nella quale ricadevo ad ogni ritorno in Italia, la mia relazione con Dorothea.

Avevo conosciuto Dorothea, sembra impossibile, proprio attraverso Jane, pochi giorni dopo il mio primo incontro con Jane stessa.

Fu nell'estate del '44. Roma era stata liberata il 4 giugno.

Vidi Jane la prima volta a un party, in una villa

romana requisita da un colonnello mio amico. Provai subito per lei un'estrema tenerezza, quasi una pietà. Mi pareva, così piccola, fragile, nervosa, intelligente, sofferente, che avesse bisogno di protezione; e che mi spingesse verso di lei, fin dal principio, un sentimento arido, malinconico, onesto ed inesorabile, che ricordava il mio affetto per mia madre e che aveva, assurdamente, il gusto amaro del dovere; non il dolcissimo dell'amore, nè l'inebriante del piacere.

La frequentai da quella sera ogni giorno con la decisione e la calma, appunto, di un dovere, o di una perversità.

Mi piaceva stare con lei, raccontarle della mia infanzia, della mia famiglia, della mia vita; comunicarle impressioni ed idee, andare con lei a concerti di musica classica; e potevo perfino parlarle del mio mestiere di storico dell'arte, visitare insieme a lei mostre e gallerie, perchè era colta e giudicava di pittura con naturale giustezza. In nessun momento, tuttavia, durante quei primi giorni, sentii il desiderio di stringerla tra le mie braccia. Finchè una notte, che passeggiavamo in carrozzella per Villa Borghese, ed eravamo da qualche tempo silenziosi, come vinti dalla mollezza e dalla dolcezza dell'aria estiva, riflettei, addolorato e indispettito, all'incompletezza di questo mio sentimento. Dunque non era ancora l'amore! Dunque non era ancora la donna unica! Chissà, provavo anch'io quell'assurda impazienza di forzare il destino che aveva spinto alcuni miei amici al matrimonio, a un matrimonio, presto, purchessia! Mi ribellavo anch'io, come loro, alla realtà. E seguendo la strana suggestione virtuosa del mio affetto per Jane, mi dicevo che *il mio dovere era che essa mi piacesse.* La sogguardai, senza

voltare il capo; e la vidi al mio fianco, da me staccata, appoggiata alla spalliera, e scossa malinconicamente dal ritmo della carrozzella, piccola, magra, nervosa, immagine di debolezza e di infelicità. Capii ancora una volta che non mi piaceva; ma capii, nello stesso disgraziato istante e per la prima volta, che appunto perchè non mi piaceva poteva, sia pure per brevi momenti, piacermi. Era come una possibilità che mi si apriva di colpo, rischiosa e perversa. A me sono piaciute, sempre e soltanto, le donne alte, grandi, grosse e grasse. Ora fissavo, nel corpicino esile di Jane, il ventre, appena appena segnato, appena appena rotondo. E mi dicevo che sì, forse, c'era un gusto. C'era il gusto di gustare proprio ciò che non mi piaceva, e di gustarlo *perchè* non mi piaceva. Il gioco era fatto. Era scattata come una molla. Improvvisamente, desiderai quel ventre. Con piacere aspro mi voltai verso di lei, le strinsi la sottile vita contro di me, la baciai quasi mordendola, dolorosamente. Povera Jane!

Ma non volle fare l'amore. Non volle, quella notte, nè tutte le altre notti di quell'estate romana; nè l'anno seguente, 1945, quando ci ritrovammo a Parigi; nè infine l'autunno, a New York, quando ci fidanzammo. Non volle, fin dopo il matrimonio. Sposammo nel dicembre del '45, a Philadelphia. Era cattolica e molto religiosa.

Fu appena due o tre giorni dopo quella passeggiata notturna in carrozzella che, entrato, verso l'una del pomeriggio, in una piccola trattoria del centro di Roma per il lunch, vi trovai Jane seduta a un tavolo. Faceva colazione con una donna italiana, dall'aspetto prepotente e vistoso, e che sembrava essere il centro di attrazione della piccola trattoria, affollata di clientela maschile.

Ebbi subito l'impressione che fosse una prostituta o, come dicevano gli italiani di quel tempo ripigliando la nostra cattiva pronuncia (contaminazione con lo spagnolo o con lo *spelling* inglese) una « segnorina ». Ma, mentre le « segnorine » di solito erano piccole, macilente, nervose, dall'aria affamata e spaventata, questa si distingueva proprio per una straordinaria autorità e direi quasi solennità. Dorothea guardava in giro, istintivamente, tutti gli uomini, sorrideva, ammiccava loro ogni istante. Ogni sfumatura delle sue espressioni, ora serie ora ironiche, faceva pensare al letto; pareva accennare, ora appassionatamente ora maliziosamente, all'amore. E v'era, nell'altezza della sua fronte, nella purezza del suo profilo, nel lampeggiare degli occhi, nella piega delle labbra, qualche cosa di classico, di deciso, di vittorioso. V'era come una promessa e un segreto, che con uno solo dei suoi sguardi essa riusciva a stabilire tra sè e gli uomini.

Naturalmente fui stupito di incontrare Jane in trattoria, e con un tipo simile. Non ci vedevamo mai la mattina. Andavo a prenderla all'albergo verso le sette di sera, pranzavamo fuori, e stavamo insieme, a passeggio, a ballare, o a qualche party, fino alla mezzanotte. Jane lavorava come infermiera in un ospedale militare. Quella sera stessa mi spiegò che un soldato le aveva portato Dorothea per una certa cura, del resto semplicissima. E che Dorothea, riconoscente, l'aveva invitata a colazione. Voleva farle gustare un vero pasto italiano. Era stata così umile, mi disse, così spontanea nell'invito, che Jane non si era sentita di rifiutare. Comunque, ascoltando Jane che mi parlava di Dorothea, ero sconvolto; pensavo soltanto a Dorothea, al modo di ritrovarla, e non alla verosomiglianza del racconto di Jane.

Dorothea, dal primo istante in cui la vidi (scollata, sbracciata, vestita di seta a chiari fiorami, bruna, abbronzata, scintillio di occhi, di denti, di braccialetti, nel frastuono allegro e nell'ombra calda della piccola trattoria, che un raggio di sole, dalla porta aperta sul vicolo, fendeva a metà fino a brillare sulla tovaglia e i bicchieri proprio del suo tavolo, e proprio sui suoi piedi, che apparivano sotto la tovaglia, calzati da sandali di lacca nera, le unghie dipinte di rosso; e per le linee classiche del suo volto, e per l'espressione sensualmente vittoriosa del suo sguardo), Dorothea la desiderai subito con quel trasalimento, con quello smarrimento, con quel timore, con quella disperazione, con quella coscienza assurda della mia indegnità che segnalavano, alla parte di me ancora capace di ragionare, una donna conforme ai miei sogni: se fossi italiano forse avrei detto, una donna conforme ai miei gusti.

Sedetti al tavolo e feci colazione con loro, sforzandomi di non mostrare a Jane quanto fossi turbato. La presenza di Jane, in faccia a me, gomito a gomito con Dorothea, accresceva il fascino di quest'ultima. Era forse il contrasto, quasi esemplare, di amor sacro e amor profano. Era anche la difficoltà di rivelare a Dorothea la mia simpatia, e l'impossibilità di darle un appuntamento. Mai forse, neanche in seguito, Dorothea mi apparve desiderabile come quella prima volta, che non sapevo nulla di lei e temevo di non ritrovarla più.

Ma la ritrovai facilissimamente, il giorno dopo, tornando alla piccola trattoria verso la stessa ora.

E la sera di quel giorno, non la passai con Jane...

6

Da quella sera fino a questa sera, mentre scrivo, sei anni dopo, l'unica donna che mi sia veramente piaciuta è stata Dorothea.

Ma ne ho sempre avuto vergogna. Neppure per un istante, mi sono ingannato sul suo conto. Fin dal primo momento ho capito che essa era una prostituta. Una prostituta, per me, essa è rimasta anche quando ho preso la decisione di vivere con lei.

Prima, per anni, avevo sempre evitato di farmi vedere in giro in sua compagnia. E non soltanto per paura che Jane lo venisse a sapere. Ma perchè mi rendevo conto del suo inconfondibile aspetto, e mi vergognavo di farmi vedere al suo fianco, sia pure da chi non mi conosceva. Anche oggi è così. Con la differenza che oggi sono arrivato a sfruttare il mio stesso sentimento di vergogna; e quasi a goderne.

Forse per lo stesso motivo, tutti questi anni, da quella prima sera fino a qualche tempo fa, la mia relazione con Dorothea fu regolarmente spaziata, alternata a pe-

riodi di lontananza. Fa eccezione un viaggio nell'Italia settentrionale e centrale, in cui mi accompagnò la primavera del 1947, mentre Jane era a Capri col bambino.

Mi allontanavo da Dorothea appena potevo fare a meno di lei; ritornavo a lei appena non ne potevo più fare a meno. Di solito, quindici giorni, al massimo un mese di privazione erano sufficienti al ritorno del desiderio. E se mi trovavo a New York o a Parigi e sapevo di non poter venire a Roma subito, il desiderio cresceva progressivamente e raggiungeva il parossismo fino al momento dell'incontro e della soddisfazione. Tuttavia, anche nel colmo del parossismo, il mio giudizio era sereno. Dorothea mi appariva allora come un bene supremo, addirittura come una divinità; e, contemporaneamente, continuavo a sapere che essa era soltanto una donna semplicissima, volgare, avida di denaro. La sua divinità, insomma, non era costante. Non era sua. Sembrava che gliela imprestasse il mio desiderio.

Per questo, forse, fino a qualche tempo fa, non parlai mai a Dorothea di Jane. Quella prima lontana estate, le tacqui l'importanza che Jane aveva per me, le dissi che la conoscevo appena. Poi non le dissi che continuavo a vederla; e nemmeno di averla sposata. Temevo di dare a Dorothea un'arma con la quale le sarebbe stato facilissimo, nei momenti in cui avevo assoluto bisogno di lei, ricattarmi. Meticolosamente separavo la mia vita con Jane dalla mia vita con Dorothea, attento che nessun fatto per quanto piccolo dell'una avesse rapporto per quanto superficiale con un fatto dell'altra. Ogni volta che lasciavo Jane per raggiungere Dorothea mi preparavo, di fronte a Jane, un alibi perfetto. E ogni volta che lasciavo Dorothea per tornare da Jane badavo, con

Dorothea, a nulla tradire della mia vita coniugale. Dorothea, a Roma, non conobbe mai il mio vero domicilio. Da Parigi, da Londra, da New York, davo sempre l'indirizzo dell'ufficio.

Se oggi, che tutto è finito, ripenso all'estrema esattezza di queste mie precauzioni, capisco che non erano dovute soltanto alla mia paura che Jane sapesse di Dorothea e Dorothea di Jane; ma ad un sentimento più profondo e più oscuro, e cioè all'esistenza stessa, dentro me, del mio affetto per l'una e del mio affetto per l'altra; alla mia possibilità di provare, con l'una e con l'altra, due opposti piaceri, persuadendole, e quasi persuadendo, insieme a ciascuna di loro, anche me stesso, che io ero soltanto, a volta a volta, una metà di me: con Dorothea quale a Dorothea mi descrivevo e cercavo in ogni modo di apparire, celibe, scapestrato, bevitore, giocatore, viaggiatore, artistoide, irresponsabile, *volage*; con Jane tutto il contrario: marito convinto, padre tenerissimo, ligio al dovere, appassionato al lavoro, morigerato, studioso, perseverante.

Però, sul principio, diedi poca, o nessuna importanza all'impulso periodico che sentivo verso Dorothea. Era una bella donna, che mi piaceva ogni quindici giorni, e niente di più. Le prime volte, la invitavo, o prima o dopo, a pranzo, e passavo con lei qualche ora anche a discorrere e a passeggiare. Ma presto mi accorsi che erano cerimonie inutili: tormento della carne se fatte prima; dello spirito se dopo. Provavo, come dice Goethe, il piacere della menzogna, e credevo di potermi abbandonare a questo piacere ogni volta che volevo, impunemente: senza il rischio, cioè, che il piacere, a poco a poco, finisse per diventare un vizio. La mia vita era chiara

davanti a me. Amavo una donna degna del mio amore: Jane. Ne avrei fatta la mia compagna, la mia sposa, la madre dei miei figli. Dorothea era un diversivo piacevolissimo ma, credevo, superficiale: del quale avrei potuto, soltanto che lo volessi, fare a meno; al quale dunque indulgevo senza timori e senza rimorsi. Qualcosa come il fumo, o come l'alcool, di cui da giovane si prende l'abitudine a cuor leggero, sicuri di potervi rinunciare in qualunque momento. Viene poi il giorno che si vorrebbe, e ci avvediamo che è troppo tardi.

Il 15 ottobre del '44 l'ospedale di Jane fu trasferito in Francia. Era la prima separazione, dal giorno del nostro incontro. L'autocolonna partì la sera per Napoli; l'indomani doveva imbarcarsi, diretta a Marsiglia.

Fui a salutare Jane, poco prima della partenza, alla villa sulla via Cassia, dove era accampato l'ospedale.

Nella confusione di quegli ultimi momenti, inevitabile anche nella perfetta organizzazione dei nostri servizi sanitari, Jane non poteva darmi retta; andava e veniva, di corsa, tra un autocarro e l'altro, portando valigie, pacchi di medicinali; ogni volta che mi passava davanti mi sorrideva dolcemente, con gli occhi pieni di lacrime.

Anch'io, seduto nella mia jeep, seguivo, attraverso un velo di lacrime, i movimenti della sua figuretta magra, stretta nell'elegante uniforme azzurra. Ma il mio dolore era stranamente misto d'impazienza, come un cocktail, aspro e inebriante, di due ingredienti che, mischiati, e appunto perchè mischiati, si davano forza a vicenda: uno, il dolore del distacco da Jane, l'altro l'impazienza di raggiungere Dorothea presto, il più presto possibile, e passare con lei, finalmente, un'intera notte. Fino allora

non lo avevo mai osato, perchè, dai primissimi tempi, avevo scongiurato Jane di prendersi il diritto di telefonarmi a qualunque ora di notte, al mio albergo, dove era noto che non avrei potuto ricevere donne. Controllo che Jane, è vero, non aveva mai esercitato; ma che ora, improvvisamente, diventando impossibile, mi esaltava con uno strano senso di libertà. Ed era proprio la sofferenza di veder partire Jane senza sapere quando l'avrei rivista che dava nuovo gusto alla mia certezza di riabbracciare tra breve Dorothea; mentre questa certezza, questo senso di peccato inevitabile faceva, a sua volta, più amaro l'addio alla donna che già veneravo come la futura compagna della mia vita.

Nell'agitazione, scesi dalla jeep e cominciai a passeggiare qua e là tra le baracche, le tende, le ambulanze, gli autocarri che partivano.

A un tratto, tornai indietro: mi pareva di aver veduto, attraverso il finestrino di una baracca, Jane. Era proprio lei. Stava telefonando. Era di profilo, e avrebbe potuto vedermi. Ma io ero fuori nell'oscurità, e lei nella baracca illuminata, seppur fiocamente, da una lampada a petrolio. Poi sembrava così intenta, così assorta nella telefonata. Fosse per la vivacità appassionata della sua espressione (era la sua espressione abituale e, in quel momento, in quell'atto di telefonare, anche più evidente); o fosse perchè la vedevo, attraverso il cellophane ingiallito del finestrino, in quella luce fioca, e perchè si alzava sulla punta dei piedi per parlare al ricevitore che era troppo alto per lei: fatto sta che mi parve più piccina, più indifesa, più cara del solito, e mi riempì di tenerezza e di commozione.

Che donna adorabile era la mia Jane!

E come debole era dunque il mio spirito; come forte, al paragone, la mia carne.

Ma spirito, carne, erano parole che mi dicevo in quei momenti di orgasmo, fumando una sigaretta dopo l'altra, guardando Jane attraverso il finestrino e pensando intanto a Dorothea, alla strada, alla scala che avrei fatto di corsa, al campanello che avrei suonato tremando, e al primo abbraccio nell'andito semibuio, non appena chiusa la porta, il suo gran corpo contro il mio; e prefigurandomi tutto questo con spasimi d'impazienza. Parole! La verità, mi dico ora (ora che quel momento, come tanti altri momenti, è irrimediabilmente lontano), la verità è un'altra: nè spirito nè carne; ma come un bisogno, per amare, allo stesso tempo di odiare e soffrire.

Venne infine verso di me, ridente, aggiustandosi sotto il berretto civettuolo una ciocca liscia che le era sfuggita. A chi aveva telefonato? A un prete, il suo confessore, per salutarlo. E già la stringevo, nell'abbraccio dell'addio; e provavo uno strano mancamento, paragonando, senza volerlo, il suo corpicino secco e nervoso dall'odore schietto di scolaretta, col corpo alto, grasso, morbido di Dorothea, profumato di profumi amari e violenti. Ma non era ancora l'addio. Rideva contenta perchè il suo lavoro, per il momento, era finito: il colonnello le aveva dato il permesso di viaggiare per qualche chilometro, sulla strada di Napoli, a bordo della mia jeep.

Attraversammo Roma precedendo l'autocolonna. Era già notte. Rivedevamo, forse per l'ultima volta insieme, la città dove c'eravamo conosciuti, la città dove avevamo passato tutta una estate di amore, le strade strette, lunghe e tortuose, i palazzoni seicenteschi, cupi, massicci, alti verso un cielo nero al quale non si guardava mai,

tutt'occhi alla folla quasi orientale, quasi semita, ma più triste e più dura: folla informe, fiacca e aggressiva come l'accento della sua lingua o del suo dialetto, ma ancora memore, in qualche modo, della grandezza perduta.

Nelle luci delle botteghe e delle reclame, nelle fiamme ad acetilene che brillavano davanti ai banchetti, venditori, borsari neri, mendicanti, guide, ruffiani, puttane, bardassi, magnaccioni. Era tutto un mondo che Jane, quella sera, seduta al mio fianco sulla jeep dal lento progresso, rivedeva e lasciava; il caldo mondo di Dorothea, pensavo; e pur dicendomi che lo avrei ritrovato, anzi mi ci sarei tuffato dentro obliosamente di lì a poco, pareva anche a me di lasciarlo e salutarlo con Jane, e quasi di vederlo la prima volta, come accade, negli istanti che precedono un distacco.

Ci fermammo in alto, nel vento della notte, a una curva della strada, poco dopo l'Ariccia. Non c'erano alberi vicini. Avevamo d'intorno, ai nostri piedi, una terra liscia che scendeva da ogni parte verso l'infinito. Soltanto in un breve tratto, laggiù nella direzione dalla quale eravamo venuti, s'indovinava il chiarore di Roma. Sopra, un cielo azzurro cupo, lucido di stelle. E il vento fresco che ci batteva sul viso aveva il sapore del mare vicino.

Abbracciai Jane, la strinsi a me, la baciai lungamente, gustosamente. E ad un tratto, dimenticando (per la prima volta da qualche ora) Dorothea, desiderai di possedere Jane come mai fino allora avevo desiderato di possederla. Anche Jane, quella notte, credo, avrebbe voluto; almeno, non fu mai così vicina a volerlo. Ma non era possibile. Le avevo appena slacciato la cami-

cetta, e le mie dita sentivano per la prima volta il suo torso magro e delicato, le costole vive sotto la pelle sottile e il rigido nylon dei reggiseni, quando udimmo improvviso il rombo dell'autocolonna che passava sul Bailey bridge dell'Ariccia. Senza staccare bocca da bocca ci torcemmo verso quella parte; e vedemmo i fari delle prime ambulanze ormai troppo vicini, se non per un aspro, affrettato, concorde spasimo.

E addio Jane, subito, addio amore! Montò su un'auto dov'erano alcune sue colleghe, disparve nel rombo, nel fracasso, e nella polvere della lunghissima colonna. Rimasi fermo, lì sul prato, accanto alla jeep, fermo senza pensieri e come senza sentimenti, a vederla passare.

Poichè gli ultimi Dodges si erano allontanati, e i loro lumi rossi più non si distinguevano nel buio della strada verso il sud dove Jane si allontanava nè sapevo quando l'avrei rivista, rimontai sulla jeep e lentamente, continuando a pensare a Jane, ripartii verso Roma.

Fu soltanto dopo qualche chilometro, alle prime case di Roma, credo, che mi ricordai di Dorothea; e il primo sentimento non fu di desiderio, macchè! ma di enorme stupore di averla dimenticata e di non provare, per il momento, più nessun desiderio. Ero libero, adesso, veramente libero. Potevo correre da lei. Essa (le avevo telefonato avvertendola) mi attendeva.

Eppure, non andai da lei quella notte. Ero felice così. Felice del mio amore e del mio dolore per Jane. I miei nervi vibravano, tesi, in uno strazio delizioso che ingigantiva ogni sensazione, e come collegati da un fluido all'autocolonna che lenta viaggiava nella notte nel vento sotto le stelle lungo il mare verso Napoli.

Freddamente, sarcasticamente, oggi mi dico che amai

tanto Jane quella notte proprio perchè, quella notte, Jane si stava allontanando da me. Era una felicità amorosa che, per quel momento, non m'impegnava a nulla, nemmeno a possedere la persona amata, poichè la persona amata, in quel momento, spariva. Credevo di essere felice perchè avevo trovato la mia sposa; invece ero felice perchè un mio sentimento (e fosse pure il mio sentimento per Jane) mi liberava anche dal bisogno di vedere Dorothea, e mi bastava: ero felice perchè ero solo.

Non andai da Dorothea. Non le telefonai neppure per avvertirla. Passai con la jeep in via Gregoriana sotto le tue finestre, caro mio regista: e vidi le luci delle tue finestre accese. Fermai, ti chiamai a gran voce. C'era Giacomo N. su da te, e un ungherese di cui non ricordo il nome, un funzionario mio collega al P.W.B. Giocavano a scacchi. Ti ricordi?

Una partita a scacchi. Non avevo sonno, soffrivo ed ero felice, perchè ero certo di amare. Una partita a scacchi e la compagnia di intelligenti e di letterati: era quello che ci voleva.

Venni su da te. Avevi del whisky. Avevi un altro gioco di scacchi. Rimasi, ricordi? fino all'alba. Quando fummo stanchi di giocare, e anche perchè l'ungherese era troppo forte per noi, Giacomo N. con la sua calda voce recitò alcune poesie di Heine. Erano belle, certamente, e anche ben recitate. Ma come distinguere la loro bellezza dalla mia felicità mentre le ascoltavo? Come distinguere il valore delle amicizie che noi americani stringevamo, in quei mesi, con tanti simpatici europei, dall'entusiasmo che suscitavano, in loro e in noi, la guerra, la vittoria, la liberazione?

Andai a dormire affranto e sereno, fidente: quasi chiudessi in fretta un tesoro. Quel tesoro era Jane, la certezza dell'amore di Jane e del mio amore per Jane.

Mi addormentai udendo ancora la voce di N. che pareva cullarmi:

Ach die Augen sind es wieder
die mich einst so lieblich grüssten...

7

QUANTO durò l'incanto?

Oh, certo, Jane era molto più forte lontana che vicina. Tuttavia, alla luce del giorno, la vergognosa luce del giorno, ebbi l'immediata delusione di sentirmi un po' meno innamorato della notte precedente.

Una striscia di sole, tra le imposte socchiuse, illuminava la penombra della stanza; giungevano di fuori i rumori vivi del traffico confusi a suoni di campane per l'aria e alle grida dei venditori ambulanti. Bottijaro! Bottijarooo! ripeteva una voce allegra allontanandosi a poco a poco, perdendosi nel fracasso. Era come il titolo di uno spettacolo che ero sicuro di trovare divertentissimo; una bella tiepida serena giornata di ottobre romano mi era così annunciata. Guardavo quella striscia d'oro, ascoltavo quella musica confusa, e sapevo che in fondo a quel sole a quel tepore a quel traffico a quel vocio c'era, nocciolo dolce e forte di un grande frutto saporoso, Dorothea. Trovai sul comodino un foglietto dove, prima di addormentarmi, avevo scritto un telegramma per Jane. Lo rilessi, triste di non avere il coraggio di copiarlo a macchina e mandarlo. Il telegramma diceva:

« Jane amore mio vuoi sposarmi telegrafami subito ci sposeremo appena finita la guerra ti abbraccio. »

Lo mandai però, identico, alcuni mesi dopo. E anche allora fu nel primo strazio e nel primo slancio di una separazione. Ma non ero a Roma. Avevo lasciato Jane la mattina prima a Saint Pierre d'Albigny presso Aiguebelle in Savoia, avevo viaggiato tutto il giorno, e verso mezzanotte ero giunto a Nizza. Il P.W.B., cioè l'organizzazione dei servizi da cui dipendevo, era alloggiato in un grande albergo, insieme a parecchi altri comandi, e c'era anche, perciò, un ufficio postale in perfetta efficienza. Ma soprattutto mi trovavo a Nizza, non a Roma: Dorothea non era lì.

Mentre mi allontanavo da Jane in auto, attraverso le montagne della Savoia e del Delfinato, avevo pensato a Jane, per le lunghe ore di viaggio, con un'intensità che cresceva con l'aumentare della distanza. Così appena giunto a Nizza, avevo attraversato di corsa l'atrio dell'albergo fino al banco della réception dove spiccava un grande cartello Post Office, e avevo mandato il telegramma.

Fu dunque un telegramma che avevo messo qualche mese a spedire, nient'altro. E che cosa avevo fatto intanto? Avevo meditato, forse, sulla decisione che volevo prendere? Sul significato, sull'importanza del matrimonio?

Dirò invece che avevo evitato, più che potevo, di pensarci. Come un avvenimento funesto e fatale; come la morte di una persona cara, anziana e ammalata, che sappiamo inevitabile e desideriamo ritardare al possibile: pensarci sembra di cattivo augurio, sembra quasi che la affretti; l'unico mezzo per ritardarla è, semmai, fingerci che non debba accadere, dimenticarla.

Così feci, in quei primi tre mesi. Pur pensando ogni giorno a Jane, perchè le scrivevo ogni giorno, fingevo di non sapere che avrei finito per sposarla e che ogni mia lettera, ogni mia parola di ogni mia lettera, era un altro passo verso quella fatale conclusione. E anche questa segreta finzione era inutile: sentivo che qualsiasi dubbio, qualsiasi riflessione o ragionamento avrebbe potuto indebolire la mia istintiva e ingiustificata volontà di sposare.

Mi sono poi chiesto molte volte, e ancor oggi mi chiedo, quale fosse il profondo motivo di tanta follia. E vidi parecchi amici miei, americani o europei, giungere al matrimonio non diversamente: con la stessa cieca ostinazione, e per la stessa assurda autocondanna. È viltà, appena finisce la giovinezza, dinanzi alla vita vera e seria della maturità? È ansia di mettere alla più dura delle prove la nostra energia, e magari distruggerla? È noia della libertà e del libertinaggio? Fastidio degli atti sessuali che non ci promettono e non ci danno più nulla di nuovo, ma sembrano ripetersi meccanici, automatici, ogni volta identici, e inesorabilmente avviati al vizio?

Penso che sia qualche cosa di meglio e di peggio: in ogni caso, qualche cosa di più.

L'uomo, penso, ha un bisogno d'infelicità pari almeno al suo bisogno di felicità.

E rivedo i volti angosciati, riodo le frasi mozze, i brevi fondi sospiri di quei miei amici che qualche mese prima avevo lasciati liberi e sereni e ora trovavo chiusi nella loro nuova tetra determinazione.

So benissimo che le mie vicende possono sembrare, come vedrai a poco a poco, strane ed eccezionali. Perciò insisto, almeno in questo episodio del matrimonio, sulla

somiglianza della mia vita con la vita di molti uomini della mia età e della mia condizione, in Europa e in America. E tuttavia concludo che il matrimonio è un atto pubblico; e sono, quindi, pubblici persino i suoi motivi; e non mi fu mai difficile nè innaturale interrogare i miei amici e avere così la rivelazione della loro stranezza che non dovremmo più chiamare stranezza se è comune a tanti. Concludo che anche le altre vicende della loro vita, a me ignote, e per comodità pensate piane e normali, sono probabilmente irte, non meno di quelle della mia, di complicazioni e artifici.

In quei tre mesi, dunque, mi preparavo, quasi mio malgrado, alla decisione di sposare Jane, e intanto frequentavo Dorothea ad assidui intervalli.

Non riuscivo infatti a stare con lei senza esserne deluso appena non la desideravo più. Presto escogitai di ritardare artificialmente la soddisfazione dei miei desideri appunto per ritardare la delusione. Credevo anzi di avere, in questa manovra, un'intenzione morale, uno scopo nobile e affettuoso; mi dicevo che ritardavo e qualche volta rimandavo il mio piacere per non umiliare Dorothea. Ma in fondo sapevo benissimo, vedevo, che Dorothea se ne infischiava. Aveva fatto i suoi calcoli. Se una sera mi limitavo a portarla a cena in trattoria e ad accarezzarla e farmi accarezzare da lei nell'oscurità di un cinema, e poi le davo qualche migliaio di lire e non salivo su da lei nel suo appartamento, lei ci avrebbe, è vero, guadagnato una sera di più, ed era quasi sempre la sera successiva; ma sarei poi stato senza telefonarle e senza vederla un numero maggiore di giorni che se le cose si fossero svolte naturalmente e, per così dire, regolarmente. No, non lei, io stesso ero, ogni volta, umi-

liato e perfino sorpreso dall'improvviso, istantaneo nulla che Dorothea diventava per me l'attimo seguente l'ultimo attimo dell'amore fisico. Era un fenomeno così strano che non mi sembrava quasi possibile e ogni volta, con assurda ostinazione, speravo non avvenisse. Come spiegarlo?

Finchè Jane era a Roma, non avevo mai passato una notte con Dorothea. Ecco la spiegazione, mi dissi: la preoccupazione di tornare presto all'albergo, dove Jane poteva telefonarmi, m'impediva di sostare presso Dorothea in pace dopo l'orgasmo del piacere, e di comunicare finalmente con la sua anima; perchè, in fondo, goffa, rozza, sorda, e piccola e sparuta nel suo grande corpo, un'anima doveva averla anche lei.

Eppure, quando venne la prima notte (fu, credo, proprio la notte successiva alla partenza di Jane da Roma) mi attendeva la delusione. Delusione che, a ripensarci, mi sorprese soltanto per questo: che non mi sorprese affatto. Non è un gioco di parole, e mi spiego.

Fino al momento dell'ultimo spasimo io mi ero illuso, tutto quel giorno, dal mio risveglio quando tra le imposte socchiuse vidi il sole e udii il confuso rumorio di Roma, e il pomeriggio quando telefonai a Dorothea, e la sera quando andai con lei a pranzare in una trattoria di Trastevere, e durante il lento ritorno in carrozzella a casa, e mentre aprivo il portone, e stringendola alla morbida vita nell'androne buio, e quando entravamo in casa e nella camera impregnata del suo profumo caldo amaro e volgare, e quando ci spogliavamo nudi, e mi gettavo sul letto e sentivo finalmente la sua pelle contro la mia, mi ero illuso che quel piacere doloroso e senza

confini, dovesse, appunto, non finire più; ma prolungarsi e variare, attraverso le pause e la rilasciatezza che avrebbero seguito ogni volta l'apice del piacere, tutta la notte e tutto il giorno appresso e, perchè no? tutta la vita. Fino a quest'ora che sta per scoccare, mi dicevo convintissimo, fino a questa notte d'amore che sta per cominciare, che è già cominciata, non ho mai fatto la prova. Ogni volta, finora, appena raggiungevo con Dorothea la soddisfazione, immediatamente ero ripreso dal pensiero di Jane; ma non da un pensiero vago di Jane, bensì dal pensiero preciso che dovevo al più presto rientrare in albergo perchè Jane poteva telefonarmi. E nell'ansia, nella preoccupazione, balzavo tosto dal letto, mi rivestivo, pagavo, salutavo, uscivo, correvo all'albergo. Così non avevo mai avuto modo di far la prova: se anche l'anima di Dorothea m'interessasse, se anche per lei io fossi capace di qualche tenerezza; se la passione tutta carnale che avevo per lei potesse colorarsi di naturale umanità e amicizia; se con lei, insomma, mi riuscisse anche di parlare. Perchè, prima, non era mai un parlare, ma, da parte mia, una specie di monologo implorante e adoratore, anche se le offrivo una sigaretta o un bicchier d'acqua; e, da parte sua, per me, un altro monologo, il fraseggio solitario di un idolo, che mi suonava come un'affascinante canzone, anche se chiedeva soltanto un bicchier d'acqua o una sigaretta. Il premere, frattanto, sotto la tavola, della sua gamba contro la mia, o della punta del suo piede sul mio, elettrizzava quei doppi monologhi, come perfino il duro legno dell'inginocchiatoio, o il marmo dell'altare, trasforma la sofferenza del credente che prega in una gioia ineffabile.

E neanche dopo era più un parlare. Dopo, erano frasi

mozze, pratiche, più brevi possibile: come se avessi voluto cancellare l'esistenza stessa dell'idolo.

« Questa volta ti dò soltanto cinquemila lire perchè non ho ancora preso lo stipendio, » oppure: « Domani non ci vediamo perchè vado a Napoli, » oppure: « Non alzarti, non importa, mi lavo all'albergo, » eccetera. L'idolo, da parte sua, era intelligente: fumava, immobile, sul letto, assolutamente zitta; e, anche se faceva molto caldo, copriva subito il proprio corpo nudo fino al mento, come intuendo il mio desiderio improvviso di vederla sparire.

Ma quella notte no. Quella notte, fantasticavo speravo credevo, il piacere non sarebbe finito mai. Fantasticavo innumerevoli modi e figure dell'amplesso. Fra me e me, pranzando in silenzio accanto a Dorothea, ripetevo tutte le frasi matte che le avrei detto nell'oscurità della camera, immaginavo instancabili voluttà. Ero così eccitato che non toccai quasi cibo. E quei pochi bocconi, volli che fosse essa stessa a darmeli, qualche pezzetto di pane e di carne che la supplicai di morsicare prima, un sorso d'acqua bevuto al suo bicchiere dove essa aveva messo le labbra. Dorothea docile, sorridendo lievemente, quasi misteriosamente, eseguiva: ogni volta, senza muovere il capo e con quel lieve sorriso fisso dava una lenta circolare occhiata dei suoi grandi occhi verdi di qua e di là, agli altri tavoli, che nessuno notasse; poi, rapida, m'imboccava.

Quando fummo sul letto, nudi e abbracciati, provai, anche questa volta, un enorme stupore, e insieme quasi paura, per la felicità che mi era concessa e che era, nonostante il mio assiduo ripensarla e ridesiderarla, più forte e più intera di ogni immaginazione. Aderire alla sua

pelle, stringere il suo corpo, scaldarmi al suo calore, restare a un tratto, e per un tempo senza misura, immobili e avvinti come se veramente fossimo riusciti a mescolare le nostre membra e a perdere il senso dell'individualità fisica sua e mia, poi di nuovo muoverci ed allacciarci in altri modi per risentirci diversi e distinti, e riavere così ancora il piacere di confonderci, entrare io in lei e lei in me, tutto questo gioco inebriante, sorprendente e misterioso, anche questa volta si ripeteva.

Oscuramente, sentivo di fare qualche cosa di proibito; qualche cosa di cui per molti anni, non avevo mai creduto di avere il coraggio; ed ora ero come sorpreso, spaventato e felice, anche di questo coraggio.

E pensavo, anche questa volta, che la mia felicità non avrebbe più avuto fine. Per tutta la vita, mi dicevo, per la vita e per la morte. E quasi avrei voluto che Dora parlasse e mi facesse, in quel momento, le richieste più assurde, più esose: di una somma di denaro favolosa, che non avrei potuto darle, ma che avrei trovato modo di darle; o perfino di sposarla: avrei rotto il mio fidanzamento con Jane, di Jane in quel momento non m'importava nulla, Jane non esisteva più. Tutto le avrei dato, tutto avrei fatto per lei in quel momento. E non pensai, neanche per un istante, a offrirle io per il primo il denaro o il matrimonio: perchè il mio sacrificio, quantunque enorme, mi avrebbe dato un vero piacere soltanto se fosse stato ineluttabile, e cioè richiesto, imposto da lei, e non arbitrario, voluto da me. Una vera divinità, mi dicevo, è terribilmente esigente.

Ma essa, anche quella notte come sempre, non parlava, o diceva soltanto quelle parole che io le avevo insegnato o insinuato.

E nell'attimo che la miracolosa follia, benchè io, spasmodicamente attentissimo, spiassi per scoprire un segreto meccanismo che non la facesse finire, finì, in quell'attimo tutto fu come le altre volte e come sempre.

Nessuna sorpresa dunque, se non che non c'era stata sorpresa. Non era stato, anche questa volta, che un inganno, un trucco, una banale esaltazione. Jane era lontana, era in viaggio, in mezzo al mare. Nessuno doveva telefonarmi all'albergo. Ero liberissimo. Ma ero, di colpo, come sempre, triste, avvilito, furioso contro me stesso, e odiavo Dorothea, il suo grande corpo molle bruno e caldo sotto di me. Mi faceva ribrezzo per le stesse qualità che fino a un attimo prima avevo adorato; il suo stesso profumo, che fino a un attimo prima mi aveva inebriato, ora mi disgustava fino alla nausea.

Scoprii quella notte che il pensiero di Jane e della telefonata era stato fino allora soltanto un pretesto, segreto e inconscio a me stesso, e che dentro di me qualcosa, l'attimo seguente quell'attimo supremo, inesorabilmente scattava, fuggiva via velocissimo, verso ricordi lontani, le praterie sopra Denver Colorado, verso Pikes Peak, dove ero stato ragazzo quando mio padre era impiegato alle miniere; una notte in mezzo all'Atlantico, io supino sulla tela di un boccaporto, a contemplare le stelle in silenzio, a fumare, e una bottiglia di whisky, e la voce pacata di un amico nel buio vicino a me; e che ero diviso, io dentro di me, da due passioni diversissime, l'una opposta all'altra, e straziato dal bisogno, che tuttavia sentivo, di fonderle, di unirle, di farne una cosa sola per sempre.

Tale era questo bisogno che quella notte (e così molte altre dopo) non mi diedi per vinto: memore della

esaltazione di tutto il giorno e della sera in trattoria, mi sforzai di restare accanto a Dorothea, e le dissi per la prima volta, di proposito, parole false di amicizia e di umanità. Dissi, con piena coscienza di mentire, che nasceva in me un sentimento nuovo, dolce, tenero, insomma che cominciavo a volerle bene. Soffrivo amaramente di mentire così, eppure lo facevo, nella speranza che col tempo, continuando a fingere, poi diventasse vero: però, a mano a mano che parlavo e fingevo, cresceva il tedio di fingere e il fastidio di starle accanto. Finchè, improvvisamente, esausto, tacqui; e mi addormentai.

Mi destai poco dopo. Sentii subito, destandomi, di essere diverso; di essere di nuovo, inaspettatamente, quello di prima. Il desiderio fisico, seppure ancora debole, mi aveva ripreso. Dipendeva da me, in quel momento, andarmene o restare. E, per andarmene, non avrei dovuto fare nessuno sforzo. Il desiderio di Dorothea e quello di un buon bagno al mio albergo si equivalevano. Ma volli provare: restare, replicare: nella assurda speranza che, replicando, il miracolo, che non era successo prima, potesse succedere dopo.

Restai tutta la notte; vidi l'alba, vidi il sole nelle fessure delle imposte, anche qui, e udii anche qui il rumorio crescente della città e i gridi del bottigliaro: ma quel sole quei rumori quelle voci non avevano per me più nessun incanto se non la nostalgia di quello che erano stati il mattino del giorno precedente, quando contenevano ancora la speranza dell'amore. Ora dicevano tutto l'opposto: la delusione, l'amarezza, l'impossibilità dell'amore. Il sole splendeva, Roma si svegliava, la vita continuava; ma io, su quel letto in disordine, accosto a

quel grande e splendido corpo di modella classica che avevo tanto carezzato ed amato e che ancora, pur non desiderandolo più, ammiravo, io, fisso a quella striscia di sole nella penombra della stanza, teso ai rumori della città, restavo quello che ero, sbattuto, gettato, come da onde alterne, verso una schiavitù e verso una libertà, che mi riuscivano, a turno, ambedue d'irresistibile fascino e di tedio insopportabile, e che non avrei mai potuto, per quanto non cessassi mai di sperarlo e mi ci adoprassi con ogni studio sforzo ostinazione e sofferenza, una nell'altra unire.

Molto spesso, bastava il pensiero di Dorothea a condurmi verso Jane; o il pensiero di Jane a condurmi verso Dorothea. Ricordo, per esempio, il Natale di quello stesso anno a Roma.

Dorothea e la sua padrona di casa mi avevano invitato ad andare con loro alla Messa di mezzanotte in San Pietro, e poi a casa loro, in via Boncompagni, per una piccola cena. Benchè insistessero, non avevo accettato. La Messa e il cattolicesimo mi avevano ricordato Jane. Preferii rimanere solo e pensare a lei. Trovai la scusa che ero protestante, ringraziai, rifiutai.

Venne la notte di Natale. Poco prima della mezzanotte, tornavo all'albergo dall'aver accompagnato a casa Dale McAdoo, un mio amico e collaboratore che forse ricordi. Dale abitava oltre Sant'Agnese, sulla Nomentana. Ero solo sulla jeep. All'incrocio della Nomentana con il viale della Regina dovetti frenare per lasciar passare un taxi che, apparso improvvisamente dalla destra, voleva proseguire in senso opposto al mio. Nell'interno del taxi feci in tempo a distinguere una ragazza in divisa americana, la stessa di Jane. Anche il volto della

ragazza, vagamente, assomigliava a quello di Jane. Per quanto sapessi che non poteva in nessun modo trattarsi di Jane, la quale era in Francia e dalla quale avevo ricevuto soltanto quella mattina una lettera, provai una impressione così violenta che non mi sentii di rientrare senz'altro all'albergo. Ero sconvolto, agitato, incapace di restar solo. Girai per Villa Borghese, umida, fredda, deserta, rallentando senza speranza e senza vera intenzione davanti alle rare prostitute. Volevo quasi telefonare a McAdoo, andare da lui. Ma a quell'ora, sapevo, era già a letto, e con la sua amica. Peter Tompkins? Dov'era Peter a quell'ora? Me l'aveva detto: a un party di certi amici italiani, e io avevo dimenticato chi fossero. E poi mi avvidi di non desiderare la compagnia di Peter nè quella di Dale; ma soltanto quella di Dorothea, la cui immagine mi era stata suscitata, per irresistibile contrasto, dall'immagine di Jane nel finestrino del taxi.

Andai dunque a San Pietro.

L'immensa chiesa era piena di folla, di umidità, di scalpiccio, brusio, e sperdute armonie di organi e di cori. La folla era varia: parte indifferente, parte annoiata, parte incuriosita, parte ipocrita e parte sinceramente devota. Ma tutti parevano religiosi almeno in questo, che si tolleravano vicendevolmente, anche se le ragioni e le manifestazioni della loro presenza erano così diverse.

Molto difficile, se non improbabile, rintracciare Dorothea e la sua amica in quella folla. Cominciai ad aggirarmi nel tempio, con il disegno di percorrerlo tutto metodicamente, dall'ingresso all'abside e viceversa, prima sulla destra e poi sulla sinistra. All'altare della Confessione, dove si stava celebrando il Sacrificio, sfavillavano i grappoli delle luci elettriche miste alle fiamme

delle torce e delle candele. La folla dei fedeli, e degli infedeli, era in penombra. Camminavo voltandomi indietro e scrutando fin verso il centro della navata, negli aggruppamenti irregolari degli eretti che interrompevano e confondevano le file comunque approssimative dei genuflessi, se potessi scorgere Dorothea.

Fui fortunato e la trovai abbastanza presto.

Come mi vide, mi fece un segno gioioso, certamente sincero. Non si aspettava di vedermi lì. Capiva che ero venuto per lei. Ne era felice.

Era inginocchiata, accanto alla padrona di casa. Tutte e due portavano in testa un fazzoletto bianco e ripiegato in quattro. A quella vecchia ruffiana della padrona di casa, al suo viso rugoso e ritinto, era un ornamento troppo semplice per non parere incongruo e casuale. Ma a Dorothea stava benissimo. Il suo volto dalle linee classiche, il suo sguardo forte e diritto, si accordava al nitido triangolo bianco che le ricadeva sulla fronte e che bastava a trasformare come per un incanto la « segnorina » della liberazione in un'antica contadina, in una modella dei tempi di Corot.

Tornai a casa con loro, accettai l'invito a cena. Gustai la *scarcella,* un dolce che Dorothea aveva fatto con le sue mani. E poi, non ebbi a pentirmi di aver seguito l'idea che un'improvvisa somiglianza con Jane mi aveva, per contrasto, suggerito. Almeno non ebbi a pentirmi più delle altre volte.

Il giorno di Natale mi svegliai all'una del pomeriggio, sorpreso di trovarmi nel letto di Dora.

8

La guerra era finita. Verso la metà di luglio raggiunsi Jane a Parigi e dopo qualche settimana di una felicità quasi vera nella verissima ebbrezza che ci circondava (dolce replicare e indefinitamente prolungare l'apéritif in una folla di amici, ai tavolini dei Champs Elisées; passare le notti di cabaret in cabaret, a ballare, a bere champagne; week-ends in alberghetti lungo la Marna o nella foresta di Fontainebleau) ci disponemmo finalmente a rientrare negli States.

Il programma era preciso: l'avrei presentata ai miei genitori; lei avrebbe presentato me ai suoi; ci saremmo sposati al più presto.

La sua famiglia era cattolica. Jane, educata a Philadelphia dalle monache Orsoline, non aveva mai cessato di praticare la religione.

Tuttavia, non potè essere per un principio religioso che essa, durante il tempo di Parigi, e prima, a Roma, e quando andai a trovarla in Savoia l'ultimo inverno di guerra, si rifiutò ostinatamente di completare con me l'atto d'amore. Non poteva essere per un principio

religioso perchè, anche secondo la Chiesa cattolica, gli sfioramenti gli abbracci i baci le carezze a cui ci abbandonavamo ogni sera fino alla consumazione di un piacere acre, squisito ed innaturale, erano un male, erano un peccato altrettanto grave che se fossimo diventati amanti prima del matrimonio.

Jane era troppo intelligente per non capirlo, e io del resto, parlando con lei, non affrontavo mai l'argomento. Quando vi accennai, essa parve fingere uno scrupolo, un pudore, giustificarsi con una restrizione mentale. Uscita dalla scuola delle Orsoline, essa si era iscritta in un *college*. E al *college*, con un compagno, un ragazzo della sua età, essa aveva già avuto, come accade a molte ragazze americane, l'esperienza decisiva. Se ne era, però, pentita amaramente; e ci teneva, ora, a distinguere il nostro amore da quell'avventura.

Per parte mia, accettavo volentieri tale spiegazione. Volentieri non approfondivo nè cercavo di persuadere Jane a ciò che sarebbe pur stato naturale. Forse pensavo, rinunciando così a quest'ultima e definitiva prova, di conferire artificialmente gusto a un matrimonio, la cui prospettiva segretamente mi annoiava; pensavo di serbare al sacramento almeno quell'attrattiva e quella novità. Temevo, poichè ero fermamente deciso a sposarmi nel disprezzo dei miei gusti ed anzi in contrasto con essi, temevo, senza l'allettamento di quella novità, di essere debole e di cambiare idea prima del giorno fatale.

Così ogni sera, quando la lasciavo al portone del suo albergo o all'uscio della sua camera, e la mano nella mano ci fissavamo negli occhi, tra le lacrime e il sorriso, lungamente, prima della separazione notturna, una piccola voce amara mi mormorava dentro la verità. E la

verità era questa: che se veramente la avessi desiderata non avrei potuto attendere; e che la relativa facilità con la quale rinunciavo al naturale compimento del mio amore era un segno che il mio amore non era, per sua natura, completo.

Ma appunto questo volevo. Appunto questo cercavo, con ogni più sottile ed inconscio accorgimento, di ottenere.

Quando, per esempio, tornai all'albergo dopo la prima notte che avevo passato con Dorothea, cominciai a pensare al lungo tormento e alla disperata delusione di quelle ore, e ne trassi la conseguenza che amavo Jane, soltanto Jane: Dorothea era un capriccio saltuario se pur regolare, un piacere secondario se pur fortissimo, un vizio come per gli altri il gioco l'alcool l'oppio, che può essere dannoso per la salute fisica se lo si pratica senza moderazione, ma comunque non modifica il senso che vogliamo dare alla nostra vita. E io alla mia vita volevo dare questo solo senso: Jane moglie e compagna mia, Jane madre dei miei figli. Dorothea è un vizio, mi dicevo tristemente, e nulla più. Nessun pericolo che questo vizio mi possa travolgere. Con ogni amplesso l'incanto fatalmente sfumava, tutto tornava nella luce fredda della ragione, e Jane era come la sorgente di quella luce. Del resto potei constatare che, con l'andare del tempo, gli intervalli in cui ero ripreso dall'illusione di un amore totale per Dorothea si facevano gradatamente più rari, e gradatamente meno lunghi. Gradatamente sempre più lontani dall'ultimo amplesso, e sempre più vicini al prossimo. È un fatto fisico, mi dicevo. Nulla più. E cominciai da quel tempo ad attribuire a Dorothea un'importanza sempre minore. Anche

se poi la mancanza di lei, per le mie lunghe assenze in America e in Francia, mi faceva orribilmente soffrire; e anche se non riuscivo, provassi qualunque mezzo, a liberarmi dalla periodica ossessione.

Finchè ero a Roma o a Parigi, avevo provato le case di tolleranza, le prostitute di strada. Rimedi di brevissima durata e ad effetto addirittura contrario. Poche ore dopo, il desiderio di Dorothea risorgeva e, questa volta, irresistibile: come se, confrontandola a un'ignota meretrice, mi fossi meglio preparato a lei, e avessi quasi incominciato a cederle. Ricordo una volta. Appunto mentre ero a Parigi con Jane, nell'estate del '45. Tardi, dopo aver accompagnato Jane all'albergo, avevo pensato a Dorothea che, naturalmente, era a Roma e perciò non potevo neppure immaginare di raggiungere quella notte. Nell'illusione di quetarmi avevo fermato una passeggiatrice sul boulevard e mi ero lasciato, come dicono loro, *emmener*. Un quarto d'ora dopo, uscendo dal sordido alberghetto, saltavo su un taxi, correvo al Bourget, trovavo un apparecchio militare e prima di mezzogiorno ero già al mezzanino di via Boncompagni, a letto con Dorothea.

Al brevissimo piacere che quella povera ragazza mi aveva dato, era seguito un profondo disgusto; e al disgusto una follia forte e decisa. Dal Bourget, avevo telefonato a Jane, svegliandola, e dicendole che dovevo recarmi a Roma improvvisamente per ragioni d'ufficio. La mia voce tremava. Per fortuna Jane era mezzo addormentata. Era una menzogna di cui, se non fossi stato eccitato a quel modo da quella ragazza, non sarei mai stato capace.

L'inverno precedente, come già ti dissi, avevo fatto

la scappata in senso inverso. Da Roma, da Dorothea, in Savoia, a trovare Jane.

Era a Saint Pierre d'Albigny, frazione di Aiguebelle, vicino alla confluenza dell'Arc con l'Isère, accampata col suo ospedale.

Avevo passato la notte precedente la partenza in casa di Dorothea. E di nuovo mi ero illuso, mentre la stringevo sul suo grande letto nella camera buia, di non avere, di lì a poche ore, più nessuna voglia di partire da Roma; anzi mi ero illuso di non partire più. Non andrò, mi dicevo mentre accarezzavo la pelle bruna e grassa del mio idolo immobile ed enigmatico, non andrò: che cosa è Jane a paragone del piacere che provo in questi momenti? Questa è la verità, questa è la vita. La cosa più onesta, per me, ma anche per Jane stessa, è di non andare, è che io non la veda mai più.

Ma prestissimo, molto più presto di ogni meno folle speranza, tutto, al solito, finì. E fui felice, nell'aria fredda e umida dell'alba invernale, felice e solitario nel rombo della jeep lanciata sull'asfalto della via Aurelia verso il nord. Il mare era nero, percorso da ricami di schiuma, il cielo grigio e alto, la maremma verdissima. La mia libertà era tutta in quel viaggio frenetico verso un'altra schiavitù.

La valle dell'Arc mi accolse tra le sue rocce nascoste dalla nebbia, velate dalla pioggia.

Dalle vetrate del piccolo Hôtel de la Gare, vedevamo il piazzale della stazione, tranquillo e deserto sotto la pioggia. Il cibo lavorato e squisito; il calore delle stufe; laggiù in fondo allo stanzone gli impiegati delle ferrovie che giocavano a *belotte;* sorseggiando una vecchia *fine* ci guardavamo a lungo negli occhi (gli occhi di

Jane dolci e brillanti sotto i corti capelli castani) e le nostre ginocchia sotto il tavolo si toccavano come se quel leggero contatto fosse stato il nostro supremo piacere.

Che cosa di più diverso, di più lontano da Roma, dal sole, da Dorothea?

Certo non gli States, e meno di ogni altra parte degli States il New England. Perchè proprio a Saint Pierre d'Albigny, in quell'inatteso incanto familiare, in quell'ambiente ovattato, sognato, e in qualche modo immagine della nostra futura casa di Princeton, Jane e io vagheggiammo insieme per la prima volta, credendola a noi possibilissima, una vita giusta, serena, borghese, una vita di rinuncia e di pace..

Ma era un sogno di felicità sacra ancora più assurdo del sogno di felicità profana che facevo con Dorothea.

A Philadelphia conobbi la sua famiglia. Abitavano a Chestnut Hill, suburbio arioso e signorile. Una grande palazzina di mattoni rossi, circondata da prati verdissimi, ben rasati a tutte le stagioni dell'anno, e da piante alte e di pregio. Il padre, gli zii, i fratelli erano tutti industriali tessili, e in qualche modo collaboratori o dipendenti della famosa casa Dupont de Nemours.

Non credo, quando Jane mi presentò come il suo fidanzato, annunciando allo stesso tempo che ci saremmo sposati per Natale, di aver fatto su di loro un'impressione decisamente buona. Soltanto la mamma di Jane, che era una donna per sua natura soave ed ottimista, fu gentile con me. Il padre, i fratelli e uno zio (ne aveva tre o quattro), uno zio che quel giorno per caso era lì presente, mi accolsero con freddezza garbata e quasi ironica. Ma la loro ironia era, attraverso la mia persona, diretta a Jane. La giudicavano una pazzerella caparbia

che non conveniva contrastare se non si voleva provocare addirittura l'effetto opposto. Jane si era messa in testa di sposarmi? Forse l'unico modo, per farle cambiare idea, era di acconsentire. Un'opposizione non avrebbe fatto che affrettare la data del matrimonio. Avevano certamente ragione. Ma non seppero nascondere abbastanza questo segreto calcolo e questa segreta speranza. Dissero di sì, formalmente, a Jane, e tesero verso di me le loro grandi mani ossute e rosee; ma i loro occhi dietro le lenti d'oro, le loro labbra sottili ci sorridevano tutto il tempo scetticamente, come se ci dicessero: « Fate, fate pure ragazzi, fai pure piccola pazza Jane, siate felici se lo potete; ma noi sappiamo benissimo, ed anzi già lo vediamo, che andrà a finir male. »

La madre, invece, aveva lo stesso carattere di Jane: appassionata fino all'ostinazione; ma tenera, delicata e minuziosa nei sentimenti fino alla sfumatura. Figlia di irlandesi e cattolica, aveva dedicato la sua vita al culto di due divinità: la musica, e la vecchia Europa. Ma mentre uno Steinway, ch'ella suonava quotidianamente, era bastevole a soddisfare la prima adorazione, i viaggi in Europa, che durante la sua giovinezza e nella prima epoca del suo matrimonio erano stati un'abitudine, anzi un rito annuale, diventarono poi più rari, più brevi, e più difficili. Il papà di Jane, rigido e arido businessman, non li aveva mai visti di buon occhio; egli adorava sua moglie, ma non ciò che sua moglie adorava. Non aveva nessuna simpatia nè per la musica nè per l'Europa. Perdonava la prima come un innocuo passatempo femminile; non aveva mai potuto associarsi agli entusiasmi per la seconda.

« Addio, mia cara... » diceva regolarmente alla moglie,

la sera prima di accompagnarla a New York, fino al *pier* dov'ella si sarebbe imbarcata. « Arrivederci fra tre mesi, divertiti! Tu sai quanto mi rincresca che gli affari non mi permettano di accompagnarti. Ma ciò mi rincresce per te, perchè non potrò esserti vicino. Non per altro. Io disapprovo questa tua mania di tornare ogni anno a visitare l'Inghilterra, la Francia e l'Italia, quando ci sono qui da noi in America, e addirittura senza uscire dagli States nostra patria, immensi paesi, pittoresche località, città meravigliose, e direi quasi interi popoli che ci sono fratelli e che tu non conosci. È un vero peccato che tu non lo capisca. Ecco, vedi, se tu volessi visitare gli States, potrei accompagnarti. »

Non si andava ancora in aereo come oggi, e un viaggio in Europa voleva dire, tra andare stare e tornare, un'assenza di due o tre mesi.

Appena Jane fu di età, il discorsetto d'addio fu rivolto dal padre a madre e figlia insieme. Finchè la madre, sia per gusto e per convinzione profondi, sia per avere così una ragione più forte di attraversare ogni anno l'Atlantico, riuscì a vincere l'americanismo del marito su un punto ancora più importante, e potè mettere Jane in collegio a Montreux. Jane stessa, è vero, aveva con ogni sua forza lottato e pregato per ottenere il permesso del padre. E forse costui aveva infine acconsentito a tale enormità (« Come se non ci fossero ottimi collegi da noi! Ma sono i migliori del mondo! Vengono qui, a Smith College, a Vassar, vengono qui dall'Europa le ragazze a educarsi! »), aveva acconsentito rendendosi conto che sua figlia era precisa identica alla madre. Quindi inutile cercar di correggerla, meglio lasciarla andare per il suo destino. E si era consolato concentran-

dosi nell'educazione dei due maschi che invece assomigliavano a lui. Difatti, di lì a qualche anno, se li prese nell'azienda con sè.

Venne poi la guerra, e mentre Jane fu in Europa al servizio delle forze armate, la madre, naturalmente, non si mosse da Philadelphia. Passata la guerra essa avrebbe ripresa con entusiasmo l'antica abitudine. Ma *the old man,* il vecchio, era davvero un vecchio, ormai. E non poteva più fare a meno della sua compagna neanche per una settimana.

Io, benchè americano puro sangue e per parte di padre e di madre, nè più nè meno di tutta la famiglia di Jane, feci tuttavia, a questa famiglia, l'impressione di un europeo. Impressione buona per la madre, cattiva per il padre, i fratelli e gli zii. Alcune settimane che mi fermai a Philadelphia con Jane non servirono a correggere tale impressione. Io ero ben americano. Ma a quelle anime, semplici nell'antipatia e nella simpatia, ero europeo per la mia spregiudicatezza, europeo per la mia abitudine (di cui devo ringraziare i miei genitori, americani) a non considerare gli States il centro del mondo; europeo per l'importanza superiore che attribuivo, in ogni caso, all'arte e a tutto ciò che si collegava con l'arte; europeo per la mia totale incapacità di parlare di qualche cosa che non fosse pittura, musica, letteratura.

Credo che essi, nella loro semplicità, avessero ragione. Io ero, io sono europeo, benchè americano di sangue da parecchie generazioni.

Mio padre fu, primo, ad insegnarmi queste verità. Mio padre è ingegnere, e fece l'ingegnere. Non viaggiò mai fuori dagli States. Ma è sempre stato appassionato di pittura, ed è vissuto fino a 65 anni, uscendo ogni sa-

bato pomeriggio, con qualunque tempo e in qualunque stagione, in campagna, con la sua cassetta di colori e la sua assicella.

Quando (ero bambino) veniva l'ora di andare a letto, passavo a dare il bacio della buona notte a papà, e lo trovavo in poltrona, con la pipa in bocca, contemplante tra una nube di fumo il verdeazzurro Pissarro in riproduzione o il bruciato Courbet. Courbet andava meglio con l'odore e con il colore della pipa e del tabacco. Io restavo in silenzio, fermo un attimo vicino a lui, che lui si curvasse su di me, per darmi il bacio. Ma lui, che pur mi aveva visto e mi aveva sentito venire, mi metteva un braccio attorno alle spalle, e non diceva niente per qualche momento. Guardava (prima che la voce di mia madre di là non reclamasse, rompendo l'incanto) il sognato paesaggio francese che teneva spalancato, come una finestra immaginaria, sulle ginocchia; e guardando, con gli occhi socchiusi, tra il fumo della pipa, m'invitava tacitamente a guardare anch'io. Tutto taceva. Sentivo il respiro tranquillo di mio padre, il calore del suo corpo, il buon odore del tabacco vicino a me; di là, dalla camera da pranzo, dalla cucina, il quieto andirivieni di mia madre con posate e stoviglie; e talvolta, in fondo a quel silenzio e alla notte, l'urlo meccanico e lamentoso di un treno che passava non lontano. Il treno mi dava l'idea di viaggiare. Riudivo quell'urlo di notte, al buio, fasciato dal tepore e dalla morbidezza del mio lettuccio. Era un suono disperato, se ne andava via, se ne andava nella notte come un grido d'angoscia per che cosa? per che cosa non si sapeva.

Avrebbe voluto fare di me un pittore. Si contentò di avviarmi, fin da piccolo, alla carriera di storico del-

l'arte. Finito il College, mi mandò alla New York University, dove studiai sotto l'Offner.

Il professor Offner mi consigliò subito di specializzarmi e mi consigliò la pittura senese del Trecento. A ventisei anni partii per l'Italia, dove restai quasi senza interruzione e quasi sempre a Siena, a Firenze e poi a Roma, fino a poco prima dello scoppio della guerra.

Quanto tornai negli States, mio padre aveva abbandonato per sempre il lavoro di miniera o di officina che gli sarebbe ormai stato troppo gravoso; e una ditta che lo conosceva per la sua grande onestà gli aveva dato un piccolo impiego in un grande ufficio a Chicago.

A Chicago gli condussi Jane perchè lui e la mamma la conoscessero. E finalmente ci sposammo: a Philadelphia, due giorni dopo Natale, il 27 dicembre 1945.

Jane era cattolica, come la madre, e il rito religioso fu cattolico.

Andammo poi a Niagara Falls, volevamo di proposito fare il viaggio di nozze convenzionale dell'americano medio. Tutti e due eravamo stati lontani dagli States per tanti anni, durante la guerra e prima della guerra, Jane in collegio in Isvizzera, io in Italia per i miei studi. Ora, in occasione del nostro matrimonio, sentimmo il desiderio e quasi l'obbligo sociale di conformarci alle più banali costumanze statunitensi. Dirò anzi che per noi fu quasi un divertimento, misto di noia, di scherzo e d'ipocrisia. Godevamo di scimmiottare in noi stessi, beffeggiandole spietatamente, l'ingenuità e l'ignoranza dei nostri cari compatrioti.

Ma fu un gioco di breve durata. Offner aveva un posto in serbo per me: professore aggiunto nella facoltà di Fine Arts a Princeton, N.J.

Le ore settimanali d'insegnamento non erano tante che richiedessero, almeno in principio, la mia residenza a Princeton; e siccome Princeton non è troppo lontana da New York, avremmo potuto benissimo continuare a vivere a New York, dove avevamo affittato, in attesa dell'inizio dei corsi all'università, un piccolo *flat* nel *village*.

Jane voleva restare a New York; ma io, fingendo o credendo di essere geloso, non acconsentii. Cominciammo dunque, molto solennemente, una vita professionale e familiare nell'ambiente chiuso, scelto, vigile e imbecille di quella piccola importante università.

9

FIN dal principio fu una cosa facilissima, quasi naturale. Ci bastò continuare (benchè, si capisce, su toni molto meno smaccati; parodiando, cioè, modelli molto meno volgari, anche se egualmente idioti) la commedia del viaggio di nozze.

A Niagara Falls eravamo una coppia di piccoli impiegati. A Princeton cercammo di presentarci, cominciando dagli abiti, esattamente come i miei colleghi e loro mogli pensavano che dovessero presentarsi il professor Harry Perkins e Mrs. Perkins. Purtroppo, questa volta, c'era una parte di vero: eravamo davvero il professor Harry Perkins e Mrs. Perkins, facevo davvero lezione, avevo degli allievi, frequentavo il Faculty Club, ecc. E così, movendo da questa parte di vero, a poco a poco fummo presi noi stessi dalla nostra finzione.

Del resto, ora che ci ripenso, chi può dire se perfino la farsa di Niagara Falls non fosse già il germe nascosto e quasi il primo inconscio tentativo di una vita seria, normale, e per me sbagliata? Chi può dire se già allora, e già a Saint Pierre d'Albigny, e forse già a Roma, nel-

l'attimo del mio primo incontro con Jane, io non sentissi un desiderio di conformismo, una nostalgia di pace borghese, una smania di famiglia assestata, di lavoro fisso e figlioli, e come una debolezza, una vigliaccheria, una rinuncia all'avventura e alla vita per me giusta, forte, istintiva, conforme ai miei gusti più profondi?

V'è un'astuzia propria delle passioni più vili; le quali, allorchè primamente ci assalgono, badano soprattutto a non allarmarci. Per meglio insinuarsi in noi, si mascherano di leggerezza. Poichè la nostra ragione vi repugna, cominciano a tentare la nostra vanità. Noi siamo sempre così vani, così sicuri di resistere a quelle passioni, che volentieri ce ne facciamo beffa; volentieri fingiamo di averle, appunto per parodiarle, e compiacerci della nostra virtù. Ma ecco che, così facendo, intanto ce ne occupiamo, le esperimentiamo in noi stessi, gustiamo la loro particolare dolcezza, lentamente e insensibilmente ci abituiamo, infine ne siamo schiavi.

E viene il giorno in cui anche la nostra ragione, d'un sol tratto, è capovolta. Le passioni, la passione, ciò che nel passato avevamo sempre giudicato bassezza o menzogna, d'un sol tratto ci balena come altezza e verità. Ecco la via, ecco la luce, ci diciamo con straordinario, se pur ingannevole conforto. Siamo anche noi come tutti gli altri, come tutta la gente per bene. Normali. Non abbiamo più dubbi. Che riposo! Era tanto semplice. Bastava un po' di umiltà. Ci crediamo umili. E, da quel momento, siamo rovinati.

L'umiltà è quella virtù che, quando la si ha, si crede di non averla!

Ci credemmo umili, Jane ed io, il giorno che il dottore disse a Jane che era incinta. Naturalmente, era-

vamo preparati alla notizia, l'aspettavamo. Ma soltanto allora, al ritorno da New York dove avevo accompagnato Jane a farsi visitare, e mentre in auto percorrevamo il lungo *tube* sotto lo Hudson, ci parve di essere due genitori qualunque, a cui tra alcuni mesi sarebbe nato il primo bambino.

Eravamo trepidi, commossi, e perfino felici; ma io provavo, allo stesso tempo, come un senso vago di rassegnazione; intuivo l'accettazione forzata di un destino che probabilmente non era il mio, il duro annuncio di una sconfitta di cui termini, modi e conseguenze ancora mi restavano oscuri. Ricordo le curve pareti, le mattonelle bianche, lucide e luride, per miglia e miglia, come un incubo verso il futuro; e il fragore assordante, la velocità, le altre macchine che ci incrociavano o che sorpassavamo. Jane aveva infilato una mano sotto il mio braccio, mentre guidavo. La stringevo di tanto in tanto, tra il gomito e le costole, piccola mano nervosa e raffinata, la stringevo per meglio sentirla e per comunicare in qualche modo con lei, per dirle così qualche cosa. Che cosa? Che le volevo bene? Neppure. Che ero lì, al suo fianco. E che pensavo anche a lei. E che volevo che lei lo sapesse.

Ruppi alfine il pensoso silenzio appena uscimmo dal *tube,* risalendo le alture di Hoboken, a rivedere il buio della notte, il cielo, le luci dei battelli sul fiume lontane. Aprii il finestrino per una boccata d'aria fresca. Accesi una sigaretta. Dissi:

« Cosa credi, Jane, che dobbiamo dirlo, questa sera, ai Tutts? »

Michael Tutts era un giovane professore di archeologia e viveva con la moglie in una villetta vicino alla

nostra. Da quattro mesi, ormai, ci vedevamo ogni martedì giovedì e sabato sera, alternativamente a casa nostra e a casa loro, e giocavamo a bridge dalle otto a mezzanotte.

Fra le relazioni che avevamo stretto arrivando a Princeton, la nostra ipocrisia si era esercitata al massimo proprio coi Tutts. Era il terreno più favorevole.

Simpatici tutti e due, gentili e completamente vuoti di tutto, perfino di cattiveria.

Lui era un giovanotto alto, magro, rosso, biondo, che sembrava dedicare la vita alla forma dei suoi baffetti cespugliosi, alla collezione delle sue pipe, e al taglio delle sue giacchette di *tweed*. Queste tre occupazioni bastavano a non deludere la sua unica ambizione: parere inglese pur essendo americano, e pur essendo fiero di essere americano. La moglie, in compenso, non era neppure vana. Era perfettamente cretina. Il bridge era lo scopo della sua esistenza. Non avevano figli.

Soavi serate, comunque, dai Tutts. Ninnananna delle lunghe serate primaverili intorno al tavolo verde. Il rimorso delle ore perdute così, i miei studi non perseguiti, le letture tralasciate, era quasi soltanto la punta più grata di quella soavità. Aboliti, per il queto tempo fuori tempo della partita, ricordi, rimorsi, desideri, attese, speranze, angosce. Un'ombra di passione (amore per il partner, odio per gli avversari) ricamava ancora, ma leggermente, il canovaccio banale di quelle vergognose serate. La bottiglia e gli alti bicchieri del whisky, il tappeto verde, le carte colorate, la giacca di tweed di Michael, il vestito grigio a puntini bianchi e neri di Mrs. Tutts, i suoi orecchini di piccoli brillanti, i suoi capelli biondi dai riccioli composti e simmetrici, e le

mani magre di Jane, i suoi polsi esili, uno col cinghietto dell'orologio, l'altro col braccialetto di platino e zaffiri che le avevo regalato per le nozze, gli oggetti, insomma, costituivano da soli tutta la realtà. Nulla più esisteva oltre la loro apparenza. Nulla più ci disturbava. Finalmente eravamo stupidi, finalmente eravamo felici anche noi.

Ma fra me e Jane? Fra me e lei, come andava?

C'era, in me, una sorda, tenace, disperata volontà di volerle bene.

Come ti ho già detto, Jane non era mai stata mia prima del matrimonio. Accadde a Niagara Falls. Fosse accaduto prima chissà se l'avrei sposata lo stesso.

Delusione? La parola è troppo semplice. Non avevo mai sperato, e neppure pensato, di perdermi nell'adorazione di lei come mi succedeva con Dorothea. Siccome il mio affetto per Jane era intellettuale e sentimentale, l'atto dell'amore fisico con lei si riduceva a una funzione meccanica, cui il sentimento e l'intelligenza si sovrapponevano senza mai smarrirvisi dentro, senza mai fondersi in una cosa sola con quell'atto. E così per una facile illusione, quell'atto potè, nei primi tempi, parermi anche più violento che non con Dorothea. Potei, nei primi tempi, mentire a me stesso; e quasi credere di desiderare Jane più di Dorothea.

La verità purtroppo era ben diversa. Quel distacco dei sensi dalla coscienza intellettuale e sentimentale che tanto mi affliggeva dopo essere stato felice con Dorothea, e che tornavo a superare soltanto nell'assenza e nel desiderio con lei, con Jane era permanente, costituzionale, fatale.

Ma Jane, certo, provava con me ciò che io provavo

con Dorothea. Quest'idea carezzava la mia vanità; e così raggiungevo, ogni volta, il grado di eccitazione sufficiente.

Quando ero con Dorothea, ero tutto nell'adorazione di lei, del suo corpo. Non pensavo mai a me, al mio corpo; o, se ci pensavo, era per brevi momenti e con un senso d'indegnità, quasi di abiezione.

A Jane, invece, mi accostavo nel tepore del letto pensando non a lei, ma soltanto a me. Il corpo di lei, magro, roseo, nervoso, dalla pelle arida e calda, non lo desideravo; neppure mi sembrava che esistesse, se non come una vibrazione del mio, un desiderio astratto del mio fatto fremito e carne per quei pochi istanti necessari. Scivolavo a lei nel tepore del letto pensando soltanto a me, a me quanto Jane mi desiderasse, e qualche volta perfino a me come una lontana emanazione di Dorothea; e il pensiero, estrema complicazione, che Jane senza saperlo desiderasse null'altro che un'emanazione di Dorothea, per un attimo m'inebriava.

Rabbioso e rapido era il piacere, quasi aspro, quasi penoso, un singhiozzare del mio corpo su quel corpo ahimè non caro, su quella creatura ahimè non divina. E in ogni attimo, in ogni spasimo, il mio cervello era sempre libero.

Pensavo a lei, Jane: quanto fosse intelligente, quanto fosse buona, quanto mi aiutasse ed amasse.

Tali considerazioni, mentre i nostri corpi si univano per conto loro, mi commovevano, quasi ogni volta, fino alle lacrime. E accendevo la luce, e cercavo di fissarla negli occhi in quel momento per cogliervi, almeno lì, l'amore. E m'illudevo, mentre la fissavo, di amarla anch'io; cioè di provare anch'io, in quel momento,

l'abbandono amoroso, la fusione, anzi la confusione del senso e del sentimento. In quel momento io dicevo a me stesso: « Sto prendendo piacere del corpo di Jane; ma Jane è anche una persona che rispetto, alla quale sono teneramente affezionato: dunque io amo Jane in modo completo e totale, nell'anima e nel corpo. »

Povero me! Non capivo che l'amore è soltanto ed appunto nell'impossibilità di fare un ragionamento come quello, è soltanto ed appunto nell'incapacità di distinguere tra anima e corpo.

Accendevo la luce e la fissavo negli occhi. Grigiazzurri tra le palpebre socchiuse mi fissavano a loro volta. Smarriti, sofferenti, agonizzanti nell'intensità del piacere parevano dirmi, a me: « Tu sei Dio, io sono nulla, fa' di me quello che vuoi, se vuoi uccidimi! »

Era precisamente ciò che avevo pensato quando, nell'orgasmo, avevo guardato Dorothea. I miei occhi, in quei momenti con Dorothea, dovevamo dunque avere avuto la stessa espressione che ora quelli di Jane con me.

Ma, e gli occhi di Dorothea? Li avevo fissati, tutte le volte, con un'ansia, una smania anche maggiore. Gli occhi di Dorothea, rotondi, verdi e sparsi come di pagliuzze d'oro, non avevano nessuna espressione. Per lo meno, non avevano nessuna espressione che io riuscissi a comprendere. Mi parevano misteriosi, severi, vagamente corrucciati. Se, con qualche domanda, cercavo d'indagare, scoprivo che essa non nascondeva nessun mistero, non aveva verso di me nessun motivo di severità o di corruccio. Gli occhi di Dorothea erano forse quello che io desideravo che fossero. Misteriosi, severi e corrucciati come io li amavo. In ogni modo, li amavo, vi sognavo, mi ci perdevo dentro, dimenticavo tutto. Mi pareva che

avrei potuto continuare a fissarli senza stanchezza per un tempo lunghissimo. Difatti lo facevo.

Gli occhi di Dorothea: ora io stesso, con Jane, forse avevo per Jane quegli occhi!...

Mi sciogliévo dal suo abbraccio a poco a poco, e più tardi possibile. Sentivo di aver mentito, a lei e a me. Credevo, prolungando l'amplesso, di rimediare; e non mi accorgevo che, invece, continuavo a mentire e facevo peggio.

Il braccio che avevo passato sotto la schiena di Jane, ormai mi doleva. Ma lo sfilavo soltanto quando era quasi anchilosato.

A che pro questi sforzi? L'amore, come il coraggio, uno non se lo può dare. Ma ero persuaso che Jane mi amasse e fosse stata felice; mi sentivo in colpa verso di lei; volevo ad ogni costo nasconderle la mia freddezza. Non ricordavo che quando il piacere è stato autentico, ci si comporta senza scrupoli: ci si volta dall'altra parte, e si dorme tranquillamente.

Qualcosa mi era mancato con Jane: il desiderio naturale, e la naturale dolcezza del desiderio soddisfatto. Non volevo confessarmelo. Mi ostinavo a costruire l'uno e l'altro nella folle speranza di riuscirvi.

Giacevo infine, nel letto tormentato e tormentoso, vicino col corpo a lei ma lontanissimo nel pensiero, ed ansioso del sonno, unica vera dolcezza che ancora mi restava e che tardava, oh quanto! a venire.

Riudivo, nel profondo vacuo silenzio notturno della campagna americana, l'urlo lugubre dei treni. Ricordavo le notti della mia fanciullezza e il presentimento che già allora, come adesso, mi stringeva il cuore. La fanciullezza, ecco, era ormai lontana; lontana l'adolescenza;

e anche la giovinezza era quasi passata. Ora, tra qualche mese, sarebbe nato il mio primo figlio. Questa era dunque la vita? Quella pace, quella gioia con giustizia, a cui pur mi sembrava di avere diritto se Dio me ne aveva dato il desiderio e la capacità d'immaginarla, non dovevo dunque provarla mai? Eh sì, sentivo confusamente che era così: mai. Avrei intravisto quella luce; avrei forse quasi assaporato quella dolcezza: non l'avrei mai avuta. Mi pareva che un cielo di piombo chiudesse il mio avvenire, su vi pesasse un'aria soffocata. Il treno, laggiù, più lontano, urlava ancora. Non sarei mai stato felice.

Ma non sapevo rassegnarmi a questo destino. Mi dicevo che era stato soltanto colpa mia; che avevo sbagliato; che se avessi avuto il coraggio di sposare Dorothea invece di Jane, tutto sarebbe stato risolto. Non era una condanna, mi dicevo. Era soltanto uno sbaglio. Irrimediabile, certo, ma uno sbaglio, nulla più. E in questo pensiero trovavo l'unica consolazione.

L'amarezza che di notte nascondevo a Jane e quasi a me stesso, riaffiorava di giorno senza che io me ne accorgessi o lo potessi impedire. I più piccoli incidenti erano l'occasione. Una finestra chiusa o aperta, un pezzo di carta sul pavimento, una vivanda troppo calda o troppo fredda, un ritardo di Jane nel vestirsi per andare dai Tutts: mi impazientivo, mi arrabbiavo fuor di misura, e tuttavia non collegavo mai questo mio nervosismo con la tristezza notturna, non mi avvedevo neppure che, forse per colpa mia, anche Jane era nervosa e dispettosa. Avevo la spiegazione pronta: la vita coniugale che comincia, la vita coniugale è così.

A tavola accadeva il peggio. In certe giornate, cominciai a non sopportare più di vederla mangiare. Tenevo

gli occhi bassi, o guardavo da un'altra parte. Ma se masticava del sedano crudo, una mela, la crosta del pane, il rumore mi era un supplizio. E pensavo a Dorothea, che pure aveva un modo assai rozzo di stare a tavola, un'educazione infinitamente inferiore a quella di Jane. La bocca di Dorothea, mentre mangiava gli spaghetti al sugo, non soltanto non mi aveva dato mai nessun fastidio, ma anzi, mi faceva piacere a guardare: come qualcosa di sano, spontaneo, animalesco.

Un giorno, Jane rincasò con un vestito nuovo. Ampio, di seta, a due pezzi, era uno di quelli che noi americani chiamiamo *maternity dress,* cioè fatto apposta per dissimulare la gravidanza.

Il vestito non mi dispiacque, nè mi piacque. Lo osservai con indifferenza, senza dir nulla. Ciò che m'irritò di colpo, spropositatamente, fu appunto la frase di Jane quando, la sera dopo, mentre ci vestivamo per andare dai Tutts, mi disse con assoluta naturalezza:

« Cosa credi, caro, non è meglio che mi metta il *maternity dress*? »

Ripeto, disse *maternity dress* con assoluta naturalezza, senza appoggiare, senza pronunciarlo tra virgolette, e cioè come se ormai avesse accettato anche lei tutte le convenzioni della gente tra cui vivevamo, come se fosse diventata anche lei una donna americana qualunque. Insomma, m'irritò il suo tono di voce. Ma non glielo dissi. Invece la presi in giro sull'abito in se stesso, paragonandolo a quelli di certe signore di mezza età, che a Philadelphia vanno *down-town* a giocare a bridge in un grande albergo...

Rossa di rabbia, m'insultò, aprì l'armadio, stracciò il vestito a brandelli, infine scoppiò a piangere disperata-

mente. Non andammo dai Tutts, telefonai che avevo mal di testa. A notte alta, Jane piangeva ancora e continuava ad insultarmi. Ma poi facemmo la pace, e fu un po' meno peggio delle altre volte. Mi dissi che Jane doveva amarmi molto, se il mio sarcasmo l'aveva tanto offesa.

La nascita di un bambino, contrariamente alle aspettative di due genitori che non vanno d'accordo e che vorrebbero andar d'accordo, non risolve mai nulla. Anzi, non fa che mascherare, approfondire, complicare i contrasti.

Comunque, gli ultimi mesi di gravidanza, e i primi dopo il parto, trascorsero, forse per la novità di ciò che accadeva, nel miglioramento apparente dei nostri rapporti. Decidemmo, ancor prima che nascesse, di chiamare il bambino, se maschio Duccio, se femmina Donatella. Inutile, l'Italia, sia io che Jane, l'avevamo nel cuore!

Nacque Duccio, il due di novembre 1946. Passammo le vacanze di Natale a Philadelphia, dai suoi. Tornammo a Princeton. E già, verso aprile, ricominciavano i dispetti, i nervosismi, i litigi, quando, una sera, Offner mi chiamò al telefono da New York.

« Harry, vuoi andare in Italia? »

« Quando? »

« Subito. »

« Ma ho moglie, adesso, e un bambino di cinque mesi. »

« Portali con te. »

« Ma l'insegnamento, qui a Princeton? »

« Arrangio tutto io. »

Offner mi aveva messo lui a Princeton, Offner mi dava ora un incarico di fiducia. Si erano rivolti a lui; e lui non aveva voglia nè tempo. Bisognava girare

tutta la penisola per conto del nostro Governo, e controllare, località per località, monumento per monumento, opere d'arte, sculture o pitture, la esatta entità e causa dei danni di guerra al patrimonio artistico italiano.

Dietro la scrivania ingombra di carte e di riproduzioni fotografiche, nel suo studio a New York dove andai a trovarlo il giorno dopo, Offner piccolo, secco, tra biondo e bianco, i baffi corti, la pipetta tra i denti, gli occhi scintillanti, elegante, nervoso, gentile, mi apparve come il genietto del mio destino: un mago moderno che, con un solo gesto delle sue mani delicate, magre, rosee, dalle vene azzurre in rilievo, e con un sorriso delle sue labbra sottili, dava il giro che lui voleva alla mia vita.

« Sai che cosa è l'Unesco? Una grande organizzazione dell'U. N. O. È a Parigi, all'avenue Kléber. Se in Italia farai bene quello che devi fare, e sono sicuro che lo farai bene, poi c'è un posto per te all'Unesco. Non vorrai mica morire nel New Jersey? »

« No, professor Offner, » risposi con entusiasmo.

Col suo inglese cattivo e affascinante di ebreo, austriaco o alsaziano, dove comunque c'erano le gutturali germaniche e l'erre francese, il piccolo vecchio mago mi caricò allora di commissioni personali. Per l'affare dei danni di guerra dovevo passare prima da Washington, in un ufficio del Department of State, dove avrei conosciuto ogni particolare. Ma per lui in privato dovevo avere la gentilezza di prendere una quantità d'informazioni: dove fossero andati a finire, con la guerra, certi quadri appartenenti a collezioni private; in quale stato fossero certi affreschi; e misure esatte di altri dipinti, misure mancanti a un catalogo che egli stava per pubblicare e che

certi studiosi italiani gli avevano già mandato, ma lui non si fidava; riproduzioni infine che dovevo far eseguire a colori, sul posto, da fotografi specialisti e in certe determinate condizioni.

Cominciai a prendere appunti con entusiasmo crescente, sarei stato un esecutore perfetto. Tuttavia, mentr'egli andava nominando le varie località sparse per l'Italia dove avrei dovuto recarmi, io già pensavo a Dorothea. Jane, anche se veniva con me, non poteva, col bambino piccolo, seguirmi in quella minuta peregrinazione. Avrebbe dovuto fermarsi a Roma o a Firenze. Io, forse, avrei potuto viaggiare con Dorothea. Non le avevo mai scritto. Lo avevo desiderato, molte volte. Ma mi ero sempre trattenuto, temendo lasciare in sua mano di che ricattarmi. Più di un anno era passato. L'avrei ancora trovata? Abitava ancora in via Boncompagni? Pensai al primo incontro, dopo un'assenza così lunga, e durante la quale non avevo sperato di rivederla ancora. Udivo la voce di Offner come una musica dolcissima, guardavo il suo volto sorridente, ma non capivo più nulla. La mia mente era lontana, vedevo il sole di Roma, la primavera, gli alberi verdi di via Boncompagni, il passaggio dei filobus, i negozi, il bar di sotto coi tavolini di metallo sul marciapiede, il portoncino nero, le scale sudice, il mezzanino di Dorothea, il suo profumo spesso e volgare... Offner si accorse subito che non lo ascoltavo più. Mi avrebbe preparato un pro-memoria con tutte le indicazioni precise. Dovevo passare a prenderlo tra una settimana, quando sarei venuto a New York per partire con l'aereo.

La sera, a Princeton, Jane era felice. Troppo bello per essere vero, non aveva voluto credere completamente

alla telefonata del giorno prima. Ma ora non v'erano più dubbi. Si partiva davvero. Si tornava in Italia!

Le dissi subito che avrei dovuto viaggiare in lungo e in largo, per Offner, e per il Governo.

« Tu starai col bambino a Firenze, oppure a Roma, oppure un po' a Firenze e un po' a Roma, e magari anche un po' a Siena, e io verrò a trovarti tutte le volte che potrò, almeno una volta alla settimana. »

« Neanche per sogno, » disse Jane con voce ferma e sguardo fisso, come se avesse stabilito da tanto tempo: « Nè Roma, nè Firenze, nè Siena, nè nessun altro luogo. Io e Duccio staremo a Capri. »

10

VERAMENTE Capri non era il luogo più indicato, soprattutto in quella stagione, per un bambino di sei mesi. Lo avevo pensato subito, appena Jane parlò. Ma la vidi così decisa che non osai, lì per lì, rischiare un litigio. Eravamo felici. Perchè guastare la nostra gioia? Jane non era mai stata a Capri, voleva assolutamente andarci; in fondo io la abbandonavo per un paio di mesi: almeno la lasciassi libera di scegliere dove. Conclusione, ormai conoscevo anch'io la sua cocciutaggine: a contraddirla, si otteneva l'effetto opposto. Tacqui. Appena a Roma, telefonai, di nascosto da lei, alla dottoressa Jeans, che doveva visitare il bambino, e domandai il suo parere.

La dottoressa Jeans confermò i miei timori. Portare il bambino a Capri, non se ne parlava neanche. L'atmosfera, troppo radioattiva, non si confaceva al piccolo. In quella stagione poi c'era continuamente lo scirocco, il famoso *south wind*, e si respirava nell'aria la sabbia dei deserti africani. Stessi pure tranquillo, l'indomani dopo la visita avrebbe pensato lei a dissuadere mia moglie.

Un'altra telefonata di nascosto da Jane feci appena

arrivato a Roma. Eravamo installati da qualche minuto in due camere del Grand Hotel, Duccio piangeva, Jane si affannava a preparargli la bottiglia: scesi di sotto col pretesto delle valigie che non erano ancora arrivate dall'aeroporto.

Ricordavo il numero a memoria. Mi chiusi nella cabina. Il cuore mi batteva forte. L'avrei ancora trovata? E avrebbe ancora acconsentito a vedermi?

Dai cristalli della cabina, vedevo l'atrio dell'albergo: queto, silenzioso, con le solite comparse americane od inglesi. Tra qualche attimo, forse, avrei udito la voce di Dorothea. L'atrio, il salone che intravvedevo di là delle grandi vetrate, i tappeti, i lampadari, i fiori, uno chasseur che passava di corsa, un altro che era seduto a un tavolino lì di fronte a me, tutto mi sembrava solenne e significativo, come nell'attesa di un miracolo. Tutto era pieno di Dorothea, o della mia ansia di Dorothea. E pur così ansioso, non potevo fare a meno di constatare come la particolare intensità di uno stato emotivo si allarghi nello spazio, si concreti e riconosca nello spazio. Bergson analizza questo fenomeno psicologico. Ma in fondo non lo spiega. Forse che, come il pensiero è soltanto linguaggio, anche la passione è soltanto spazio, tempo, tatto, senso, materia?

Non era la sua voce. Era la padrona di casa, quella donna anziana, mezza ruffiana, sedicente infermiera, dalla quale Dorothea affittava una camera con uso di cucina. In pratica le due donne erano amiche intime e facevano vita comune. Riconobbi la voce. Anch'essa mi riconobbe subito. Dorothea in quel momento non era in casa; ma c'era, era a Roma, e stava sempre lì, grazie a Dio.

« È stato cattivo a non scrivere mai, signor maggiore. Non sapevamo neanche se era morto o vivo. Dorothea, signor maggiore, è arrabbiata con lei. Sapesse come è arrabbiata! È offesa. L'abbiamo ricordato ogni giorno, signor maggiore. Dorothea credeva di non vederlo mai più. Ma io glielo dicevo sempre: " Vedrai che il signor maggiore tornerà. Quando meno te lo aspetti, tornerà! " Abbiamo passato un brutto inverno, signor maggiore. Soltanto l'altro giorno io e Dorothea siamo state alla Madonna del Divino Amore e abbiamo pregato perchè lei tornasse. La Madonna ci ha fatto la grazia, signor maggiore! »

Avevo, fin da principio, un nodo alla gola. Adesso ero ridicolmente sul punto di piangere.

« Quando torna a casa Dorothea? »

« E chi lo sa, povera figlia. Lavora, sa. Fa dei lavori da sarta per le case. La vita è così cara. Se ne sarà accorto anche lei, no? Tutto è aumentato. Non si campa più. »

« A che ora posso telefonare sicuro di trovarla? »

« Ma che vuole che le dica, signor maggiore... Provi a telefonare domani mattina verso mezzogiorno, perchè prima dorme, povera figlia! »

Avevo capito tutto, naturalmente. Lavorava da sarta fino alle quattro di mattina.

« Vuole che le faccia telefonare da lei? Se mi dice il numero... »

« No, grazie, sono a Roma di passaggio. Non so quanto mi fermo. Forse parto questa sera. Parto subito. »

« Riparte senza neppure vederla? » e senz'altro inveì: « Ma allora, scusi, signor maggiore, che ha telefonato a fare? »

« Riparto ma torno. Torno certamente. Glielo dica a Dorothea. Sono in Europa per qualche tempo. E poi, può anche darsi che non riparta subito. Telefono domattina a mezzogiorno, spero. »

L'indomani a mezzogiorno, era proprio l'ora che dovevamo portare il bambino dalla Jeans.

Era una pediatra americana, che si era stabilita a Roma subito dopo la guerra, intuendo che il grande e rapido aumento della nostra colonia le avrebbe garantito senz'altro una numerosissima clientela. Amici comuni ci avevano parlato di lei a New York prima della nostra partenza.

Duccio aveva sofferto del viaggio. Era molto raffreddato, rifiutava il cibo. La Jeans non trovò nulla di serio; ma quando Jane le disse di Capri, le proibì di portarvi il bambino, almeno per il momento.

Jane non sentì ragioni. Con un'ostinazione che mi sbalordiva e che non arrivavo in nessun modo a spiegarmi, appena rientrammo in albergo prese da parte il portiere, il bravissimo Guglielmo che già conoscevamo dall'altra volta, gli mise in mano una buona mancia e gli domandò del primo pediatra di Roma, del « Guglielmo dei pediatri », spiegò Jane. Il luminare dei portieri s'attaccò al telefono, vi restò più di un quarto d'ora, infine riuscì ad avere un appuntamento per quello stesso pomeriggio.

Il Guglielmo dei pediatri disse a Jane esattamente quello che Jane voleva. Sorrise superiormente del veto della Jeans. Capri, è vero, non era particolarmente indicato. Ma non bisognava esagerare, per carità! Non era affatto inevitabile che il bambino vi si ammalasse. Sulla sua responsabilità, non c'era nessun pericolo grave

a portarlo. Prescrisse certe cure, consigliò particolari attenzioni, nominò un medico di Anacapri, il dottor Cuomo che, pare, era bravissimo proprio per i bambini piccoli, ed augurò a Jane buon viaggio e buon divertimento. Jane, ringraziandolo, disse che sarebbe partita addirittura l'indomani. Non l'avevo mai vista così entusiasta. E del resto, dal nostro arrivo a Roma, era mutata. Le guance rosse, gli occhi sfavillanti, sembrava che avesse la febbre.

Purtroppo avevo la febbre anch'io; non ero ancora riuscito a telefonare a Dorothea! e forse per questo il contegno di Jane non m'impensierì. Il pomeriggio uscii da solo per comprare un'automobile che mi era indispensabile nei miei giri e con la quale, l'indomani, saremmo andati a Napoli. Potevo telefonare allora. Ma non volli rischiare di non trovarla, e intanto insospettire la padrona di casa. Ormai che ero tranquillo e che sapevo Dorothea a Roma, era meglio approfittare del mio prudente silenzio. Così le due donne, credendo alla mia partenza, non mi avrebbero cercato negli alberghi. Trovarmi, sarebbe stato così facile. Bastava qualche telefonata.

Non so poi perchè avessi tanta paura. Dorothea con me era sempre stata molto discreta. Non mi aveva mai dato il più piccolo fastidio. Perfino quando mi aveva chiesto del denaro (era accaduto assai di rado, ero sempre io che gliene davo spontaneamente) lo aveva fatto con estremo garbo, evitando qualunque sfumatura che sapesse di ricatto.

Ma la sua persona fisica mi era sempre davanti agli occhi e bastava ad atterrirmi. La rivedevo alta, grassa, prepotente nei suoi abiti vistosi, un tailleur nero e scollato, o una seta bianca a fiorami rossi, i capelli tirati

e lucidissimi, l'avambraccio carico di grossi braccialetti d'oro, le unghie lunghe, la bocca e gli occhi dipinti, le scarpette di vernice, il passo aggressivo, lo sguardo sfrontato; e tremavo al pensiero che essa venisse a sapere del mio matrimonio e della presenza di mia moglie a Roma. Temevo infine anche la padrona di casa la quale, a differenza di Dorothea, era senza dubbio alcuno veramente volgare e pericolosa.

Partimmo per Napoli la mattina prima delle nove, dovendo arrivare in tempo per il battello. E così, anche il secondo giorno, non telefonai a Dorothea. Da Capri non era assolutamente il caso: a parte che sarebbe stato come dare a Dorothea il mio indirizzo, Jane avrebbe saputo subito ogni cosa e senza che fosse Dorothea l'informatrice. A Capri, poi, vivono alcune centinaia di sfaccendati di ogni genere, vizio e nazionalità, uomini diversi ciascuno dall'altro e ciascuno per se stesso mutevolissimo, ma simili tutti tra di loro e tutti costanti in un irrimediabile difetto: l'impotenza fisica o morale. Poveri esseri semispenti che, non avvertendo in se stessi più nessuna vita, si occupano delle faccende degli altri anche se poi questi altri non sono meno morti di loro. Visti di fuori, i loro atti paiono vivaci: sono sufficienti comunque ad alimentare la Curiosità e il Pettegolezzo, ultimi focherelli della loro vita. D'altra parte, gli indigeni (i capresi, per intenderci, o i napoletani da generazioni stabiliti a Capri) attizzano. Instancabilmente portano rametti spinosi di cattiveria, soffiano sulle grame braci dell'invidia, occhieggiano, additano, ridacchiano. E ciò fanno un po' per convenienza economica, perchè campano ospitando quegli stranieri, ma un po' anche per natura: essi stessi decadenti e decaduti: pettegoli, spioni, traditori, bu-

giardi, istrioni, isterici, confusionari, tortuosi, sofistici: insomma profondamente corrotti e infelici come tanti mediterranei del sud.

La centrale delle chiacchiere era la piazzetta, coi suoi tre caffè, gremiti ad ogni ora del giorno; e fra alcune principali fonti di informazione principalissime erano l'ufficio postale e l'ufficio telegrafico. Infine, tra gli indigeni che godevano le confidenze dei titolari di questi due uffici, primissimo era certo Don Raffaele, ex-funzionario di polizia, uomo servizievole ma anche servile, giudizioso ma anche infido, al quale il nostro amico Guglielmo ci aveva indirizzati.

Ora, attraverso Don Raffaele e l'ufficio telefonico, se avessi telefonato a Dora, Jane lo avrebbe certamente saputo subito. Non volevo, per una imprudenza che mi avrebbe dato una gioia breve e monca, compromettere intere settimane di felicità in giro per l'Italia alle quali, dopo il lungo digiuno americano, anelavo come l'assetato all'acqua e l'affamato al pane. Decisi di pazientare.

Don Raffaele, avvertito da Guglielmo, ci era venuto incontro alla Marina Grande, sorridendo. Era un bell'uomo, tra i cinquanta e i sessanta, sbarbato, pulito, i lunghi capelli bianchi ben ravviati, e una cert'aria britannica che partiva dagli occhi azzurri e finiva ai pantaloni di flanella, e che diventava sospetta non appena egli se ne usciva col suo inglese altrettanto privo di esitazioni che di esattezza, o anche soltanto sorrideva il suo subdolo sorriso mediterraneo.

Don Raffaele fu prezioso: ma come dire? esclusivo. Ci eravamo rivolti a lui. Benissimo. Egli ci fece intendere subito molto chiaramente che a Capri non potevamo più rivolgerci a nessun altro, per qualsivoglia affare o

questione. Egli ci avrebbe aiutato, guidato e protetto. Noi dovevamo metterci nelle sue mani. Ci condusse in giro a visitare alcune ville che erano da affittare, e ci consigliò, ci forzò quasi nella scelta definitiva. Ci mandò la cameriera, la cuoca, e il giardiniere, tutti e tre capresi, che in quella villa, lontana dalla piazza quasi venti minuti di cammino, erano indispensabili ad un *ménage* appena confortevole. La prima notte dormimmo al Quisisana. Il giorno dopo, al pomeriggio, avevamo già fatto il contratto ed eravamo insediati nella villa.

Villa Rubini, era scritto sui pilastrini d'ingresso: Villa su uno, Rubini sull'altro. E non seppi mai se questo Rubini fosse il cognome del primo proprietario; oppure un nome poetico che si riferiva ai gerani, alle bouganvillee e ad altri fiori rossi che decoravano i muretti e la facciata. Rubino in italiano significa « ruby ».

Don Raffaele seppe cavarci denaro in tutti i modi. Il fitto, il personale, l'acqua per i bagni, l'acqua per irrigare il giardino, la luce elettrica, le bombole del gas, il quotidiano rifornimento del pesce, tutte queste e numerose altre faccenduole erano sbrigate attraverso la sua organizzazione bonaria ed esclusiva, ed erano il pretesto di altrettante piccole tasse che dovevamo pagargli fingendo d'ignorare.

Comunque, devo riconoscere che, per merito suo, dopo qualche giorno il *ménage* fu avviato. Ma non sapevo risolvermi ad abbandonare Jane e a partire per il mio giro come ormai avrei dovuto. Una volta tanto, il dovere coincideva con un piacere che nascostamente mi sarei preso, e la cattiva coscienza mi forniva continui scrupoli per ritardare. Poi, non erano scrupoli senza base. Jane era davvero nervosa, eccitabile, ma-

grissima, e sempre con quell'aria febbrile che le avevo visto a Roma. Litigava per sciocchezze, a ogni minima occasione. Era impaziente con Duccio. La notte, quando il bambino piangeva, non riusciva più a sopportarlo con calma. Occorreva una nurse. Don Raffaele coronò la propria opera: scovò sul momento a Napoli una *Fräulein* svizzera, specialista di neonati. E così finalmente Jane poteva prendersi un po' di riposo ed io cominciare il mio viaggio per l'Italia.

Partii un mattino col battello delle cinque. Mi levai che era ancora buio. Nell'abbraccio di Jane, assonnata e piangente... No, no: sbaglio. Ricordo quell'alba lontana, di tre anni fa. Ma, a questo punto, il mio racconto si confonde, e rischia di non essere più veritiero.

Stavo per riferire il mio addio a Jane non quale lo vissi allora, allora che abbandonavo lei a Capri con Duccio ed io ero pieno dell'ansia di Dorothea; ma quale mi appare oggi.

Sì, Jane, abbracciandomi, era assonnata e piangente. Ma, posso dire che io mi sia accorto, allora, di qualche cosa di particolare in quell'abbraccio?

Posso dire che, uscendo dalla cameretta a volte, buia e disordinata, passando a salutare Duccio che dormiva nella stanza attigua con la nurse, e camminando nell'aria azzurra e fredda su per il sentiero verso la piazza, io abbia riflettuto comunque al contegno di Jane?

Ero commosso e pieno di rimorso. Sentivo la mia colpa. Ero tormentato dalla mia ambiguità e, Jane, non la vedevo se non come un rimprovero fatto persona, l'immagine straziante di un affetto che era anche mio, l'oggetto di una passione diversa ma altrettanto vera di quella che mi spronava a svincolarmi da quella stretta

pietosa, e a sfuggire su per la stradina, su a lunghi rapidi passi, per non perdere il battello.

Le magre braccia nervose, stringendomi i fianchi e la schiena (mentre curvo su di lei a letto sentivo il suo odore naturale, leggero, ancora come di ragazza adolescente), erano state un cilicio che mi puniva e avrebbe, nel ricordo, continuato a punirmi del mio peccato.

Il sentiero saliva, a scalini di pietra, tortuoso, stretto tra ininterrotti muriccioli di orti e giardini. Fichi d'India, agavi, ulivi, lecci, lentischi spuntavano dai muriccioli. Udivo risonare il mio passo rapido, e non meno rapido il battito del mio cuore. Allontanarmi così da Jane e da Duccio (Duccio per la prima volta da quando era nato!) era un dolore quasi fisico, una dura pena come un peso sullo sterno. Avrei voluto che accadesse qualche cosa che mi obbligasse a tornare indietro. Anche soltanto per rivederli, tutti e due, i cari esseri indifesi dei quali avevo cura e responsabilità, e che accomunavo nella medesima tenerezza, rivederli, stare con loro ancora un giorno, e poi ripartire. Avrei voluto perdere il battello. Perdere il battello? Ma che cosa farneticavo? Ero matto? Non avrei potuto, per nulla al mondo, lasciar passare un altro giorno senza ritrovarmi con Dorothea. Dalla settimana scorsa, ormai, avevo stabilito, dentro di me, di non superare in ogni caso la data di quel giorno. Perdere il battello? Guai! Guardavo l'ora e mi mettevo a correre su per la salita. E mentre così correvo mi allontanavo da Jane, sentivo, con strazio, che la mia pena, ecco, incominciava a diminuire: e tra poco, pochissimo tempo non avrei sofferto più.

Alla prima casa di Tragara mi fermai un istante,

occhi chiusi, per riprendere fiato. Trasalii ad una voce vicina, queta:

« Svegliare presto, oggi, signor maggiore, eh? Avere dormito poco? »

Era Salvatò, il mio giardiniere, in realtà una spia di Don Raffaele. Mi stava guardando da un usciolo aperto, in maniche di camicia, un rasoietto tra le dita. Lo spettacolo della sua calma, in quel momento, mi irritò come un giudizio malevolo. E aveva usato, anche allora, i verbi all'infinito per aiutarmi meglio a capire l'italiano, che però io capivo e parlavo meglio di lui. Quanto al « signor maggiore », in pochi giorni a Capri tutti mi chiamavano così; poichè così Guglielmo, che mi ero scordato di avvertire in proposito, mi aveva chiamato telefonando a Don Raffaele.

Ricominciai a correre, rispondendo appena che andavo a Napoli, non volevo perdere il battello.

« U battello... Nun currite, signor maggiore... essere tempo n'altra mezz'ora! »

Vigliacco d'una spia, pensai correndo ancora più in fretta, tu dici apposta perchè io lo perda!

Infatti, arrivai in piazza e la funicolare che scende alla Marina Grande era partita in quel momento.

L'impiegato e alcuni sfaccendati, a gara, mi assicurarono che potevo aspettare, facevo benissimo in tempo con la prossima corsa: il battello non sarebbe ancora partito. Ma sì, io lo vedevo laggiù nel porto, come un giocattolo a molla che poteva scattare via da un momento all'altro. L'acqua del porto unita e livida come una lastra; e l'aria fredda, i monti, il mare, le case, gli sfaccendati sulla terrazza: tutto, intorno, era immobile, senza vita, infido, ostile alla mia partenza. Volevo essere a Roma

prima di mezzogiorno, da Dora prima che si destasse e uscisse di casa. Non potevo perdere il battello. Non potevo star fermo, neanche un minuto. In fondo alla piazzetta, una vecchia torpedo era lì per quelli che perdono la funicolare. Il proprietario ed autista era un grassone lurido, che avevo già notato per il suo aspetto provocante e pittoresco, da liberto del basso Impero, e che Don Raffaele, solitamente benigno verso gli isolani, aveva accusato di eccezionale esosità e disonestà, sconsigliandomi, all'occasione, di valermi della sua opera. Senza esitare neanche un istante per l'avvertimento di Don Raffaele, salii sulla torpedo e dissi al grassone di condurmi subito giù alla Marina.

Il grassone mi salì al fianco. La torpedo partì sferragliando per la discesa. Il grassone prendeva le curve a grande velocità, urtandomi ogni volta col gomito.

« Dovete scusà, signor maggiore. »

« Prego. »

« A Napoli? »

« Be', a Napoli, poi a Roma... poi, devo fare un viaggio per tutta l'Italia. » Non so perchè, forse per simpatia verso il grassone che mi conduceva violentemente verso la mia meta, forse per odio a Don Raffaele che, certo, non aveva il grassone in simpatia, mi abbandonavo a una confidenza che, soprattutto con italiani delle classi inferiori, non mi era mai stata abituale.

Il grassone, naturalmente, gongolava, e si faceva sotto con le domande:

« Starà via tanto tempo, signor maggiore? »

« Non so, un mese, due... »

« E la signora? »

« Come? »

« La sua signora, resta a Capri? »

« Sì. »

« Fa bene. »

« Perchè? »

« L'aria, l'aria di Capri, il sole, le faranno bene. S'è sciupata, poverina... uh! s'è sciupata... »

« Come sciupata? » risi divertito. « Voi non l'avete mai vista prima! Come fate a dire che è sciupata? »

« E come non l'aggio vista? Me la ricordo perfettamente! Saranno tre anni, 1944, no? »

Credevo che Jane, come mi aveva detto lei stessa, non fosse mai stata a Capri prima di quella volta. Perciò non capivo. Tacqui un istante, pensai, poi finsi di ricordarmi:

« Ah sì, 1944. Durante la guerra? »

« E come no? Capri era u *rest camp*. La signora era in uniforme, bellissima. È stata qui due o tre volte. Una settimana, quindici giorni. Nessuno l'ha riconosciuta, ora. Ma io l'ho portata troppe volte. Appena l'ho vista... tracchete, ma chista è chilla! L'ho riconosciuta subito. Io non mi sbaglio. Sono molto fisionomista! »

Nella prima lettera che scrissi a Jane, le domandai perchè non mi aveva detto la verità. Rispose che la curiosità di un luogo famoso, ma nuovo per lei, le era sembrata, per indurmi al consenso, un motivo più forte di quello vero: il desiderio di tornare in un luogo già conosciuto ed amato. Aveva tanto desiderio di tornare a Capri che mi aveva mentito. Mi supplicava di scusarla, sebbene, nella mia lettera, io non l'avessi quasi rimproverata.

Alla Marina Grande, proprio all'imboccatura del molo dove fermò la torpedo, c'era, elegante nella sua giacca

color miele e i suoi pantaloni di flanella, Don Raffaele. Vedendomi scendere dalla torpedo e, peggio, salutare il grassone cordialmente, mi guardò, di lontano, contrariato, quasi torvo. Riprese il suo abituale sorriso soltanto quando fui a due passi da lui:

« Di partenza, signor maggiore? » e mi prese di mano la valigia e s'incamminò con me verso il battello, che era in fondo al molo.

Temetti che venisse anche lui a Napoli. Avrei dovuto accettare la sua compagnia, chiacchierare con lui tutto il tempo della traversata. Amavo starmene solo, assaporare senza distrarmi la mia pietà di Jane via via che diminuiva, il mio desiderio di Dorothea via via che cresceva; prepararmi così meglio alla voluttà, averla poi più profonda e più colma.

Temevo anche la furbizia e la curiosità straordinarie di quell'uomo diabolico: se faceva la traversata con me, riusciva certamente a sospettare il mio stato d'animo, e ad indovinare una parte della verità.

Camminando al suo fianco verso il battello, ero sulle spine. Avrei voluto domandargli senz'altro se veniva, o no, a Napoli. Ma mi feci forza. Chissà, la sola domanda sarebbe bastata a insospettirlo, e a deciderlo a venire.

Restò a terra, per fortuna. Presto la sua figura, che lungo il molo tornava lentamente indietro insieme al maresciallo della Finanza, perdette ogni significato minaccioso, non fu più che una macchietta chiara, un puntino dell'isola che si levava, enorme, nera, con le sue pareti di roccia, contro il cielo.

Il cielo aveva un colore incerto, non si capiva se fosse sereno o coperto di un tessuto di nubi. Il sole era dietro le nubi, o non ancora sorto. Il mare, grigio ar-

desia, s'increspava appena, ora che il battello prendeva il largo.

Guardai l'isola nera, fredda. Essa conteneva, in un punto dei suoi fianchi convulsi e dirupati, anche Jane, Jane che dormiva.

Il mio affetto per Jane e per Duccio, tutta una zona dei miei sentimenti, ecco, io me ne liberavo per qualche tempo: e l'abbandonavo là, chiusa e come sepolta in quell'isola.

Fantasticai che cosa avrei provato se al posto di Jane avessi lasciato Dorothea. O se (perchè esito? perchè non scrivere anche questo pensiero che ebbi quella mattina?) o se Jane fosse morta e, dopo, io avessi sposato Dorothea. Dorothea mia moglie, Dorothea madre di un figlio mio, Dorothea che io lascio a Capri, dovendo allontanarmi per ragioni di lavoro.

La tenerezza che così veniva ad aggiungersi alla passione, in una incredibile e mai provata unità, mi lasciava, anche soltanto a fantasticarla, vagamente vuoto e deluso. Apparve a un tratto il sole, e nel sole Napoli, gialla e rosa, ormai vicinissima, accogliente, tutta intorno a me.

Corsi al garage dell'Excelsior dove avevo lasciato la macchina, partii per Roma.

Non ricordo più nulla di quella strada, non so, credo di essere andato velocissimo, ricordo soltanto che più premevo sull'acceleratore, più mi sembrava che la macchina andasse adagio. Guardavo senza posa l'ora e i chilometri, i chilometri e l'ora. Soffrivo acutamente tutto il tempo in cui attendevo di vedere apparire il paracarro del prossimo chilometro; e godevo, a intervalli che mi parevano sempre più lunghi, soltanto l'attimo in cui alfine lo scorgevo e già mi era sfuggito.

Come avrei rivisto Dorothea? In quale atto, in quale gesto mi sarebbe riapparsa? Non pensavo, farneticavo. Tornavo più e più volte sulle medesime visioni, come nei dormiveglia della febbre. Parlavo ad alta voce da solo. Sussurravo. Gridavo. Dicevo parole assurde, frasi matte, quelle che le avrei detto, ma soprattutto quelle che non le avrei detto, perchè non ne avevo il coraggio, e forse invece avrei dovuto dire.

Sentivo intenso il bisogno di fumare; ma, in tutto il viaggio, non accesi neanche una sigaretta forse per non rallentare la corsa neanche di qualche secondo (per qualche secondo potevo mancarla, poteva essere uscita, e se non l'avessi trovata quella mattina mi pareva che sarei impazzito) e forse proprio per non attenuare quel mio delittuoso tormento, per non perdere nulla di quella mia ossessione voluttuosa.

Fermai la macchina sotto la finestra della sua camera, che era al mezzanino. Le persiane erano chiuse. Guardai l'ora: mezzogiorno meno cinque. Forse dormiva ancora, come ne aveva l'abitudine. Entrai nel portoncino, salii le luride scale, esattamente come tante volte avevo immaginato nelle amare notti di Princeton, immaginato senza nessuna speranza che l'immaginazione divenisse un giorno realtà. Suonai il campanello, apparve la padrona di casa.

« Oh, è lei! » quasi gridò.

« C'è Dorothea? »

« Sì, » disse, « dorme. »

« Non la svegli, per piacere, » la pregai abbassando subito la voce. « Non la svegli ancora. Aspetterò che chiami. »

Ormai che ero lì, e che Dorothea era lì, a due passi,

dietro quell'uscio, che riconoscevo e che vedevo con i miei occhi, in fondo al corridoio, volevo prolungare fino all'estremo l'infinita dolcezza dell'attesa quando si sa che non sarà delusa.

« Va bene, » rise la padrona. « Le porterà lei stesso il caffè. È quasi pronto. Fra pochi minuti è mezzogiorno. Quando sente le sirene del mezzogiorno, lei si sveglia sempre. Lo sa che non l'aspettavamo più, signor maggiore? »

La seguii in cucina; e quando fu pronto presi il vassoietto con la tazza di caffè e lo zucchero. In punta di piedi andai fino all'uscio, girai la maniglia, entrai, richiusi dietro di me.

La stanza era in penombra, l'aria calda, quasi soffocante, impregnata del suo profumo.

Dora dormiva, il grande torso bruno e nudo libero dai lenzuoli fin sotto le mammelle. Dormiva sul fianco destro, tranquilla, voltata verso di me. Un braccio era sotto il guanciale, l'altro ripiegato davanti al seno, il polso carico dei soliti ori.

Rimasi immobile a guardarla, col vassoio del caffè in mano. Le finestre erano chiuse. Il frastuono della città giungeva attutito.

Suonarono le sirene e Dorothea cominciò, lentamente, a muoversi. Aprì gli occhi, sbadigliò, mi vide, si stropicciò il viso, ridendo mi disse tranquilla:

« Sei qui farabutto, eh? Ce n'hai messo del tempo a farti vivo! »

Mi avvicinai. Bisbigliai:

« Dora... »

Mi fermai. Il vassoio con la tazzina tintinnava nelle mie mani.

« Tremi, eh? » rise. « E se ti dicessi che non mi va più di fare l'amore con te? »

Credo che impallidii; e forse lei pensò ch'io stessi addirittura per svenire, perchè s'affrettò a rassicurarmi:

« Ma no, sciocco, che credi? » e con un gran gesto violento buttò via il lenzuolo e mi si mostrò nuda, pronta, come sempre.

Non mi ero mosso.

Mi fermò in tempo:

« Un momento. Come si vede che sei americano, figlio mio! Prima il caffè. Se non si prende caldo non vale niente. »

11

PORTAI Dora con me. Benchè lo avessi pensato fino dal momento che Offner mi propose il viaggio in Italia, in fondo non lo avevo mai creduto possibile. Prima di tutto, ero convinto che non ne avrei avuto il coraggio. Poi, sapevo per prova che, una volta placata la mia ansia, per qualche giorno, nonchè tornare a desiderare Dorothea, avrei addirittura preferito non vederla; e siccome dovevo lasciare Roma il giorno dopo il ritorno da Capri e partire subito per la Toscana, da cui cominciava il mio giro, avrei giurato fino all'ultimo che sarei partito da solo.

Invece, portai Dora con me. Fu una decisione improvvisa, dovuta forse alla rabbia, certamente non alla sorpresa, di sentirmi di nuovo deluso dopo quasi due anni di lontananza; fu un puntiglio simile a quello che in passato mi persuadeva a prolungare ostinatamente le notti con lei, nella ricerca e nella speranza di una perpetua voluttà; fu un estremo tentativo, una scommessa che facevo con me medesimo, pensando che non avrei mai più avuto un'occasione altrettanto favorevole (viaggio di lavoro, Jane immobilizzata dal bambino pic-

colo) per scoprire, attraverso una convivenza di qualche settimana con Dora, se la natura mi avesse davvero negato alla felicità coniugale.

Poco importava se poi, finito il viaggio, sarei stato straziato dallo spezzarsi di un legame che intanto si fosse fatto dolcissima abitudine. Magari! Sarei tornato all'amara tenerezza della vita con Jane, ma col conforto, una volta per sempre, che non si trattava di una condanna del destino, di una forzata e quindi immeritoria rinuncia, bensì di una scelta libera e quasi eroica.

Volevo insomma provare a vivere con Dora; vedere se mi sarei affezionato a lei; se lei si sarebbe affezionata a me; e soprattutto se questo affetto, nuovo nei nostri rapporti, che erano stati sempre e soltanto di un altro genere, non avrebbe smorzato il loro fuoco primitivo.

Inutile che ti racconti i particolari. Eccoti subito la conclusione dell'esperimento: ciò che accadde, o che mi pare sia accaduto, a me e a Dora, vivendo insieme.

Dora, pur continuando a fare l'amore con me esattamente come lo aveva sempre fatto, e cioè con quella misteriosa e quasi crudele impassibilità che era appunto ciò che più mi piaceva, si affezionò a me; e cioè cominciò a preoccuparsi della mia salute, e a cercare di essermi utile nelle faccende quotidiane: stirarmi i fazzoletti; farmi le valigie; prepararmi il bagno; consultare il menu in trattoria; consigliarmi i cibi migliori e più sostanziosi; reggermi, in giro per chiese o musei, la cartella delle riproduzioni, un libro, la macchina fotografica; uscire la mattina, mentre io poltrivo, a comperarmi i giornali; perfino, certe sere che ero stanco e restavamo in albergo, caricarmi con gran cura la pipa. Tutte cose che Jane non aveva mai fatto.

Io, invece, ad ognuna di queste attenzioni, sentivo nascere in me un dispetto, un disagio, un fastidio, una strana insofferenza, quasi una vergogna di essere troppo felice. Tale stato d'animo cessava soltanto la notte e, ormai, quando spegnevo la luce. Durante il giorno, mentre Dora mi era accanto servizievole, rispettosa, affettuosa, mi pareva, non so come dirti, mi pareva, ecco, di essere circondato, circuito da ogni parte, di essere soffocato, di essere schiavo. Schiavo di schiavitù non mia, perchè comandavo io e facevo tutto quello che volevo; ma schiavo, ed era molto peggio, della schiavitù di lei. Non ero più libero insomma; di notte o di giorno, in un modo o nell'altro, perchè era bella o perchè, adesso, era anche buona, mi trovavo a fare i conti con lei. Ciò mi diventò prestissimo tortura insoffribile, peggiore forse di quella con Jane, la cui compagnia mi dava poca gioia ma perciò mi lasciava, almeno nella tristezza che non potevo confessarle, solo.

Che cosa avevo da rimproverare a Dorothea? Nulla. Essa aveva accettato il mio invito con stupore, umiltà, entusiasmo. Non presumeva di se stessa. Credeva di essere una prostituta, nient'altro. E se, nonostante il fastidio, per un mese continuai a portarmela dietro, dopo la Toscana in Emilia e in Lombardia e nel Veneto, fu soltanto perchè, la notte, ero certo di ritrovare nella sua profonda umiltà quello che cercavo.

Ma che cos'era quella vergogna di sentirmi troppo felice? Perchè la grande pace in cui vivevo per la prima volta, la sentivo come una colpa? Pensavo forse a Jane, a Duccio, al sacro giuramento che avevo fatto davanti al sacerdote cattolico? Assolutamente no. Jane e Duccio, salvo i pochi minuti in cui, ogni due o tre giorni, scri-

vevo o telegrafavo, erano cancellati dal mio pensiero, non esistevano più. Non era che credessi di peccare. Non era rimorso. Era, anzi, il contrario. Mi sentivo nel giusto, mi sentivo nel vero, ed era una sensazione spiacevole, quasi intollerabile, come se mi mancasse l'aria.

Nella calma notturna di un piccolo albergo, in qualche cittadina di provincia, dopo un giorno di duro lavoro sotto il sole di giugno (chilometri per strade molte volte secondarie e non asfaltate, mi arrampicavo su una collina a fotografare una chiesetta diroccata o a visitare un polveroso piccolo museo, prendevo note al lamentoso elenco del direttore, ne controllavo subito la veridicità, controbattevo); dopo, finalmente, che era scesa la sera; dopo un buon bagno, anche se l'acqua era fredda; dopo il pranzo che era eccellente, sempre e dappertutto; dopo una tranquilla passeggiata nella penombra alberata di un viale o sui vecchi bastioni; dopo un cognac seduti ai tavolini di un caffeuccio o tenendoci per mano come due innamorati, mentre laggiù tra il verde e i lampioni suonava dolcemente un'orchestrina, e l'Italia era bella e santa: nella calma e nel silenzio notturno del piccolo albergo Dorothea mi faceva completamente felice. Eppure io mi dicevo: È tutto qui? Non c'è altro? proprio niente altro? Mi mancava ormai il desiderio, al quale ero nato od abituato; ero vuoto, sgomento, piccino. Ecco, soprattutto, piccino. Ridotto a essere esattamente me stesso. Un punto. Una nullità.

E a poco a poco cominciai ad avvertire questo penoso raggrinzire e rimpicciolire di me stesso anche di giorno, se mi sorprendevo in qualche atto istintivo di tenerezza per Dora, come il bisogno di carezzarla in pubblico, o di guardarla, di sorriderle perchè lei mi sorri-

desse, di stringerle una mano, di prenderla alla vita. Lei rispondeva, immutabilmente docile; e ciò, senza che potessi dirglielo, mi stizziva.

Una volta, a colazione, insistette perchè, oltre alle portate che avevo ordinato, prendessi due rossi d'uovo con pepe e limone: *due uova all'ostrica*, come le chiamano in Italia. Insistette guardandomi fisso, e sorridendomi con chiara intenzione. L'idea, lo sguardo, il sorriso, mi fecero, insieme, piacere e rabbia. Rabbia, quasi furia, proprio perchè sentivo che mi avevano fatto piacere. Dunque, come lei soddisfaceva me, io potevo soddisfare lei? Era la prima volta che me ne dava segno. Ed anche questo mi deludeva. Non era più l'idolo. Era una donna normale.

Finalmente troncai. Non le avevo mai detto dell'esistenza di Jane, nè di essermi sposato. Ogni volta che dovevo scrivere, telegrafare o, assai più raramente, telefonare a Capri, lo facevo con estrema cautela perchè lei non venisse a saperlo. In albergo, benchè dormissimo insieme, prendevamo sempre due stanze separate e non attigue. Dirò che questo panico di essere ricattato da Dorothea era ormai irragionevole, e che forse era soltanto una mia inconscia astuzia per tenere vivo in me il desiderio?

Dopo il Veneto, il programma era di passare nelle Marche; ma fui costretto a una puntata a Roma, dove mi attendeva Mr. H. L. G., che tu hai conosciuto, importante funzionario dell'Unesco. Ormai, era stabilito che in autunno sarei andato a Parigi, all'Unesco. Mr. H. L. G., di passaggio a Roma, voleva vedermi. Fu in quell'occasione, come forse ricorderai, che venni a co-

lazione da te a Cinecittà insieme a H. L. G. il quale desiderava visitare gli stabilimenti.

Dovevo rimanere a Roma due soli giorni. Andai al Grand Hotel, Dorothea a casa sua. Ero molto occupato con H. L. G., in quei due giorni non ci saremmo visti. Intesi che la mattina del terzo giorno saremmo ripartiti insieme per Ancona.

Il tardo pomeriggio del secondo giorno accompagnai a Ciampino H. L. G., che tornava a Parigi. L'aereo partì con qualche ritardo e mi ritrovai solo, sull'imbrunire, nella vastità della pianura tra i Castelli e Roma. Erano i primi giorni di luglio. Chi conosce per prova quell'aria quell'ora quel luogo quella stagione mi comprenderà. Nel cielo vastissimo, teso, profondo, senza una nuvola, spuntavano le prime stelle. Le lontane facciate di Frascati parevano ancora chiare del sole ormai tramontato. C'era una dolcezza nell'aria, un languore che rendeva assurda la solitudine. Perfino i grossi aerei argentei che facevano manovra a terra, un altro che planava silenziosamente in quel momento, parevano partecipi dell'incanto. Ti telefonai, ti volevo chiedere di venire a pranzo con me in qualche trattoria dei Castelli, all'aperto. Non eri in casa, lavoravi ancora, chissà a che ora saresti tornato. Andai al bar, bevvi un paio di whiskies. Non sapevo che fare. Non mi andava di tornare a Roma per andare a mangiare, solo come un cane, nel lugubre ristorante del Grand Hotel e magari trovarci qualche concittadino di mia conoscenza che non avrei potuto evitare nè voluto sopportare. Esitai, e finalmente, mentre già si faceva buio, telefonai a Dorothea. Perchè non si pranzava insieme? Poi, magari, invece di partire all'alba come avevamo stabilito, avremmo fatto la strada

di notte, col fresco, molto meglio. Avremmo dormito fino al pomeriggio ad Ancona, e poi fatto un bagno di mare. C'è una spiaggia vicino ad Ancona? Ci deve essere.

Dorothea rispose che sarebbe venuta, molto volentieri. Ma che siccome non credeva di dovermi vedere, aveva preso un impegno. Pranzava in trattoria con suo cognato, che doveva parlarle di certi affari di famiglia. Mi arrabbiai, fu la prima, forse l'unica volta che la trattai male. Forse sfogai così il malumore di tutto un mese. Dora ne fu avvilitissima. Mi disse che, se avesse potuto, avrebbe rimandato, visto suo cognato un altro momento. Ma che ormai era tardi per avvertirlo, suo cognato non aveva il telefono, ed abitava lontano. La aspettava in trattoria. A quell'ora certamente era già uscito, e lei stessa, quando le ho telefonato, stava per uscire.

« Se non ti dispiace di venire con me... » disse alfine esitando, « te lo presento, è un buon uomo, un padre di famiglia. Lavora per il cinema, fa lo specialista dei fuochi... sai, tutte le volte che c'è un incendio da fare, o il fumo, o i fuochi artificiali, chiamano lui. »

Dora non mi aveva mai detto di avere una sorella.

« Non te l'ho mai detto, perchè mia sorella è morta tanti anni fa. Lui si è risposato. Ci ha bambini, quattro, sono al mare a Ladispoli. Vieni? Se non ti dispiace, vieni. Siamo all'osteria della Pesa, in Trastevere, via Garibaldi. »

« Ti vengo a prendere, » dissi con rabbia, sentendo che non avevo forza di passare la sera da solo, e nessuna voglia di conoscere questo cognato.

Ma si oppose a che andassi a prenderla. Aveva già chiamato il taxi. Era già in ritardo. Con una deci-

sione improvvisa, che mi sorprese e mi piacque, mi ripetè l'indirizzo esatto della trattoria, ed attaccò.

A differenza di Jane, nella quale avevo una fiducia assoluta, tutto quanto riguardava Dorothea m'insospettiva. Mentre tornavo verso Roma, riflettei e giunsi alla conclusione che questo cognato non era affatto cognato e che lei aveva voluto a tutti i costi arrivare all'appuntamento prima di me per avere il tempo di avvertirlo dell'inganno. E adesso, naturalmente, mi era venuta voglia di conoscerlo, questo finto cognato. La menzogna di Dorothea m'interessava ed eccitava. Mi ero fatto subito l'idea, mista di timore e di speranza, che fosse proprio un individuo losco, una sorta di « souteneur ».

Era un uomo pallido, grasso, glabro, pelato con un gran naso e due occhi celesti, acquosi, dolci ed astuti. Era vestito con una certa pretesa d'eleganza, ma senza cravatta. Era molto simpatico. Aveva l'aria di un ruffiano e poteva anche essere un vecchio souteneur. Con lui e con Dorothea, seduti al tavolo dove subito li vidi, frammezzo a tutti gli altri tavoli pieni di avventori e in fondo al lungo cortile chiuso dalle alte mura rosse di povere antichissime case, c'era anche un giovanotto: bello, bruno, alto, dai capelli ricci e lustri, e dallo sguardo singolarmente dolce e vivo: non aveva giacca, ma una maglietta di seta che lasciava trasparire il torace ben modellato; al polso un braccialetto d'oro e un orologio con cinturino d'oro; un massiccio anello d'oro ad un dito; al collo una catenina con medaglietta.

Dorothea mi vide da lontano e le bastò un accenno ai due, come dire: « Eccolo, è qui, è lui. » I due si levarono di scatto; il vecchio, il cognato, vero o finto che fosse, mi venne incontro di qualche passo tra i tavoli,

esprimendomi, quanto si poteva a gesti a sorrisi a inchini, totale sottomissione.

Era simpatico, senz'altro. Sul volto glabro, mentre mangiava con gusto, offriva cibo o vino con gusto anche maggiore vantandoli o criticandoli senza posa, raccontava fatterelli della lavorazione dell'ultimo film, diceva banali barzellette, sorrideva felice di quel pranzo, di quella sera passata così con noi, dimentico di tutto, di nient'altro desideroso. Si leggeva sul suo volto l'umiltà e la bontà del peccatore. Il giovanotto era assai più riservato. Non parlava quasi mai, mangiava moderatamente e con studiata compostezza, come per non scomparire davanti a me. Era un amico di suo cognato, mi spiegò subito Dorothea, e lavorava anche lui nel cinema come attore, faceva piccole parti. Capii che il tipo aveva visto in me una combinazione abbagliante: ero un signore, un intellettuale e per di più americano. Per calcolo, e forse più probabilmente per semplice vanità, ci teneva a far bella figura. Perciò parlò e mangiò poco. Metteva però in mostra più di quanto gli convenisse, almeno con me, la mano col braccialetto, l'orologio e l'anello. Si affrettava, ogni volta che Dora io o il cognato portavamo alle labbra una sigaretta, ad estrarre un *lighter,* anche quello d'oro, e ce lo faceva scattare sotto il naso con grande ostentazione della famosa mano. Oppure, se fumava egli stesso, reggeva la sigaretta con la mano ferma ed arcuata a mezz'aria, quasi perchè tutti, anche dagli altri tavoli, lo ammirassero. Una bella mano, certo, per quanto può essere bella la mano di un uomo; comunque nulla giustificava quel replicato, incessante esibirla.

A un certo momento il cognato, chiamiamolo così,

cominciò, ammiccando verso Dora e verso me, a prender bonariamente in giro il giovanotto.

« Figlio bello, » gli diceva per esempio, « ma tu me sa che de vino nun te ne intendi proprio un c... scusi, sa, signor maggiore, vedo che lei l'italiano lo capisce benissimo, e qui bisogna che stiamo attenti come parliamo. »

Io ridevo divertito: tra il vocio e le risate degli avventori, il rumorio delle stoviglie, uno che cantava stornelli di tavolo in tavolo accompagnandosi con la fisarmonica, nella notte estiva, in quella compagnia calda di umanità e volgarità, mi sentivo sciolto, finalmente libero, e senza rammarico, dagli ultimi pregiudizi, che ancora portavo come appiccicati, del vecchio New England, e tuffato in questo mondo pagano, dove tutta la realtà, necessariamente, era intrisa di peccato e di perdono. Altro che le sere dai Tutts!

« Tu vedi, figlio bello, » continuava il cognato al giovanotto, il quale sorrideva cercando di reggere lo scherzo con quanta più disinvoltura poteva. « Tu il vino non lo capisci più. Sei deggenerato. Non lo vede, signor maggiore, cosa fa? Ce mette il ghiaccio dentro! Tu a lavorà nei film, a fare il bello con le signore straniere, a forza de bere whisky, gin, martini, hello give me a drink... non è così che si dice, signor maggiore?... Be', tu te sei rovinato il palato. E speriamo che sia soltanto il palato. »

Ascoltavo, e intanto fantasticavo quali fossero i veri rapporti di Dorothea con quei due, e di quei due tra di loro. Sulle prime, forse per via di quell'aria ambigua che avevano e l'uno e l'altro, e considerando la differenza d'età (il cognato avrà avuto cinquant'anni, il gio-

vane venticinque) mi era parso che i due non fossero soltanto amici. Ma quando il vecchio cominciò a prenderlo in giro cordialmente, bonariamente, senza la più piccola punta di acido, capii di essere su una falsa strada. Era con Dorothea che o l'uno o l'altro, o forse ambedue, avevano rapporti. Non provai, lo confesso volentieri perchè è vero, nessuna gelosia.

Mentre ero geloso di Jane (geloso forse proprio perchè non l'amavo, o non l'amavo abbastanza, e sentivo di non poterle dare tutto quello che lei forse avrebbe desiderato) non sono mai stato, almeno in quel periodo, geloso di Dorothea. Che Dorothea andasse con altri uomini, con tutti gli uomini, faceva parte della sua natura, e del suo stesso fascino. Io non mi curavo di darle nulla se non denaro. Essa, idolo, avrebbe dovuto disprezzare, da me, qualunque altro dono: se non lo faceva, mi deludeva. Così non mi sognavo di avere su di lei alcun diritto; non desideravo affatto ch'ella mi fosse fedele; pensavo che scoprirle degli amanti mi avrebbe lasciato indifferente o, addirittura, mi avrebbe stuzzicato. Più tardi, impegnai la mia vanità, complicai il giuoco, tutto cambiò. Allora come allora era così, e non me ne vergogno; nè mi vergogno a scriverlo. Del resto, a pensarci bene, nulla è più ingiusto, e più ridicolo del ridicolo, che, soprattutto in Francia e in Italia, condanna i mariti o gli amanti traditi. Chi ama una donna sposata, o impegnata ad altri, non è ridicolo: ebbene, egli *desidera la donna d'altri* nè più nè meno del marito, o dell'amante, che continua ad amare la propria moglie, o la propria amante, anche se questa lo tradisce, o proprio perchè lo tradisce.

Il cognato parlava, parlava. Il giovanotto fumava per

mostrare la mano. Dorothea mi guardava di tanto in tanto, alla sfuggita, con strane occhiate caute e scrutatrici: non voleva che io me ne accorgessi, ma cercava d'indovinare quello che pensavo. E io pensavo che, quella notte, l'avrei lasciata.

Perchè? Per gelosia?

Al contrario. Conoscere quei due, sospettare che fossero suoi amanti, aveva rinfocolato, non smorzato, la mia passione. Ma, appunto perchè il mio legame si rifaceva, così, più vivo, mi sembrava di poterlo interrompere per qualche tempo senza danno. Se l'avessi interrotto prima di quella sera, concludendo con la separazione il graduale raffreddamento di un mese di vita comune, avrei temuto di perdere per sempre il gusto di lei. Volevo invece lasciarla proprio adesso: mentre la desideravo di nuovo come ai primi tempi; e mentre avevo la certezza di continuare a desiderarla anche nel futuro e nella separazione, finchè l'avrei ripresa.

Dorothea mi scrutava. Era intelligente, e qualche cosa capiva. Per esempio capiva benissimo che avevo capito che quei due erano suoi amanti, e che la cosa non mi offendeva. Al tempo stesso, ne sono certo, leggeva nel mio volto la determinazione che avevo preso, segreta, subitanea, di abbandonarla. Ma non faceva l'ultimo passo; non giungeva a indovinare (e come avrebbe potuto?) il sottile ragionamento che mi persuadeva ad abbandonarla. Non sapeva conciliare gli opposti sentimenti che mi agitavano e che io invece, a modo mio, finivo per conciliare. Pensava che, misto al piacere di conoscere i suoi amanti, io ne provassi sdegno. Temeva la mia vanità e i pregiudizi della mia educazione. Si pentiva di avermi fatto conoscere quei due.

Che cosa sarebbe avvenuto se ella avesse capito tutto? Se, conscia finalmente del proprio potere su di me, avesse rischiato il grande gesto melodrammatico, la disinvoltura della donna perfida, l'addio crudele che si leggeva una volta nei romanzi francesi e si vedeva nei film tedeschi? Se si fosse levata, avesse preso il bel giovanotto per un braccio, e se ne fosse andata dicendomi tranquillamente: « Ci vediamo domani, Harry, come d'accordo, » o addirittura: « Guarda, domattina non si parte. Vieni a prendermi il pomeriggio alle sei. Inutile mi telefoni prima. Ciao, » io, come avrei reagito?

Oh, non credo che mi sarei ribellato. Quelle parole, e peggio, erano proprio ciò che più profondamente desideravo. No, non mi sarei ribellato. L'avrei forse amata per tutto il resto della mia vita, fino alla mia dannazione.

Ma non era una donna perfida.

Era una brava ragazza, tutto sommato; e preoccupata del suo avvenire, e di come fare, giorno per giorno, a tirare avanti.

Venne l'ora di andar via. Mi offersi di accompagnarli in centro. E li lasciai a bella posta tutti e tre al portone di lei, dicendo che ero atteso in albergo. Intendevo mostrare a Dorothea che non ero geloso.

Ma Dorothea s'insospettì. Mi prese da una parte. I due, con fulminea discrezione, si allontanarono di qualche passo.

« Mi avevi detto che volevi partire adesso per fare il viaggio col fresco? » sussurrò. « Vuoi ancora? Ho le valigie pronte. »

« No, grazie, Dora, » dissi esitando. « Adesso ho davvero un appuntamento con quel signore. »

« Ma se mi avevi detto che era partito. »

« Non con quello, un altro che ho trovato dopo. Può darsi che non parta neanche domattina. »

« Ma io come lo so? »

« Ti telefono. Ti telefono domattina. In ogni caso non prima delle dieci. Dormi tranquilla. »

E le baciai la mano con ostentata correttezza, come usano i gentiluomini italiani alle signore: intendevo farle capire, se poteva capire, che essa era la padrona.

« Fai quello che vuoi, » aggiunsi con un filo di voce, tremando, sperando che capisse.

Non capì. Anzi, capì a rovescio. Guardò, smarrita, un attimo verso i due; poi, invece di andarsene, si avvicinò di più a me, quasi a toccarmi con tutto il corpo, e avviluppandomi col suo profumo volgare.

« Che hai? » disse con un filo di voce. « Ti secca che ti ho presentato mio cognato? »

« Per carità! »

« Quell'altro allora? »

« Sogni. Sono così simpatici, tutti e due. Ho passato una magnifica serata. »

Io stesso mi sciolsi, camminai diritto verso i due, li salutai cordialmente.

Andai subito a letto. Ma non potevo prender sonno. Dopo un'ora mi alzai. Mi rivestii, feci le valigie, scesi, consegnai al portiere un telegramma di città, che sarebbe stato recapitato la mattina. Il telegramma diceva a Dora che dovevo partire improvvisamente per Parigi con un aereo notturno. Ci saremmo rivisti al mio ritorno, circa tra un mese. La ringraziavo.

Partii infatti quella notte; ma in macchina, per Ancona, al mio lavoro.

12

FECI benzina a Foligno, prima di passare l'Appennino. Mentre ero fermo al distributore, davo un'occhiata alla carta. Potevo scegliere tra due strade. Una a destra, per Tolentino e Macerata. La seconda a sinistra, per Nocera, Fabriano e Jesi. La prima era un po' più corta, ma stretta. La seconda più larga e... passava da Jesi. Il nome di questa cittadina mi risvegliava un ricordo, la guerra, un inverno gelido, una donna, e, più in là nel passato, la stessa donna quando era ancora ragazza, e io avevo ventiquattro anni, a Roma, durante il mio primo viaggio in Italia, appena fuori dal college.

Naturalmente, scelsi la strada di Jesi. Volevo attraversare quella città ancora una volta, la via principale, larga, diritta, fra i palazzotti giallo-grigi, allineati tristemente fino alla piazzetta con la chiesa, rivedere, così di sfuggita, una certa casa, un certo portoncino, certe finestre al secondo piano, un pensiero, un sogno che avevo fatto, un desiderio inappagato.

Si chiamava Checchina. Verso la fine del 1938,

quando venni a Roma per la prima volta, non c'erano ancora i Fullbright, naturalmente. I denari di una borsa di studio bastavano a una vita appena decorosa. Ma avevo ventiquattro anni ed ero così felice di trovarmi in Italia!

Andai ad abitare in una pensione al corso d'Italia, da certi Cottich, triestini. La cameriera era marchigiana, di Fontanelli vicino a Jesi. Era lei, Checchina. Ventun anno. Bruna, alta, snella, di forme perfette, e di modi gentili, raffinati, quasi leziosi. In Italia le cameriere, a vederle per le strade, si distinguono subito. Checchina, quando usciva, pareva una signorina benestante, un'impiegata.

Mi piacque subito moltissimo. Ma ero casto, allora. Noialtri americani, specialmente se intellettuali e del New England, non siamo mica come voi italiani. Oggi forse le cose stanno un po' cambiando. Allora, cioè fino alla seconda guerra mondiale, molti di noi arrivavano al matrimonio senza aver avuto, prima, l'esperienza decisiva. Al college, si andava con le compagne, si aveva una girl-friend. Si usciva la sera, si andava al cinematografo, quando c'erano i soldi al teatro, e poi — se la ragazza abitava in una stanza d'affitto fuori dall'Università (noialtri ragazzi si stava tutti nel college, perchè costava meno) — si beveva molti martini per darci coraggio, e si aveva un petting party o tutt'al più un necking party: ci si faceva ogni sorta di carezze; e non si arrivava quasi mai alle conseguenze estreme. Perciò feci la corte a Checchina, le davo mance quanto la mia borsa permetteva e dopo qualche tempo mi spinsi fino alle piccole follie di un regaluccio; ma, in compenso, osavo soltanto leggere carezze, la mattina quando mi portava il caffè.

Pensavo di avere tutto il tempo, e volentieri, ogni giorno, rimandavo all'indomani. Mi piaceva, intanto, chiacchierare con lei. Parlava un italiano così bello, così nitido, senza la sguaiataggine dei toscani, senza l'aggressiva fiacchezza dei romani. Un vostro autore, di cui non ricordo più il nome, ha scritto un libro sulla lingua italiana intitolato appunto « L'idioma gentile ». Ecco, sulla bocca di Checchina, che aveva stupenda, labbra rosse senza rossetto, e denti piccini e bianchissimi, l'italiano era veramente *gentile*.

Intanto, la guerra si avvicinava. Il Consolato chiamò tutti gli americani che erano a Roma e ci consigliò di prepararci, almeno di pensare che potevamo essere costretti a partire da un momento all'altro. Molti, spaventati, se ne andarono subito. Alcuni come me, che adoravano l'Italia, non vollero credere alla minaccia, o si rifugiarono in un « wishfull thinking », e restarono.

Ora, nel dubbio di una partenza, dirai che con Checchina avrei dovuto andare in fondo. Eppure no. Il pericolo della guerra mi fece quasi l'effetto opposto. Mi sembrava brutto, di cattivo auspicio, approfittare della ragazza proprio adesso. Continuai come prima; ed ero perfino meno espansivo nelle carezze. Lei mi raccontava ogni cosa della sua famiglia, della sua casa a Fontanelli. Erano contadini, le sorelle lavoravano a Jesi, in una fabbrica di ceramica. Diventammo amici. C'era una tenerezza, una curiosa confidenza tra noi. E, almeno da parte mia, un impaccio, una timidità, uno scrupolo a cui non mi sentivo di rinunciare.

Una notte, rincasai verso le undici. Tutti dormivano. Camminai in punta di piedi, come al solito, per non far rumore. Un lungo corridoio conduceva alla mia

stanza. Non accesi neppure la luce, perchè il corridoio era illuminato da una porta vetrata, che dava nel bagno. A questa porta vetrata c'erano delle tendine di stoffa gommata, chiare, che lasciavano passare la luce, ma impedivano la vista. Tuttavia, quella sera mancavano. Stavano facendo le pulizie in quei giorni nella pensione; e forse le avevano tolte per lavarle. Istintivamente, mi fermai davanti ai vetri e guardai. Era quella l'ora che, finita la faticosa giornata, Checchina prendeva il bagno. E io la vidi benissimo, attraverso il vetro smerigliato e verdognolo. Era nella vasca, quasi immobile. Vedevo la macchia nera dei capelli, il piccolo ovale del volto senza distinguere i tratti, il corpo snello nell'acqua e l'altra macchia nera e più piccola.

Rimasi a guardare, trattenendo il fiato, gettando furtive occhiate ai lati, di tanto in tanto, nella paura di vedere uscire dalle stanze qualcuno della pensione. Rimasi finchè Checchina si alzò e cominciò a lavarsi. Piano piano allora, approfittando, per non farmi sentire, dello sciacquio che essa faceva, mi ritirai nella mia camera.

Ma mi era rimasta quell'immagine, e non mi spogliai.

Mi tolsi le scarpe e mi misi in ascolto dietro l'uscio. Aspettavo di sentire uscire Checchina, di seguirla, raggiungerla nella sua camera prima che lei ci si chiudesse dentro (perchè, certo, si chiudeva a chiave). Non potevo assolutamente rischiare di bussare, la sua cameretta era attigua a quella dei signori Cottich.

Disgraziatamente, nell'attimo in cui Checchina uscì dal bagno udii aprire la porta di casa: era certo Shokri, un attaché dell'ambasciata egiziana, che rientrava proprio in quel momento. Non mi era mai stato simpatico, quello Shokri; a tavola mi lasciavo sempre andare a di-

scutere di politica e poi mi pentivo, tanto mi ripugnava parlare con lui. Era filofascista ed antibritannico; protestava un grande rispetto per l'America, e ci teneva continuamente a distinguere tra noi e gl'inglesi; ciò completava la mia irritazione.

Quella notte, se avessi potuto ammazzarlo! Non soltanto dovetti rinunziare a Checchina; ma dopo qualche minuto, mentre, già rassegnato, stavo per coricarmi, udii bussare al mio uscio. Balzai in piedi, nell'assurda speranza, per un momento, che fosse Checchina. Era invece lui, l'egiziano: attraverso l'uscio socchiuso, il suo volto lurido, le sue grosse labbra aperte a un sorriso mellifluo ed osceno, mi dava una ben triste notizia: non avevo sentito la radio? Hitler era entrato in Polonia, domani Chamberlain avrebbe dichiarato la guerra.

M'imbarcai da Napoli qualche giorno dopo e, prima di partire, feci a Checchina un regalo più grosso, che faticai a convincerla ad accettare. L'ultimo momento la chiamai per aiutarmi a finire la valigia, e le diedi un bacio, finalmente, ma uno solo. Checchina piangeva. Sentii, misto al sapore fresco della bocca contadina, l'amaro delle sue lacrime. Strinsi contro di me quel corpo snello, robusto e pieghevole, quella vita così sottile che potevo circondare con le mie mani. Essa mi baciava con gli occhi chiusi come se bevesse un liquore che non aveva mai bevuto; e, inarcando le reni con una violenza che non le avrei mai sospettato, premeva contro di me il suo ventre, chiedeva così che io la prendessi.

Ma, naturalmente, quando, dopo pochi istanti, ci sciogliemmo dall'abbraccio, mi fu grata di non essermi abbandonato. Mi sorrise, con gli occhi pieni di lacrime, e mi domandò scusa.

Tu riderai, forse, di me. Ma sono stato, credo, in altre parti di questo racconto, abbastanza cinico perchè tu mi passi, ora, un po' di sentimento, anzi diciamo pure sentimentalismo; e mi creda. Soprattutto devi credere alla purezza di lei. Come un attimo prima, senza paure, mi si era offerta, ora mi ringraziava, senza rimpianti, di averla rispettata.

Quando venni in Italia con la guerra, appena fu liberata Roma, cercai di Checchina. I Cottich erano tornati a Trieste, la pensione era passata ad altri proprietari, e si chiamava, adesso, pensione Shelley. Nessuno sapeva niente della ragazza.

Nell'estate del '44 furono liberate le Marche. Io pensavo qualche volta a Checchina; e lessi, sui bollettini, di Jesi e di Fontanelli dove, supponevo, Checchina con la guerra era tornata. Ma ero pieno di lavoro e non potevo lasciare Roma, e avevo di già conosciuto Jane e Dorothea.

Checchina era lontana, un idillio adolescente e quasi letterario. Pensavo a lei come a un personaggio di qualche novella romantica. Soltanto, a tratti, ricordavo il suo corpo nudo come mi era apparso nel bagno, attraverso la trasparenza fantastica dei vetri verdì; ricordavo lo slancio, l'urto del suo bacio d'addio; e mi riprendeva il desiderio di lei.

Il mese di novembre o dicembre, sempre di quell'anno, e prima di andare in Francia a trovare Jane, ebbi l'incarico dal P.W.B., da cui dipendevo, di accompagnare al fronte, perchè scrivessero delle corrispondenze sui loro giornali, tre giornalisti italiani.

Visitammo prima la cosiddetta linea Gotica, e cioè il fronte della Quinta armata; scendemmo quindi fino a

Foligno e risalimmo l'Appennino verso l'Adriatico, dove operava l'Ottava armata, in gran parte britannica, agli ordini del generale Leese.

Per puro caso, facemmo tappa a Jesi. Gli alberghi erano tutti requisiti, e pieni. Due dei giornalisti furono alloggiati nelle baracche del comando italiano. C'erano dei gruppi italiani che combattevano con noi, ed erano adibiti quasi esclusivamente alle salmerie. Il terzo giornalista ed io trovammo due stanze in una casa privata, un appartamento al secondo piano sulla via principale che traversava in tutta la sua lunghezza la città. Sulla porta c'era una piccola targa, e un nome che adesso ho dimenticato ma che quella notte, fermo al distributore di benzina, appena vidi Jesi sulla carta, ricordai ancora perfettamente. Era un piccolo nome italiano, modesto, tranquillo. Finiva in *ini, elli,* o *etti.* Darei non so che cosa per ricordarlo. Mi pare che saprei descrivere meglio quell'alloggetto, povero, pulito, odoroso di avarizia e di dignità, che c'era dietro quella porta e quel nome. Pavimenti di piccole mattonelle esagonali, rosse e lucide. Stanzette ammobiliate nello stile del tardo Ottocento con le poltroncine e le sedie ricoperte dalle loro fodere bianche. Caminetti con i vasi di fiori finti dentro le campane di vetro. Letti di ferro, alti e forniti di molte coperte pesantissime, e sovracoperte bianche, a lavoro di maglia. La luce elettrica non era ancora stata riattivata. Il signor... il proprietario insomma di cui non ricordo il nome, un vecchio alto, forte, ma un po' curvo, rosso di faccia e pelato, diede al giornalista e a me una candela ciascuno, accuratamente fissata nell'apposita bugia che era di metallo smaltato azzurro. Pagammo prima perchè dovevamo partire la mattina presto. I mo-

bili, gli oggetti, le suppellettili, ogni cosa era al suo posto, in grande ordine e pulizia. Solamente, faceva un freddo terribile. Il proprietario, che girava per la casa in paletot e sciarpa di lana, ci disse che non riscaldava perchè costava troppo.

Uscimmo per andare a mangiare e poi tornammo a dormire. Quella casetta, con il suo ordine e il suo gelo, mi aveva incantato. La verità era che, fin dal primo momento del mio ingresso, avevo pensato a Checchina. E ora, infilato a letto tra le ruvide lenzuola, osservavo la piccola stanza al queto lume della candela che ardeva sul comodino, e mi dicevo che quasi certamente Checchina non era lontana, Fontanelli dista da Jesi un paio di chilometri, e che se io fossi stato quella sera a cercarla, ora forse essa sarebbe lì, in quel letto, insieme a me. Respiravo, e per il gran freddo vedevo la nuvoletta del mio alito levarsi, sciogliersi nella penombra. Pensavo al corpo di Checchina (doveva avere ventisette anni, adesso. Io ne avevo trenta. Erano passati sei anni!) tra le ruvide lenzuola accanto a me.

Mi destai prima che facesse giorno. Uscii subito. Andavo a Fontanelli. Volevo rivedere Checchina, sapere un po' che cosa era successo di lei. Naturalmente non dissi nulla al giornalista. Dissi che dovevo andare dal Town Major, o al Car Pool, non ricordo. E gli diedi appuntamento per le otto precise davanti alle baracche del comando italiano.

Un quarto d'ora dopo, con la jeep, ero a Fontanelli. Mi ricordavo anche il cognome di Checchina. Quello non l'ho dimenticato neanche adesso. Ma non lo scrivo. Era lo stesso cognome di un grande filosofo italiano. Il guaio fu che, come accade anche da noi in certi piccoli vil-

laggi del Middle-West dove non c'è più molta immigrazione, quasi tutte le famiglie, a Fontanelli, avevano quel cognome.

Finchè entrai nello spaccio di Sale e Tabacchi, col pretesto di comprare delle sigarette e, fermandomi a chiacchierare qualche minuto, non mi fu difficile di rintracciare Checchina. C'era, era viva, era in salute, e stava per avere un bambino. Si era sposata un anno prima, quando c'erano ancora i tedeschi. Aveva sposato un giovane in gamba, mi dissero, uno che faceva i trasporti col camion per gli Alleati. Ero incerto se vederla, o no. Temevo anche, dato il suo stato, per l'emozione che forse avrebbe avuto. Decisi di andarmene. Dissi alla tabaccaia di farle tanti saluti « da parte », dissi, « dello studente americano di corso d'Italia ».

Ma stavo appena svoltando, adagio, nella strada fangosa, solcata da profonde carreggiate, fuori dall'abitato, e ritornando sulla via di Jesi, quando udii urlarmi dietro gioiosamente. Era Checchina, un fazzoletto rosso in capo, che veniva di corsa. Saltai dalla jeep, le gambe mi tremavano.

Era incinta, certo. Ma che piacere rivederla. Lo sguardo, il sorriso erano sempre quelli. In una cosa sola era cambiata. Che fosse viva ed intelligente lo sapevo. Ora era anche disinvolta.

« Come sta, signorino Harry? Come ha fatto bene a venire! Ma lo sa che con la mamma glielo dicevo sempre, appena cominciarono ad avanzare gli Alleati: se capitasse da queste parti il signorino Harry! Andavo sulla strada di Jesi a guardare le camionette! Giuro! Prima cosa ho imparato subito a distinguere gli americani dagli inglesi e dai polacchi. Americani se ne vedono pochi,

da queste parti. E adesso la faccio ridere... Io li guardavo tutti, e quasi tutti mi assomigliavano a lei! »

« È la prima volta che mi mandano su questo fronte. Se no sarei già venuto a trovarla, » e aggiunsi con leggerezza, parlandole col lei ed evitando di dare alle mie frasi un'inflessione sentimentale, perchè rispettavo la sua nuova condizione: « Anch'io, creda, non ho dimenticato niente. Ho pensato tante volte: cosa farà Checchina? »

« Lo sa che non è cambiato, signorino... Fatto più uomo, questo sì! Ma forse è la divisa... »

Era disinvolta, sgranava rapida, lieta, il suo bell'italiano nitido, con un tono, nella sua semplicità, quasi mondano, quasi snobistico. Forse vinceva così la timidezza, nascondeva la commozione e la sorpresa. Forse ci metteva, proprio, anche una punta di vanità; s'erano affacciate sulle soglie delle case più vicine alcune donnette e s'erano fermate in distanza, a guardare; Checchina era contenta di farsi vedere da loro in compagnia di un ufficiale americano, uno, forse, di cui aveva loro parlato.

« Venga, signorino Harry,» disse infine, tirandomi per un braccio, « venga in casa nostra a prendere un caffellatte. Le presento mio marito. Dorme ancora perchè è rientrato col camion stanotte tardi. Ma adesso si alzerà. Forse non le va il caffellatte? Preferisce un bicchiere di acquavite? La facciamo noi, quella è genuina! »

Dissi a Checchina, guardando l'ora, che ero aspettato a Jesi ed ero già in ritardo. La ringraziavo commosso. Ma proprio non potevo. Sarei ritornato, dissi, alla prima occasione.

Fu molto delusa, parve veramente triste di vedermi partire subito.

« Se avessi saputo, » dissi risalendo sulla jeep, « le avrei portato qualche cosa. Qualche cosa per il bambino... »

Avevo sulla jeep delle scatolette, le solite scatolette militari di marmellata, pork and beans o Spam. Esitai un istante. Ma mi parve che non fosse in miseria. E il dono, che era quello di tutti i nostri alle ragazze italiane, mi parve l'avrebbe offesa.

La salutai facendole gli auguri e partii. Alla svolta guardai. Era ancora ferma dove c'eravamo salutati, s'era tolta il fazzolettone rosso e lo agitava verso di me.

Non tornai, si capisce. Mi ero comportato bene. La guerra, al contrario, di quanto si crede, ingentilisce gli animi. Gli orrori che ci circondano, le stragi, le morti, producono reazioni benefiche; impediscono le confusioni dei sentimenti; rimettono ogni cosa a posto nel cuore dell'uomo. Il sorriso di una sposa ha il suo valore: è il sorriso di una sposa. Ma forse, soltanto, ero più giovane. La passione per Dorothea e il matrimonio con Jane non mi avevano ancora corrotto.

Non tornai. Pensavo, qualche volta, a Checchina. Mi veniva in mente la notte, prima di coricarmi, e mi dicevo che l'indomani avrei dovuto ricordarmi, andare in alcuni negozi, comprare abitucci, giocattoli, regali per il bambino, fare un bel pacco e mandarglielo. Ma poi ero pigro, poi dimenticavo, come si è sempre pigri e sempre si dimentica quando dobbiamo essere soltanto gentili.

E ora ecco, nella notte estiva, era di nuovo la strada di Jesi. E tra poco, prima di giungere alle porte della città, avrei visto, sulla destra, il cartello con la freccia *per Fontanelli*.

Lo vidi, rallentai un istante, guardai l'ora, le tre e

mezzo, continuai. Erano passati altri tre anni. Checchina era sempre lì?

Entrando a Jesi pensavo a lei, la ricordavo non come l'avevo vista quella mattina, sposa e quasi madre; ma anni prima, a Roma, quando l'avevo stretta tra le mie braccia. Risentii, con una precisione nervosa che quasi mi tolse il respiro per l'improvviso desiderio, l'impeto del suo ventre contro di me. In quel momento giungevo proprio davanti alla casa dove, pensando a Checchina, avevo passato quella lontana notte di guerra e quasi senza volerlo fermavo davanti al portoncino.

Non erano ancora le quattro. La luce azzurra dell'alba già era diffusa nella lunga strada deserta. (La guerra era finita da tempo.) L'asfalto era pulito, liscio. In quel momento, si spensero tutti i fanali. E l'antica prospettiva dei palazzi e delle case apparve intatta, a quella luce spettrale, come in un palcoscenico una scenografia, quando il teatro è vuoto, al chiarore smorto del giorno che filtra da qualche vetrata.

Scesi dalla macchina. Da una parte del portoncino, nello spessore di un pilastro di pietra, erano, a lato dei rispettivi campanelli, le targhette con i nomi degli inquilini. Trovai subito il nome, quel nome che allora ricordavo. Non suonai. Tornai a sedermi nella macchina. Ero pazzo? Perchè, per un momento, avevo pensato seriamente a suonare, a quell'ora? E trovai, nel fondo del mio cuore, senza ragionare, ma così, come si fruga senza guardare in fondo a un vecchio cassetto, Dorothea, la mia insoddisfazione della sera precedente e di tutto un mese con Dorothea, la mia delusione che Dorothea non fosse quella che follemente speravo, il mio odio contro me medesimo. Volevo un'altra donna, oggi,

adesso. Volevo Checchina. Sapevo che, in qualunque momento della mia vita, pur che l'avessi voluta davvero, Checchina era mia. Ma sapevo che, persuaderla a venire in un albergo, un alberghetto di Jesi, sarebbe stato da criminale. E io ero egoista, corrotto, un peccatore; ma anche vile, ossia non un criminale.

Quel giorno che cominciava era una domenica. Faceva chiaro rapidamente. Una luce sempre più bianca rivelava sempre più nitida la classica prospettiva. Un taglio di sole, là in fondo, apparve sulla chiesa e sui palazzi più alti. Nessuno passava. Mi assopii per qualche tempo, chiuso nella macchina, aspettando.

Mi risvegliò un suono di campane. Adesso c'era qualche passante. Gente che andava alla prima Messa, forse. Scorrazzai, avanti e indietro, per la via principale, in cerca di un bar. Erano tutti chiusi. Andai alla stazione ferroviaria. Bevvi un caffè. Tornai alla via principale, al portoncino, guardai le finestre del secondo piano: erano ancora chiuse.

Finalmente, alle sette e mezzo, suonai. La porta scattò. Salii la scaletta ripida, chiusa tra mura. Sul pianerottolo del secondo piano c'era il proprietario: più vecchio, più curvo, con una vestaglia di lana. Cercai di farmi riconoscere. Inutile, non si ricordava. Durante la guerra, aveva dato alloggio a tanti militari, inglesi o americani. Disse che ora non affittava più. Sua moglie era morta. Viveva da solo, era pensionato, era stato cancelliere di tribunale. Dissi, senza curarmi della stranezza del mio discorso, che volevo passare un giorno, un solo giorno a Jesi. Sarei ripartito prima della mezzanotte per Ancona. Che venivo da Roma, avevo guidato tutta la notte, ero stanco morto e avevo bisogno di ri-

poso. Che dall'alba aspettavo sotto, in macchina, per non disturbare. Che non volevo andare all'albergo perchè ero affezionato alla sua casa, a quella camera (gliela indicai, dal pianerottolo, attraverso l'uscio aperto) dove avevo dormito una notte del novembre 1944.

Mi guardò spaventato.

« No, non sono pazzo, » gli dissi cercando di sorridere più serenamente che potevo. « Sono un sentimentale, un romantico. Sono un artista, » aggiunsi perfino. « Sono un pittore. Lei mi deve scusare. »

« Mi rincresce, signore, » rispose quasi con l'atto di spingermi verso l'uscita, « ma non posso. Oggi è domenica. Io mi faccio cucina da solo, sa. La donna che fa la pulizia oggi non viene. E la stanza non è abitabile. Mancano le lenzuola, le coperte, tutto. »

Dissi che non m'importava, avrei dormito benissimo sul materasso. Infine, parlando, estrassi il denaro che avevo in tasca, alcuni biglietti da diecimila.

« Le dò diecimila lire, » gli dissi. Non dissi ventimila non perchè non fossi pronto a pagarle. Ma perchè temevo che l'enormità della cifra lo insospettisse, con l'effetto opposto.

Il povero vecchio, la cui pensione mensile forse superava di poco quello che io gli offrivo per un giorno di affitto, fissò, quasi suo malgrado, il grande biglietto che gli tendevo, e restò immobile, indeciso, gli occhi sbarrati, la bocca semiaperta.

« Eccole il mio passaporto, » gli dissi allora con improvvisa ispirazione, « guardi la fotografia. Controlli. Sono cittadino americano. E lo trattenga pure. Me lo ridarà questa sera quando parto. »

Gli consegnai il passaporto e, insieme, le diecimila lire.

« Ma qui non c'è scritto pittore, » osservò, « qui c'è scritto *College Teacher*. Vuol dire insegnante, mi pare. »

« Sì, perchè sono pittore ma insegno storia dell'arte in una università, in America. »

« Va bene, » disse allora. Tremando leggermente, piegò il biglietto di banca e lo mise in tasca, mi fece strada fino alla stanza, aprì l'uscio. « Se aspetta un momento, le dò lenzuola e federe. »

Protestai che non occorrevano; ma insistette, uscì strascicando i piedi con le pantofole, tornò subito. Voleva farmi il letto lui; lo ringraziai rifiutando.

Una volta solo, andai alla finestra, la spalancai, perchè c'era un forte odore di rinchiuso. Lasciai accostate le persiane e guardai giù nella via, che ormai cominciava ad animarsi. Mi buttai sul letto. A che ora, al più presto, non sarebbe stato sconveniente presentarmi a Fontanelli?

Ci andai verso le undici. Prima, girai in lungo e in largo tutta Jesi, per vedere se mi riusciva di trovare un negozio aperto. Volevo portare qualche dono per il bambino di Checchina, giocattoli, abiti. Questa volta non potevo arrivare a mani vuote. Erano aperte solo le pasticcerie. Comprai una scatola di caramelle, una torta.

Quando arrivai a Fontanelli i paesani uscivano dalla Messa. Avevo lasciato la macchina fuori dall'abitato, per non dare troppo nell'occhio. Ma vidi che tutti si accorgevano senz'altro che ero forestiero, e mi guardavano incuriositi. Capii di aver fatto peggio: avrebbero notato subito anche la macchina, e la mia prudenza li avrebbe insospettiti ancora di più. Perciò tornai indietro, per risalire sull'auto e parcheggiarla francamente sulla piazza della chiesa. Ma non ero ancora arrivato alla

fine del paese che una donna mi raggiunse e mi fermò, dicendomi sottovoce:

« Lei cerca la Checchina, non è vero? »

« È vero, » risposi sbalordito. « Ma lei come fa a saperlo? »

« È stato qui una volta, una mattina, durante la guerra? Era militare? Americano, con una jeep, non è vero? »

« È vero. Ma lei... »

« Niente, mi sono ricordata. Sono un'amica di Checchina. La Checchina parlava sempre di lei. Anche dopo la guerra, anche in questi ultimi tempi. »

« Come sta Checchina? »

« Benissimo, sta. Ha avuto un altro bambino. Sono due, ora, due maschietti. Stanno benissimo tutti. Venga, la conduco io alla casa di Checchina. Sarà contenta di vederla. »

Lasciammo la strada principale per una traversa, c'inoltrammo in un viottolo di terra battuta, tra orti, vigne, e certe case bianche, nuove, a un piano, dai tetti rossi e dalle persiane verdi, che avevano insieme della villetta e della cascina.

« È qui, » disse infine la donna, che aveva camminato davanti a me, rapidissima e silenziosa; e m'indicò una casa un po' più grande e un po' più signorile delle altre: circondata, a differenza delle altre, da una rete metallica e da un modesto giardinetto: « Aspetti qui davanti. Vedrà che Checchina viene subito. »

« Ma forse avrà da fare. Le dica che mi rincresce di disturbare. Se avessi potuto avvertire... »

« Non si preoccupi. Ci ha i piccoli. Ma ci penserò io, a guardarli, per qualche minuto... » e mi sorrise con

malizia e con bontà, una gran faccia rosea con due occhi vispi, vivi, neri, intelligenti.

Dopo qualche secondo apparve, dall'uscio della villetta, Checchina: magra, ben pettinata, elegante di un'eleganza quasi cittadina, cioè un bel tailleur di seta celeste e un gran fiore bianco alla bottoniera. Domenica, si capisce: forse era tornata in quel momento dalla Messa.

« Signor Harry! » Mi corse incontro con uno slancio che per un attimo pensai che mi volesse abbracciare. « Il cuore me lo diceva che l'avrei visto ancora! Grazie di essere venuto!! »

« Ma non so come ha fatto quella tua amica a riconoscermi... » dissi, e le davo, senza accorgermene, del tu, mentre la volta prima le avevo dato del lei; e senza accorgermene stendevo la mano libera dai pacchi e le sfioravo il gomito, il braccio.

« Sono stata io a vederla, signor Harry! » spiegò allora Checchina abbassando gli occhi e arrossendo. « Uscendo dalla Messa, l'ho vista di lontano, in mezzo alla piazza e l'ho riconosciuto, subito subito. Mi sono sentita un colpo al cuore. Ma avevo un nodo alla gola. Non avrei mai osato venirle incontro, in mezzo a tutta quella gente. E così ho mandato la mia amica. Sa, è un paese. Sono gente gretta, cervelli piccini, pensano subito male! L'altra volta c'era la guerra, e tutti parlavano con gli americani. E poi io dovevo avere il primo bambino. Lo sa che ne ho un altro, ora? Ci ha otto mesi. Se vedesse che amore, signor Harry! »

Non mi chiamava più signorino.

« Come ha fatto bene a venire... » Ma improvvisamente tacque. Anch'io rimasi in silenzio. Pensai, per un

momento, che forse dovevo dirle che mi ero sposato anch'io, che anche io avevo un bambino, adesso. Ma temevo così di compromettere il vero scopo della mia visita, che questa volta ahimè non era sentimentale; e tacqui. Ci guardammo fissi negli occhi, fermi in piedi uno di fronte all'altro, sotto il sole di luglio, nel silenzio rustico e domenicale, che il queto chioccolio delle galline, il pianto di un bimbo (forse dalla villetta? forse uno dei suoi?), una campana che sonava l'Angelus del mezzogiorno in anticipo da un altro paese, lontano, rompevano appena, decoravano delicatamente, senza guastarlo.

« Checchina, » le dissi ponendo una mano sul dorso della sua e il contatto fu dolce come il più dolce bacio, « Checchina, vorrei tanto stare un po' a lungo con te...»

« Mi rincresce, » mormorò lei abbassando di nuovo gli occhi come se non avesse la forza di resistere al mio sguardo, « mi rincresce che questa volta non posso dirle di entrare in casa, signor Harry. Mio marito non c'è. È partito stamane, con l'autocarro, per Foggia. Sono sola con mia madre e i piccoli. E, gliel'ho detto, è un paese. Parlano subito male. »

Il marito non c'era? Quando tornava? Ma allora lei poteva assentarsi qualche ora? Venire a Jesi? Non andava mai a Jesi? Sì, qualche volta, e proprio la domenica, per questo. La domenica sera. Metteva a letto i bambini, c'era la nonna in casa che li guardava, e lei andava a Jesi con la sua amica, e col marito, se c'era, e andavano al cinematografo.

Dunque la cosa era possibile. Guardai Checchina, quasi tremando dall'eccitazione e dal piacere. La maternità le aveva ingrandito il bacino, onde la vita, ch'era

rimasta sottile, sembrava sottilissima. I seni non erano grandi; ma rilevati, gonfi, alti. La sua bocca, il suo sguardo esprimevano, in quel momento, la profonda felicità del desiderio e della speranza, quando vanno insieme.

Le diedi l'indirizzo esatto della casa. Le spiegai ogni cosa. Io avrei atteso dietro le persiane, guardando nella strada. Essa avrebbe dovuto passeggiare davanti al portoncino, su e giù, alle otto precise. Così l'avrei vista, e sarei corso ad aprire senza che lei suonasse il campanello. Volevo che il proprietario non si accorgesse della visita. Avrebbe potuto opporsi. Le consegnai i pacchi dei dolci per i bambini e trattenendomi a stento da stringerla almeno per un attimo alla vita, scappai via, di corsa, prima che sopraggiungesse qualcuno.

Andai a mangiare in trattoria e dormii profondamente tutto il pomeriggio, nella piccola camera calda e buia, nudo sopra un lenzuolo che avevo steso sul materasso. Ormai ero sicuro. Checchina alle otto sarebbe venuta. Tra qualche ora, dopo tanti anni, sarebbe stata mia. E mi pareva di non essere mai stato felice come in quella camera. E capivo che la mia ostinazione a trovarmi con Checchina proprio lì non era stata follìa. Quella camera fine Ottocento, con la sua dignità, la sua severità, la sua modestia, era la scena, era lo sfondo più adatto a offendere l'onore della giovane madre; era una promessa, una garanzia di voluttà. Dovunque altrove il sacrificio della virtù di Checchina mi sarebbe stato meno caro.

I due ritratti seri al bromuro, marito e moglie nelle enormi cornici scolpite e dorate, i letti di ferro con le borchie di ottone, la specchiera di noce scolpito, la toi-

lette di marmo con il grande catino e la grande brocca in ceramica, la caraffa e i bicchieri di opaline sul caminetto, la campana di vetro polverosa che lasciava ormai appena intravvedere i fiori finti dentro racchiusi, i feltri e le felpe ricamati e tarlati, le fodere di tela bianca alle poltrone, l'acquasantiera da lustri senza acquasanta e l'inginocchiatoio su cui dall'altro secolo, forse, più nessuno aveva pregato, ogni cosa in quella camera, perfino l'odore di vecchio e di polvere esigeva, quasi invocava un soffio vitale e profanatore.

Mi destai molto prima delle otto; già commosso, già esasperato dall'attesa e soddisfatto di scoprirmi finalmente a soffrirne non più per Dorothea; ringiovanito dall'idea di Checchina, come da una cura miracolosa.

Non potevo star fermo. Non volevo uscire, per prudenza, per non farmi notare. E non avevo neppure la forza di pazientare. Mi agitavo come un adolescente prima della sua prima avventura. Andavo e venivo per la camera. Mi stendevo sul letto, mi rialzavo subito, aggiustavo con gran cura coperte e lenzuoli, poi tornavo, pochi minuti dopo, a ributtarmici sopra.

Alle sette e mezzo cominciai a guardare dalle persiane se la vedevo arrivare. Il sole non era ancora tramontato; ma già la strada era completamente nell'ombra e gremita di folla, tra le vetrine illuminate, gaia, lenta, cicalante, negli abiti migliori: il passeggio domenicale della piccola cittadina.

La scorsi a un tratto, aveva un tailleur scuro, la borsetta, i guanti. Si era fermata a una vetrina quasi di faccia al portoncino, e si era voltata, un attimo esitante, a spiare verso la casa. Scesi di corsa, aprii il portoncino, appena uno spiraglio. Attesi nascosto. Dopo qualche se-

condo una mano, inguantata di filo bianco, spinse il portoncino. Checchina entrò, fu tra le mie braccia.

Salimmo silenziosi, in punta di piedi. Temevo di veder apparire il proprietario. Sarebbe stato pericoloso, o comunque imbarazzante. Ma forse il proprietario era fuori. Giungemmo finalmente nella camera. Chiusi a chiave. Abbracciai Checchina buttandola sul letto, baciandola, spogliandola rabbiosamente.

« Quanto tempo, » le sussurrai, « quanto tempo che penso a questo momento, quanti anni, Checchina! Checchina mia! Mia, mia, mia! »

Essa sorrideva, con gli occhi chiusi, e un'espressione di estrema beatitudine. Ma io la fissavo, la fissavo come per penetrarla, frattanto, anche con lo sguardo. E quel suo sorriso continuo ed uguale aveva, nella felicità, qualche cosa di ironico, di superiore: le labbra unite, strette, ben disegnate, rilevate agli angoli, parevano quelle di certe statue arcaiche, greche od egizie.

Come fu breve l'incanto!

Dopo qualche minuto, forse dopo qualche secondo, mi trovai tra le braccia una donna sudata, ansante, profumata di una colonia a poco prezzo, un volto arrossato e insoddisfatto. Ed io guardai allora la stanza, sacra al mio lontano desiderio, la quale, contrariamente ai miei progetti, non mi ero più ricordato di guardare dal momento che vi ero entrato con Checchina: e la vecchia stanza non aveva più senso, un'accozzaglia di povere suppellettili polverose.

« Checchina, » dissi dopo un lungo silenzio, « lo sai che ora sono sposato anch'io? »

Trasalì, mi guardò come se le avessi dato a tradimento un grande dolore.

« Sì, Checchina. Un anno e mezzo fa. Ho anche un bambino di otto mesi. »

Non parlò subito. Mi fece una carezza. Poi disse:

« È americana? »

Parve un po' consolata nell'apprenderlo.

« Ha fatto bene, » disse, dandomi di nuovo del lei. « Molte volte ho pensato che lei si sarebbe sposato... È contento? »

« No, Checchina. »

« Ma lei, le vuole bene? »

« Ah, sì! Questo sì! » dissi con slancio, con sicurezza. « E in fondo anche io le voglio bene; ma è un'altra cosa. »

« Lo so, » fece con un sospiro. « Anch'io, in fondo, voglio bene a mio marito. Forse nello stesso modo che gliene vuole lei a sua moglie. È un affetto, ecco. Un affetto come di madre. »

« Proprio così, Checchina. »

E cominciò allora una lunga agonia dell'avventura a cui non avevo saputo rinunciare. Non avevo più nulla da dire alla povera Checchina. Non sentivo più nulla, o mi pareva di non sentire più nulla per lei. In pochi minuti, forse in pochi secondi, avevo interamente consumato, bruciato un desiderio che durava da nove anni e che, forse per questo, a un certo momento mi era parso importante ed inesauribile. L'oscurità a poco a poco invadeva la stanza. Checchina non se ne andava. Non se ne poteva andare: temeva, uscendo dal portoncino, di essere riconosciuta, magari di trovarsi a faccia a faccia con qualcuno di Fontanelli (la domenica sera molti venivano a Jesi). Voleva aspettare l'ora che il passeggio fosse finito e la via principale quasi deserta: avrebbe soc-

chiuso il portoncino e, prima di uscire, guardato bene se veniva nessuno. Poi sarebbe andata davvero in un certo cinematografo, dove l'attendeva l'amica che avevo conosciuto quella mattina, e con lei sarebbe tornata a casa dopo la mezzanotte con l'ultimo autobus.

Io avevo fame, e avrei voluto uscire senz'altro. Naturalmente non potevo dirglielo, nè farmene accorgere. Mi rivestii, camminavo su e giù per la stanza, fumavo, parlavo del più e del meno, faticando a nascondere la delusione, la noia, la fame e anche il sonno. Checchina, rivestita a metà, stava sdraiata sul letto, appoggiata ad un gomito, mi guardava, forse indovinava i miei pensieri. A un certo momento mi domandò una sigaretta. Non fumava quasi mai, mi disse. Teneva la sigaretta impacciata, ridendo di se stessa. E intanto i minuti passavano lenti, sempre più lenti.

Parlavo, e l'argomento mi moriva sulle labbra, e ne cercavo un altro per continuare, e non trovavo subito. Dorothea risorgeva, irresistibile, nella mia fantasia. Desideravo essere con lei. Paragonavo la delusione presente alle delusioni che pure provavo, ogni volta, con Dorothea. Era un altro tormento, molto meno grave.

Con Dorothea soffrivo io solo. Vedere Dorothea dopo l'amore, corpo sereno, indifferente, quasi sempre e subito abbandonato al sonno, mi sollevava da ogni responsabilità se non verso me stesso, almeno verso di lei.

Adesso, invece, avevo ribrezzo di me. Guardavo Checchina, ancora tenera, ancora ansiosa, che mi guardava dal letto attraverso la stanza, e sentivo tutta la mia leggerezza, il mio egoismo, la mia miseria.

Poco prima delle dieci, finalmente, avendo controllato dalle persiane che il passeggio era del tutto finito, si

preparò per uscire. Prima di mettersi la giacca del tailleur volle abbracciarmi e baciarmi con forza, a lungo. Aveva una sottoveste ricamata, di seta rosa e lucida, e probabilmente ne era molto fiera. Sperava forse che io la ricordassi così, amante licenziosa e quasi cittadina.

Poi prese la borsetta, e dalla borsetta cavò un involto di carta velina: una catenina e una medaglietta d'oro, con l'immagine della Madonna di Lourdes.

« Gliel'ho portata per mio ricordo, signor Harry, » disse. « La Madonna è benedetta. So che lei non è cattolico. Ma le porterà fortuna lo stesso. Non le chiedo mica di metterla al collo. La tenga dove vuole, nel portafoglio, in un cassetto. Basta che mi prometta che la conserverà. »

Promisi, commosso. Nella stanza buia, alla luce della strada che giungeva attraverso le liste delle persiane, vidi che gli occhi di Checchina erano pieni di lagrime.

« Oppure, » disse infine, con un grande sforzo per non piangere, « se un giorno proprio non la vorrà più tenere, la dia soltanto a sua moglie. Promette anche questo? »

« Prometto, » dissi e aggiunsi, istintivamente, che mia moglie era cattolica.

Attraverso le persiane attesi, la vidi uscire dal portoncino, allontanarsi rapida, senza voltarsi, senza guardare in su, sparire per sempre dalla mia vita.

Uscii a mangiare, partii subito per Ancona dove arrivai prima di mezzanotte.

All'albergo c'era un telegramma per me, fino dalla sera precedente. Era di Jane. Mi pregava di andarla a prendere. Doveva lasciare Capri al più presto perchè Duccio non stava troppo bene. Nulla di grave, mi assicurava. Ma il dottore aveva consigliato di cambiare aria.

13

A Parigi affittammo un alloggetto ammobiliato ad Auteuil. Tutte le mattine, in macchina, andavo all'Unesco, Avenue Kléber; prendevo il lunch nella *cafeteria* sotterranea o in qualche piccolo ristorante del quartiere; e tornavo ad Auteuil verso le sei del pomeriggio. La vita dell'impiegato, insomma. Stipendio alto; lavoro scarso; noia senza fine. Dirigevo una sezione, avevo un ufficio al quinto piano, varie stanze, una ventina di dipendenti, segretarie. Dalla finestra del mio studio vedevo i tetti di Parigi, fumosi, argentei; e il sole, le nebbie, la pioggia, il vento che si avvicendavano; e i solchi delle *avenues,* neri o verdi secondo la stagione, scavati tra le case grige, fino alla lontana cupola dorata degli Invalides. Era pur dolce, Parigi! Che cosa c'era, in quell'aria vivida, in quei cieli varianti, in quelle luci d'argento, che pareva velare i ricordi e frenare i desideri, comporre le opposte lontananze e favorire una fantasia paga di fantasticare?

Sempre Roma mi persuadeva al peccato; l'America alla continenza; ma Parigi all'uno e all'altra insieme.

Duccio, fortunatamente, non aveva avuto nulla di serio. Era soltanto deperito, innervosito da un clima che non gli si confaceva. Jane, anche lei, appena la raggiunsi direttamente da Ancona interrompendo il mio giro per qualche giorno, mi parve molto stanca e molto nervosa: si riconosceva colpevole di avere insistito per Capri, era pentita, volle andarsene subito. Era pronta, se io credevo, a tornare addirittura in America. La mandai in Isvizzera, nel Cantone del Vaud, a Sierre, paesello di mezza montagna che, a quella stagione, era l'ideale per Duccio. Io, per mio conto, ripresi il mio lavoro: sbrigai rapidamente le Marche, l'Abruzzo, tutta l'Italia Meridionale. Verso la fine d'agosto, chiuso il mio giro a Palermo, vendetti la macchina e presi l'aereo per Roma. Mi fermai a Roma una sola notte. La passai con Dorothea, che non avevo più rivisto; e il giorno dopo in treno andai a Milano e di lì a Sierre. Ai primi di settembre eravamo già installati a Parigi.

Jane era triste, ma calma. La montagna aveva fatto bene anche a lei. Ogni giorno, tornando a casa, la trovavo occupata con Duccio. Aveva voluto licenziare la Fräulein, ora faceva tutto da sè, compresa la cucina. Tenevamo una sola donna, per i lavori pesanti, e per guardare il bambino la sera, quando uscivamo; e la mattina, quando Jane andava in chiesa. Perchè questo era il fatto nuovo. Jane era sempre stata religiosa; ma non praticante fino al punto di andare in chiesa tutte le mattine, come adesso la vedevo fare. Quando le domandai spiegazioni, rispose che, sola a Capri tutto quel tempo e senza più vedere nessuno se non le persone di servizio, aveva naturalmente ripreso l'antica abitudine della sua

infanzia e della sua adolescenza, a meditare, a pregare, ad accostare i Sacramenti.

Forse anche la malattia di Duccio, disse, l'aveva spaventata. E un certo momento in particolare, un terribile pomeriggio, qualche tempo prima ch'ella mi telegrafasse ad Ancona. Duccio aveva avuto una colica, improvvisamente era diventato paonazzo, sembrava che stesse per morire. Era il giorno di San Costanzo, grande festa di Capri. Perciò le due donne di servizio avevano libera uscita. La Fräulein s'era storta una caviglia due giorni prima e non poteva camminare. Non c'era nessuno neanche nelle ville vicine, erano andati tutti in piazza a vedere la processione. Gli spari dei mortaretti assordavano l'aria. Si udiva anche un continuo, ossessionante scampanio, e le bande che suonavano inni religiosi. Aveva dovuto correre lei stessa, col fiato in gola, fino al paese per cercare il dottore. La farmacia era chiusa. Il dottore non era in casa, era alla festa anche lui. Ma come fare a ritrovarlo tra tutta quella folla, in quel trambusto, in quella confusione? Chiedeva se l'avevano visto, qualcuno le rispondeva di sì e la mandava in una certa direzione, e lei si precipitava, a fatica fendendo la calca. Ma quando arrivava al luogo indicato il dottore già non c'era più. Intanto il tempo passava e Duccio stava per morire. Finalmente, quasi a notte, trovò Don Raffaele. Don Raffaele le assicurò di aver visto, pochi minuti prima, salire il dottore sulla corriera per Anacapri. Allora Jane prese una macchina (la macchina del grassone) e tentò di raggiungere il dottore. Ma a metà salita la vecchia torpedo si era fermata. Si era fermata, come spesso accadeva, nel punto più ripido e proprio sotto la grande parete rocciosa di Anacapri, dov'è, in una caverna a mezza al-

tezza, una piccola statua bianca della Madonna di Lourdes. Mentre il grassone si affannava intorno al motore, Jane, istintivamente, aveva pregato la Beata Vergine e Le aveva promesso, se nulla frattanto fosse accaduto a Duccio, di riaccostarsi ai Sacramenti, di riprendere tutte le pratiche religiose che aveva da tempo abbandonate.

Trovò il dottore sulla piazzetta di Anacapri, tornò subito giù con lui a Capri e di corsa fino alla villa. La Fräulein era sull'uscio e rideva. Non era stato nulla. Pochi minuti dopo che lei era partita alla ricerca del dottore, tutto era passato. Duccio aveva succhiato la sua bottiglia, aveva dormito tranquillamente. La Fräulein, a un certo momento, preoccupata di non vederla tornare, aveva mandato un messaggero con la buona notizia, un ragazzino, il figlio di un pescatore. Si vede che con la confusione il piccolo non aveva saputo trovarla.

Jane si era poi posta il problema: « È giusto, » si era detto, « che io osservi il mio voto anche se, nel momento in cui lo facevo, Duccio era già fuori pericolo? »

Ma riflettendo che il tempo, come lo spazio, esistono soltanto per noi e non per Iddio, nè per i Santi in Paradiso, dei quali la Beata Vergine è la più vicina a Dio, aveva capito che un miracolo può avvenire anche per esaudire una preghiera posteriore non di ore ma addirittura di anni e di secoli! Basta che chi prega *nel momento che prega ignori* che il miracolo sia già avvenuto.

Risolto così il dubbio logico, le tornava alla memoria l'angoscia disperata di quelle ore. « Quando si ama, » mi spiegava, « quando si ama e, improvvisamente, si teme o anche soltanto si considera la possibilità della morte della persona che si ama, che cosa ci resta? che cosa

si può fare? possiamo forse modificare il corso del destino? Allora sentiamo la nostra assoluta nullità. E l'amore ci costringe a sperare, a credere, a pregare. Dio! Dio! Fa' che il mio bambino non muoia! »

Jane così mi parlava, con le lacrime agli occhi. In quello stesso momento, pensando di nuovo, sia pure soltanto per un'ipotesi, per un esempio occasionato dal discorso, alla possibilità della morte del nostro Duccio, era sconvolta, tremava e, sono sicuro, mentalmente, di nuovo, pregava.

L'ascoltavo e, anche se non pregavo, ero commosso come lei, la capivo. Ma intanto facevo, tra me e me, una ben strana riflessione. Come mai, mi dicevo, l'idea della morte di Duccio, e così l'idea della morte di mio padre, o della stessa Jane, mi toccava subito di angoscia; e potevo invece considerare con perfetta indifferenza la eventualità della morte di Dorothea?

D'un amore diverso, opposto forse, pure io amavo certamente anche Dorothea. L'amavo e la desideravo sopra ogni altra creatura al mondo, e le ero grato dal profondo delle ore più felici della mia vita. Per quale difetto, dunque, per quale mostruosità del mio cuore la notizia di una sventura che le fosse occorsa non mi avrebbe, lo sapevo con certezza, minimamente turbato? Io, che a volte avevo sofferto fino allo spasimo se un impedimento qualsiasi ritardava di poche ore, o rimandava all'indomani un appuntamento con lei, avrei rinunciato senza dolore, senza rimpianto, senza neppure malinconia, alla sua stessa vita. Anzi, non saperla più viva, dirmi che nè un viaggio nè uno scandalo nè una ricchezza avrebbe più potuto donarmi Dorothea, mi metteva in qualche modo l'animo in pace. Finalmente non l'avrei più desi-

derata, non l'avrei più amata. Non il pensiero della sua morte, concludevo, semmai quello della sua vita mi avrebbe persuaso a pregare. Ma perchè? È possibile che io sia egoista a tal punto?

Mi sono fatto questa domanda tante altre volte, e non vi ho mai trovato risposta. Più vi rifletto, e più mi smarrisco, e infine mi convinco di non capire nulla di me medesimo.

Come conseguenza della sua rinnovata pietà, Jane cominciò a farmi capire che avrebbe desiderato la mia conversione al cattolicesimo. Mi dava da leggere i romanzi dei più moderni e spregiudicati autori della Chiesa Romana, quali il Greene e il Mauriac; sondava le mie impressioni, i miei dubbi; mi tentava con mille accorgimenti.

Ma io ormai, per via del mio lungo soggiorno in Italia e dei miei stessi studi che mi avevano profondamente abituato ai riti ai miti al costume degli italiani, mi sentivo quasi cattolico; e non vedevo la necessità di cerimonie che consacrassero ufficialmente una mia conversione, nè di pratiche come la Penitenza e l'Eucaristia al cui valore esoterico non avrei comunque mai creduto. Mi dispiaceva, inoltre, il lato mondano e snobistico della faccenda. In questi ultimi anni, per noi americani e per gli anglosassoni in generale, il cattolicesimo è diventato troppo alla moda. Infine, c'era il ricordo affettuoso e pallido della religione della mia infanzia: certe domeniche mattina a Denver, con la neve e il gelo, e i cori nella chiesa Presbiteriana, che mio padre e mia madre frequentavano regolarmente: così che tradire, nella sua innocua memoria, quella fede fredda e gracile, mi pareva un atto, quanto più inutile, empio.

Respingevo blandamente i replicati tentativi di Jane, soprattutto mi rifiutavo a quelle discussioni religiose, che invece essa cercava quasi ogni giorno intuendo, o avendo appreso da un padre gesuita suo assiduo consigliere a Parigi, che la porta della Fede si apre anche con la chiave della curiosità.

Ma nulla poteva incuriosirmi, quell'autunno sognante. Non so perchè, era forse la pigrizia, l'inerzia cui mi costringeva il nuovo impiego, la vita regolarmente monotona, le lunghe mattine e i dorati pomeriggi, nella solitudine, nel tepore, nel confort del mio studio all'Unesco. Mi ero rimesso a fumare la pipa. Cominciavo la mattina. La stanza era d'angolo, e aveva una larga finestra a levante, e un bow-window a mezzogiorno e ponente. Così che, se la giornata era bella, c'era sempre il sole. Nel sole il fumo della pipa empiva la stanza di una nuvola che mi circondava e fasciava, abolendo tutto il resto del mondo. Ero sprofondato in una poltrona. Avevo dinnanzi un enorme scrittoio massiccio, barriera alle rare apparizioni dei miei impiegati, velate e come allontanate in quel fumo. Sullo scrittoio qualche carta, qualche rapporto, qualche riproduzione fotografica, un libro. Fingevo di leggere o di scrivere. In realtà non facevo nulla. Sbrigata nella prima ora del mattino la scarsa corrispondenza, in pochi giorni, gradualmente ma rapidamente, avevo preso una profonda abitudine: mi abbandonavo a una fantasticheria senza confini, a una dolce ossessione; un'immagine unica ne era il centro fisso: Dorothea. Non mi ricordo mai di aver accarezzato, visto, frugato, studiato, amato e inventato Dora come in quel periodo. Ed ero felice, e quasi pago di sognare, e dimentico di quella realtà che pure era all'origine dei miei sogni.

Com'è possibile che l'immaginazione di un piacere sia più forte di questo piacere stesso?

Coloro che hanno provato ciò che ho provato io, sanno che non soltanto è possibile, ma logico, e normale.

Qualunque realtà, anche il piacere sessuale più vivo è sempre inframmezzato di particolari spiacevoli, irto di contraddizioni, intriso di luci di voci di sensazioni estranee, che non si fondono con quel piacere, anche se ne sono sopraffatte, e che la memoria purificatrice abolisce.

Perfino l'ultimo orgasmo gioca in favore dell'onanismo: non libera, non esaurisce, e prolunga perciò all'infinito il desiderio. Prevediamo di riuscire, la prossima volta, a immaginare, a materializzare l'oggetto amato meglio della precedente: e, meta e riserva estreme di tutta questa serie di immaginazioni, ci resta la realtà, nella quale possiamo ancora sperare.

Sprofondato nella mia poltrona, dietro al mio scrittoio, tiravo fuori una fotografia di Dorothea, la sola che avessi di lei, e la contemplavo. Era una foto presa al mare, a una spiaggia vicino a Roma, Ostia o Fregene. Dorothea vi appariva in costume da bagno, di schiena, e volgeva gli occhi all'obiettivo, con espressione maliziosa.

Ma avevo guardato questa foto così a lungo, e così intensamente, che ero giunto ad attribuirle un valore intrinseco: come se essa, molto più importante della divinità rappresentata (che era lontana ed irraggiungibile), fosse diventata un feticcio meritevole della mia devozione e capace in qualche modo di premiarla.

Il feticcio mi stancava. Presto non significava più nulla. Richiudevo la fotografia nel cassetto per altri quindici giorni, e trovavo molto più efficace pensare a Dorothea, senz'altro aiuto che la memoria e la fantasia.

La vedevo vestita con *toilettes* che mai la più *haute* di tutte le *coutures* abbia potuto creare; carica di gioielli che mai rajà regalare alla sua favorita odalisca; oppure sempre con i gioielli, ma nuda.

I capelli nerissimi, lucidi, fini, ondulati naturalmente, e leggermente mossi alla radice, specie sulla fronte. La fronte alta, spaziosa, imperiosa, appena convessa. Gli occhi grandi, verdi, luminosi di pagliuzze d'oro nell'ombra delle occhiaie, dove la pelle mostrava come un inizio di appassimento, squisita promessa di vizio. Le guance piene, le labbra carnose, i denti forti e bianchissimi. Le spalle e le braccia da statua; la schiena una vastità liscia e bruna che potevo contemplare all'infinito senza stancarmi, come un mare tranquillo nel sole, attingendovi, col solo sguardo, la forza e la dolcezza della vita; i seni grossi duri e pesanti; i fianchi e le cosce quasi giganteschi; il ventre vellutato; e sotto il ventre

Une riche toison qui, vraiment, est la soeur
De cette énorme chevelure,
Souple et frisée, et qui t'égale en épaisseur,
Nuit sans étoiles, Nuit obscure;

e le ginocchia rotonde e polite come ciottoli consunti da una corrente; le gambe dritte e proporzionate in grossezza a tutto il resto; le caviglie snelle; i piedi compatti.

Le mani invece trovavano qualche rispondenza soltanto nelle caviglie: erano stranamente piccole, non magre ma quasi sottili; e quando le stringevo parevano raccogliersi e stare tutte dentro le mie che così le circondavano e possedevano completamente.

Per curiosità estetizzante (la quale però era naturale

conseguenza del mio mestiere) andavo cercando continuamente nella storia dell'arte i modelli che meglio Dorothea incarnasse.

Sfogliavo volumi, monografie, collezioni di fotografie. E finivo sempre, fra gli antichi, per fermarmi sulla pittura romana nella decadenza; fra i moderni, su certi manieristi del cinquecento, su Andrea del Sarto, e più ancora su Sebastiano del Piombo.

Il bravo studioso che ha preso il mio posto all'Unesco non capirà mai perchè la nostra esigua biblioteca e la nostra collezione di fotografie, che hanno uno scopo divulgativo e generico, contengano, invece, tutto quanto possa riguardare Sebastiano del Piombo, e una serie completissima di fotografie delle sue opere.

Del « Ritratto femminile » che sta al Museo di Berlino, trovai una grande riproduzione; la incorniciai in una vecchia cornice; e la appesi in ufficio, proprio di fronte al mio scrittoio. Ma le contemplazioni devote di Dorothea non erano, o non erano quasi mai, soddisfacenti, se non mi preparavano a una fantasticheria meno tranquilla e meno semplice: al vagheggiamento, cioè, di futuri miei incontri con Dorothea, ciascuno diverso dall'altro, ciascuno sempre nuovo e sempre complicato, sempre strano seppure verosimile. Futuri incontri, futuri modi e future figure amorose; e future serie di giorni con lei; e, a volte, tutta una vita futura che mi piaceva pensare dedita a lei.

Pensavo per esempio di farla venire a Parigi di nascosto da Jane. Di alloggiarla in un alberghetto. Finito il mio orario uscivo dall'ufficio, e mi repugnava di rincasare subito, di troncare subito quella libera fantasticheria che mi teneva da qualche ora. Pur sapendo be-

nissimo che non avrei mai avuto il coraggio di far venire Dora a Parigi, andavo in giro a cercar l'alberghetto.

Rive gauche, mentre scendeva la sera, andavo in giro in macchina, continuavo a sognare. Mi fermavo davanti a un bistrot, entravo, bevevo adagio una *fine* fisso lo sguardo all'insegna e alle finestre di uno squallido Hôtel Meublé che era dall'altra parte della strada, e dove, pensavo, avrei potuto alloggiare Dorothea... Quante volte spingevo questo giuoco, che facevo con me stesso, fino ad entrare nell'Hôtel Meublé, a visitare un paio di camere, a chiederne il prezzo, a fissarne una per dopodomani: avrei confermato per telefono. Il nome? Mademoiselle Corradi, dicevo, il cognome di Dorothea! E vedendo il laido vecchietto che scriveva sulla lavagna M.lle Corradi provavo una gioia interna, come se assistessi all'inizio di una *materializzazione* miracolosa.

Arrivavo a esser trasognato, tranquillo, quasi felice. E forse Jane leggeva nel mio volto questo sogno a lei estraneo, e ne soffriva. Ma non poteva dirmi nulla, meno quelle volte che un piccolo incidente, altrimenti senza significato e senza pericolo, faceva precipitare e consolidare la nostra reciproca incomprensione. Litigavamo, di colpo accaniti, acidi, torturandoci come coniugi di vecchia data. Ragione, o pretesto, la scelta d'una toilette che lei doveva indossare; o di un giocattolo da comprare a Duccio; o del modo di passare la sera, indecisi fra un concerto, una *boîte,* e starsene in casa.

Fu appunto una di quelle tristi sere, in macchina, diretti a una *boîte* a S. Germain des Prés, che, dopo un lungo silenzio, quando entrammo nell'ombra alberata del Boulevard Raspail, ella mi disse, sorridendo amara e improvvisamente intenerita non fino all'affetto ma al-

meno fino alla sincerità, una frase indimenticabile: « Non ti accorgi, caro, che viviamo augurandoci a vicenda la morte? »

Negai, mi ribellai con tutte le forze del pensiero e del discorso. Ma era vero, purtroppo. Oh, se era vero! E proprio allora, proprio durante il silenzio che durava da Auteuil, io non avevo fatto che immaginare, non dico desiderare, una pacificata esistenza con Dorothea, se Jane fosse scomparsa!

Jane tornava ad insistere sul problema religioso. Non disperò mai di convertirmi. E forse avrei finito per cedere, o almeno avrei acconsentito a conoscere il famoso Père de Lalande, se l'abitudine quotidiana a sognare non mi avesse preservato da coteste altre e più gravi menzogne.

Di notte, quasi sempre, ci riconciliavamo. Ma ormai anche l'amplesso che sembrava placarci era, almeno da parte mia, bugiardo. Dorothea siedeva nel mio pensiero tutto il giorno; aveva abituato, attraverso il pensiero, i miei sensi, che ormai cercavano soltanto lei. Stringendo Jane nell'oscurità, e benchè la sensazione reale fosse diversissima, immaginavo sempre in qualche modo di stringere Dorothea. Soltanto così potevo ancora amare. E al rimorso e al disgusto, che seguivano il breve e imperfetto inganno, trovavo rimedio nella solitudine del sonno.

Jane intuiva qualcosa? sentiva quanto fossi lontano? Allora mi dicevo di no: mi faceva tanto comodo.

A un certo momento, cominciai a scrivere delle lettere a Dorothea. Non le spedivo, si capisce: temevo sempre di essere ricattato. Le scrivevo, poi le rileggevo pensando che le avrei spedite, poi le chiudevo in busta e mettevo il francobollo.

Uscivo, andavo fino al più vicino ufficio postale, esi-

tavo a lungo davanti alla buca. Poi tornavo all'Unesco, e chiudevo a chiave la lettera insieme alle altre, in un cassetto della scrivania. Quando sarei andato a Roma, le avrei date tutte a Dorothea, che le leggesse in mia presenza. Così avrebbe saputo quanto e con quale ardore l'avevo pensata. Poi, naturalmente, le avrei riprese e distrutte.

Che cosa le dicevo in quelle lettere? Tutto ciò che avevo fantasticato nella solitudine e nella lontananza. L'elogio della sua bellezza, la confessione del mio amore, i desideri più assurdi, i progetti più folli. Le dicevo che avrei voluto abbandonare Jane e Duccio e dedicare a lei la mia esistenza. Servirla come uno schiavo. Dormire ai piedi del suo letto come un cane. Sopportare con gioia da lei qualsiasi umiliazione, angheria o crudeltà. Vivere adorandola come una divinità. Vicino a lei, fino alla morte, farmi nulla. « Toglimi tutto, le dicevo, fuorchè la capacità di vederti e di vedermi. Lasciami amare la mia miseria, perchè la mia miseria è soltanto la conseguenza del tuo splendore. » In una lettera, ricordo, le riferivo un altro sogno che facevo sovente, benchè assurdissimo: asservirle non solo la mia persona, ma anche Jane e anche Duccio, come ciò che avevo di più caro: Jane fosse la sua cameriera, e Duccio il figlio della sua cameriera, che lei, Dorothea, teneva in casa per carità.

Io sapevo, pensavo e scrivevo simili follie, ed altre non riferibili, che non avrei mai tentato di mettere in pratica: perciò credevo fermamente di non recare nessuna reale offesa a Jane e Duccio. Eran finzioni, credevo, erano nomi, simboli, fantasie innocue. E le lettere, erano filastrocche rituali; formule necessarie alla mia privata libidine: nulla più. Soltanto, che avevo bisogno di

scriverle, e di vedermele scritte davanti, abracadabra insulso e irresistibile. Che pietà, che squallore, che ridicolaggine, se mi capitasse oggi di rileggerle. Per fortuna, sono quasi sicuro di averle distrutte. Se no, le ho nascoste, e così bene che non mi ricordo più dove.

Un'altra abitudine che avevo preso in quel tempo fu di non poter passare davanti a un negozio di gioielliere senza pensare a Dora; e molte volte senza fermarmi lungo tempo e contemplare perle, diamanti, oro, braccialetti, anelli, collane, orecchini come doni per lei. Talvolta Jane era meco. E acconsentiva di buon grado a fermarsi anche lei davanti a quelle vetrine. Io tacevo e guardavo. E Jane, accanto a me, anche lei taceva e guardava pensando forse che io osservassi i gioielli per regalarli a lei...

Un mio amico che non conosci, un italiano del nord, certo Comba, piemontese mi pare e cattolico benchè potrebbe essere protestante, un giorno, mentre passeggiavamo per la rue du Faubourg Saint Honoré, notò che mi fermavo troppo volontieri davanti alle vetrine degli orefici. Giunti in rue de la Paix davanti a Cartier, fui obbligato a spiegargli la ragione di queste soste esagerate. Gli dissi che pensavo a una donna della quale ero innamorato.

« Tu t'illudi, mio caro, » fece allora Comba. « Tu credi di pensare a lei. In realtà sei un impotente morale e pensi soltanto a un nuovo modo di eccitarti. Non so chi sia la donna della quale parli, e non voglio saperlo. Ma se tu la amassi violentemente non sentiresti il bisogno di regalarle nulla di costoso. Basterebbe un fiore, un ricordino. Anzi, il regalo avrebbe maggior pregio amoroso quanto minore ne fosse quello economico. Gli antichi

romani, o, meglio, i romani della decadenza erano come te: appendevano ghirlande a Priapo, e talvolta a quella parte del loro corpo di cui Priapo era il simbolo o la divinità. »

È passato tanto tempo da quel giorno, sono avvenute tante cose. Eppure non sono ancora in grado di decidere se il buon Comba avesse ragione, o no.

Comunque, dopo alcuni mesi di quella vita, le interminabili meditazioni chiuso nel mio ufficio davanti alla fotografia o all'immagine che riuscivo ad evocare di Dorothea, le lettere che non le spedivo e che quindi restavano senza risposta, i gioielli che desideravo per lei senza mai acquistarli, tutte queste fantasticherie e follie non mi bastavano più.

Decisi di telefonare a Dorothea, di udire sia pure per pochi minuti la sua voce. Ma vergognandomi delle impiegate del mio ufficio, attraverso le quali avrei dovuto chiedere la comunicazione e che avrebbero potuto ascoltare quanto dicevo a Dorothea, attesi l'una del pomeriggio, quando tutti andavano al lunch, e domandai direttamente al centralino, urgentissimo, il numero di Roma.

I minuti passavano e la comunicazione non veniva; ero sulle spine anche perchè temevo di non trovare più in casa Dorothea. Proprio in quell'ora essa era solita uscire, fare quattro passi in via Veneto, prendere il vermouth con qualche amica.

Ma tutto andò bene. Udii di nuovo, dopo tanti mesi di separazione, la sua voce, un po' bassa, un po' rauca, calda, tranquilla, dolce e decisa.

« Quando te decidi a famme 'na visita? »

L'accento romanesco, che in chiunque altro mi irri-

tava, in lei mi commuoveva di piacere, come se carezzassi i suoi fianchi nudi, la sua pelle calda, bruna, liscia, e leggermente grassa.

« Io te penso sempre, » seguitava la voce della mia divinità. « Perchè non me scrivi una bella lettera? »

« Sono molto occupato, Dora, non ho tempo. »

« E se io te lo chiedessi? Voglio una tua lettera, Arry. »

Voglio. Avevo detto *voglio.* Udendo quel *voglio* provai al cuore come una stretta, un tuffo di piacere. *Voglio.* Era la prima volta che essa esigeva da me qualche cosa. Fulmineamente mi chiedevo: perchè? E fulmineamente mi rispondevo: non ha denari, se la passa male, vuole una mia lettera per ricattarmi.

« No, » rispondevo dunque con prontezza. « Non ho tempo di scriverti. Ti telefono di nuovo. »

« Quando? » fece lei con prontezza maggiore.

« Dopodomani, » promisi. « Ciao, Dora bella, anch'io ti ho pensato sempre, ogni giorno, ogni ora. »

« Sei un gran pallonaro! » (che in romanesco significa contastorie, bugiardo).

« Ti giuro, mia bella, ogni giorno, ogni ora. »

« Non è vero, mi avresti scritto. »

« Infatti ti ho scritto. »

« Impunito! Se non ho ricevuto neanche una cartolina! »

« Ti ho scritto tante lettere; ma non le ho mai spedite. Le ho qui in un cassetto. Quando ci vediamo te le porto e vedrai. »

« Pazzo! » mi disse con dolcezza. E poichè in quel momento avvertivano che scadeva la prima unità: « Allora aspetto la tua chiamata dopodomani a quest'ora. Ciao, Arry. Grazie della telefonata. Ciao. »

Abbassai il ricevitore e, in un attimo, capii che quei tre soli minuti di telefonata contavano più di parecchi mesi di fantasticherie. In un lampo, vidi il mio lungo e paziente errore; la mia disposizione, il mio scivolamento verso la follia.

Riudivo la voce; mi ripetevo *voglio, pallonaro, impunito, pazzo,* parole vive, vere, e veramente pronunciate da un'altra creatura umana, non inventate da me, che del resto, in tutti quei mesi, non ero mai stato capace di inventarle! Mi sentivo inondato da un fiotto di vita, colpito dalla salute della realtà; e, all'improvviso, così stanco del mio vizio, che preferii lì per lì non pensare più a Dorothea: guardai con occhio nuovo le pareti del mio studio, i volti dei miei dipendenti che tornavano dal lunch; passai il pomeriggio a sbrigare del vero lavoro; e alle cinque uscii per tornare a casa.

Dopodomani, mi dicevo durante il tragitto, avrei nuovamente telefonato a Dorothea, poi avrei cercato di fare una scappata a Roma. Bisognava finirla. Intendevo forse lasciare Jane e mettermi con Dorothea? Neanche per sogno. Volevo soltanto ritrovare, a contatto con la realtà, un equilibrio che avevo perduto da tempo. Il mio lavoro all'Unesco era un trucco; c'era una quantità di iniziative che trascuravo, limitandomi al minimo indispensabile per ingannare i miei superiori sulla mia attività. Avevo completamente abbandonato i miei studi personali. Una monografia sui pittori e musaicisti romani del duecento, per cui avevo raccolto materiale durante l'estate in Italia, era ferma a metà del primo capitolo. Infine il mio contegno verso Jane era imperdonabile. Cotesto vizio di fantasticare su Dorothea e di viverne, ogni giorno, fino all'orgasmo, distillava in me il sottile veleno dell'insoddi-

sfazione, il risentimento dell'irrealtà e dell'impotenza; per istinto, me la prendevo con la persona che mi era più vicina, con Jane; senza saperlo, la rimproveravo ogni momento di non essere Dorothea. Jane era la causa prima di tutta la mia amarezza; mi vendicavo su Jane.

E non era giusto. Dovevo, dunque, per lo stesso affetto che portavo a Jane, andare a Roma, o trovare un'altra donna, di carne ed ossa, che sostituisse Dorothea. Dovevo, per non torturare più la povera Jane, tradirla fisicamente più o meno spesso: non soltanto, e continuamente, nei pensieri.

Arrivai a casa con questo nuovo animo e, come accade quasi sempre nella vita quando si prende una decisione che riguarda non soltanto noi stessi ma anche un'altra persona, trovai, dalla parte di Jane, una novità che sconvolgeva e anzi superava i miei piani.

Jane attendeva un secondo bambino. Mi aveva nascosto fino allora ogni sospetto perchè lei stessa, mi confermò, avrebbe preferito, per il momento, che ciò non fosse. Fra altre ragioni di questa preferenza, Duccio era ancora piccolo, aveva bisogno di troppe cure. Aveva taciuto dunque. Ma oggi era andata dal dottore e non c'erano più dubbi: la gravidanza era quasi al terzo mese. Prima di Natale, Jane contava di tornare a Philadelphia con Duccio. Anche il Père de Lalande, senza sentire il quale ormai Jane non faceva più nulla, l'aveva consigliata così. Il nuovo bambino sarebbe nato verso aprile o maggio.

Un periodo di separazione si apriva dunque davanti a me: avrei vissuto, da solo, a Parigi, alcuni mesi; avrei potuto vedere Dorothea quanto volevo, stare con lei.

Ma i progetti impossibili, che paiono sommamente de-

siderabili, perdono urgenza, se non incanto, appena diventano possibili.

Così, quando rimasi solo a Parigi, e sarei potuto andare a Roma in qualunque momento, o far venire Dorothea a Parigi, cominciai a rimandare di giorno in giorno tutt'e due le decisioni; e presi un'altra abitudine: ogni mattina, verso il mezzodì, telefonavo dall'ufficio a Dorothea; e ogni notte passeggiavo per gli Champs-Elysées o per i boulevards, e finivo a letto con qualche prostituta, sempre o quasi sempre, diversa. Non volevo perdere Dorothea, per meglio dire non volevo perdere il mio desiderio di Dorothea; e allo stesso tempo tentavo di liberarmene sia attraverso la varietà e la sazietà delle donne che frequentavo, sia cercandone, tra tante, qualcuna che mi andasse un po' più a genio delle altre e che desse il cambio, almeno per qualche tempo, alla mia profonda ossessione. Conobbi così Ivonne, detta Vonie, una meridionale di Montauban, grassa, piccola, violenta, simpatica, ma avidissima di denaro e avarissima, come del resto ahimè quasi tutte le francesi.

Conobbi Simone, marsigliese, ridente, specializzata in guepières traforate e calze nere, che sembrava uscita da una litografia *fin de siècle*.

E Mamaì; e Lisa; e Danielle; e Monique. Dietro ciascuna, almeno la prima volta, salii trepidante la cigolante scaletta di legno; a ciascuna, del misero abituccio, tirai con dita febbrili la lampo: nella speranza che fosse la volta buona, il miracolo si avverasse, trovassi la Dea che poteva farmi dimenticare Dorothea.

A che scopo? mi chiedo ora. Se anche l'avessi trovata, a che scopo sostituire Dorothea con una donna simile a lei? con una donna nella quale non avrei avuto fiducia,

come non ne avevo in lei? con una donna che, come lei, non avrebbe potuto essere la compagna della mia vita? Ma forse, con assurda speranza, io cercavo proprio questo: tra donne simili a Dorothea, una che, al tempo stesso, fosse simile a Jane.

Telefonavo a Dorothea ogni mattina; dopo le prime volte non sapevo più che cosa dirle. Tuttavia insistevo. Questa telefonata quotidiana era divenuta subito un rito, una superstizione. Non potevo fare a meno di sentire la sua voce.

Le chiedevo che tempo faceva, le promettevo di pensare a lei, e di mandarle del denaro.

Alla fine di febbraio andai a Roma per ragioni di lavoro, e ci rimasi una settimana. Abitavo al Grand Hotel; ma dormivo in via Boncompagni, da Dorothea.

Tornato a Parigi, ripresi la vita di prima: ogni notte passeggiavo scioccamente ansioso per i boulevards, e dopo qualche giorno ricominciavo a telefonare a Dorothea.

Il 9 maggio nacque, a Philadelphia, Donatella. Ai primi di luglio Jane, lasciando i bambini a sua madre e ad una buona nurse, mi raggiunse a Parigi: si sarebbe trattenuta una quindicina di giorni, e mi avrebbe accompagnato a Roma, dove andavo a ricevere una onorificenza che il Presidente della Repubblica Italiana mi aveva decretata, come riconoscimento di ciò che avevo fatto per il ripristino delle opere d'arte danneggiate dalla guerra.

E questo viaggio fu l'occasione, se non la causa, di tutto il male che seguì.

14

Ai lampi dei fotografi, che ci assalirono mentre scendevamo dall'aereo a Ciampino, mi voltai e mi feci da parte, istintivamente, per non coprire la « personalità » che era dietro di noi. Ma non c'era nessuna personalità. I fotografi ridevano e gridavano:

« È lei che vogliamo, signor maggiore! »

« E la sua signora! »

« Signora, prego, si fermi un momento, sorrida! »

Jane, che mi precedeva, indietreggò e risalì un gradino della passerella; si attaccò al mio braccio, sorrise confusa.

Io voltai le spalle di nuovo, ma per un altro motivo. Sta' a vedere, avevo pensato con improvvisa paura, che domani pubblicano la fotografia in un giornale di Roma, e Dorothea la vede e viene così a sapere che sono sposato, e nasce un guaio!

Insistetti per non essere fotografato. Non c'era nessuna ragione, dissi coprendomi il volto con una borsa da viaggio; non ero un personaggio importante; avevo fatto soltanto il mio dovere; ero commosso, grato alla Stampa

italiana, ma assolutamente non avevo previsto tale accoglienza.

Certo, non l'avevo prevista; se no avrei fatto in modo di evitarla. I reporters ridendo cercavano di fotografarmi lo stesso, e comunque almeno una istantanea era stata scattata, al mio apparire sulla scaletta, prima che potessi schermirmi. Cosa fare adesso?

Mi avvicinai a uno dei fotoreporters e lo pregai di non dare ciò che avesse scattato alla stampa. Badando che Jane non si accorgesse del gesto, lo presi sotto il gomito stringendolo con forza, e chiedendogli a che ora e dove avrei potuto vederlo.

Due ore dopo, lasciata Jane in albergo, ero alla Publifoto, un ufficetto al mezzanino in Piazza Barberini.

Quel fotografo si chiamava Gandolfi, era piccolo, rotondo, baffi neri, occhi vivacissimi. Con mezze parole e mezzi sorrisi, gli spiegai come tenessi veramente a che le fotografie non fossero pubblicate: affari sentimentali, donne, i giornali di Roma vanno dappertutto... cercando così di insinuare il sospetto che non a Roma ma in un'altra città d'Italia qualche donna dovesse ignorare il mio matrimonio o almeno questo viaggio in Italia.

Parlando accennai a metter mano al portafogli. Gandolfi, senza offendersi, ridendo, mi fermò in tempo; disse che era una cosa da nulla, e promise di distruggere le negative e di ottenere lo stesso dai suoi colleghi che mi avevano fotografato.

Me ne andai; ma non ero molto convinto. Tutto mi sembrava troppo facile. D'altra parte, insistere con Gandolfi per avere maggiori assicurazioni, mi era parso, a un certo momento, offensivo o pericoloso. Offensivo, se Gandolfi era una brava persona. Pericoloso se non lo era; e

se la mia paura poteva così spingerlo sulla via del ricatto. In questo dubbio, prima di andarmene, lo guardai un istante: il suo volto astuto e ridente dava adito all'una e all'altra interpretazione.

L'indomani mattina, esaminai con apprensione i giornali. Nessuno aveva pubblicato le fotografie. Tirai un gran sospiro. Ma quando, poco dopo, scesi nella hall e per uscire passai davanti a Guglielmo, questi con un inchino mi disse a mezza voce:

« Complimenti, signor maggiore... »

Mi voltai: Guglielmo sorrideva gentilmente, curvo verso di me dall'alto del suo banco.

« Complimenti per che cosa? »

« Per la sua fotogenia, diamine! e anche per quella della signora! »

Feci fatica a controllarmi:

« Io non ho visto nessuna fotografia, » dissi cercando di apparire indifferente, anzi un po' curioso, « dov'è stata pubblicata? »

« Ma sul Rome American, signor maggiore! Non ha avuto il giornale in camera questa mattina? » e mi porse il giornale, mostrandomi la fotografia. C'era anche una grossa dicitura, col nome mio e di Jane bene in vista, e un breve articolo sulla maledetta onorificenza.

Avevo guardato con grande attenzione tutti i giornali italiani che avevo fatto comprare appositamente. Ma avevo trascurato il giornale americano di Roma che per consuetudine la direzione dell'albergo manda ai clienti americani ogni mattina, sul vassoio della colazione.

Gandolfi era stato di parola. Aveva impedito la pubblicazione delle fotografie sui giornali italiani, credendo, abbastanza naturalmente, che al Rome American avrei

pensato io stesso. Cercai di tranquillizzarmi subito. Il Rome American è letto quasi esclusivamente da americani e da inglesi. Dorothea forse ignorava persino la sua esistenza.

Passai la mattina al Ministero della Pubblica Istruzione. L'indomani, mi dissero, sarei stato presentato al Presidente della Repubblica, che mi avrebbe rimesso personalmente e solennemente la decorazione. All'una andai a prendere Jane all'albergo e la portai a colazione in Piazza Navona. Dorothea, non pensavo neppure di vederla, questa volta. L'affare della fotografia me ne aveva tolto il desiderio.

E fu di nuovo a Roma, d'estate, con Jane, come quattro anni addietro. Nel ricordo, nella naturale rievocazione del primo sboccio del nostro amore, passammo alcune ore serene, felici, quali da tempo non ne avevamo. Il caldo, la piazza vasta di sole, l'ombra accogliente della trattoria, l'allegria e la libertà dell'uso italiano, i cibi freschissimi, il vino giallo e gelido, e quella brezza di mare detta « ponentino » che anche nelle più torride giornate estive non manca mai di levarsi verso le due del pomeriggio e di spirare attraverso la città, tutto ci riconciliava per un momento con il nostro destino; tornavamo ad accettare, ad amare la vita. Era uno stato d'animo certamente pagano, ma anche certamente religioso.

Contribuiva a questa *détente* il senso della sua brevità e provvisorietà: dopo una separazione di vari mesi per la nascita di Donatella, avevo riabbracciato Jane a Parigi soltanto tre giorni prima, e adesso, alla fine della settimana, ella sarebbe già ripartita per gli States, dove la sua presenza era necessaria perchè alla nurse

di Duccio toccava un mese di vacanza. Il posto sull'aereo era già stato fissato, Jane ripartiva sabato. Era entrata in funzione proprio in quei giorni la linea diretta da Roma a New York.

Può essere, dunque, che fossimo felici insieme, anche perchè sapevamo che tra poco ci attendeva un'altra separazione; ma che cos'è, appunto, il paganesimo se non la coscienza religiosa del *carpe diem*? vivere e godere piamente, umilmente, ogni giorno della nostra vita come se fosse l'ultimo?

Tornammo all'albergo in taxi. Una dolce euforia, fatta di vino, di caldo, di sonno. Ci spogliammo nudi, ci buttammo sul letto, e ci amammo naturalmente, senza pensieri, come due ragazzi, o come si crede che debbano amarsi due ragazzi, e fu forse l'unica volta della nostra vita.

Quando ci svegliammo il sole era già tramontato. Aprimmo le finestre, che avevamo tenute chiuse per il caldo: le rondini volavano con lunghe strida laceranti passando e ripassando fino a sfiorare le finestre, nell'aria azzurra, sugli alberi del giardino delle Terme. Guardando lontano, verso l'Esedra, verso la stazione, e aguzzando la vista, si vedeva il cielo tutto pieno dei loro puntini neri velocissimi.

Jane era accanto a me, senza parola.

Non siamo degni di questa pace, pensavo, e, senza accorgermene, sospirai profondamente.

In quella, il telefono squillò. Andò Jane. Sollevò il ricevitore. Era qualcuno che non parlava inglese. Jane, forse a causa della sua imperfetta conoscenza dell'italiano, pareva rispondere stentatamente. Parlava, comunque, molto sottovoce. La stanza era ampia, io ero

ancora nel vano della finestra, e il rumore del traffico m'impediva di capire quello che essa diceva. Colsi semplicemente la parola *lettere*. Credendo che Jane fosse in difficoltà a causa del suo italiano, mi staccai dalla finestra per venirle in aiuto. Attraversai la stanza, dirigendomi verso di lei. Vidi che era pallida. Mi fermò con un gesto istintivo della mano, un gesto che mi respingeva, e il suo sguardo...

...Caro Mario, torno qui all'inizio del mio racconto.

Lo sguardo di Jane, in quell'attimo, al telefono, nella stanza del Grand Hotel, mentre io mi avvicinai e le sussurravo, senza alcun sospetto « Chi è? », lo sguardo di Jane mi è e mi sarà sempre presente: cupo, torvo, tristo, uno sguardo che in lei non avevo mai veduto, e sul cui significato, tuttavia, m'ingannai. Perchè mi turbò; mi parve uno sguardo severo e accusatore: vedendolo, subito, con una fitta al cuore, avevo pensato, con assoluta certezza, come se lo avessi udito con le mie orecchie, che qualcuno, lì al telefono, avesse rivelato a Jane la mia colpa. Qualcuno? forse Dorothea, forse un amico di Dorothea da lei incaricato del ricatto: il famoso cognato, o il giovanotto dalla mano ingioiellata.

Con mano tremante presi dalla tremante mano di Jane il ricevitore, dissi forte:

« Pronto. »

Rispose una voce d'uomo:

« Ah, essere lei, signor maggiore? »

« Sì, con chi parlo? »

« Io dire adesso alla sua signora... »

« Con chi parlo, prego? » ripetei, facendomi forza e cercando di trasformare, di fronte a Jane, la mia paura e la mia vergogna nella legittima impazienza e indigna-

zione della persona onesta che riceve una telefonata anonima.

« Allora è così, eh? » continuò scherzosa e minacciosa la voce, senza rispondere alla mia domanda. « È così che voi dimenticare vecchi amici, eh? »

Era una voce italiana, con accento meridionale e plebeo, romano o napoletano. Secondo la stupidissima ed irritante abitudine che gli italiani delle classi inferiori hanno quando parlano ad uno straniero, usava i verbi all'infinito; credono così di facilitarci la comprensione della loro lingua mentre la storpiano ed ottengono proprio l'effetto opposto.

Guardai Jane: era indietreggiata fino ai piedi del letto: era pallida e sempre aveva quello sguardo accusatore, quei grandi occhi cupi che stavano vedendo per la prima volta qualche cosa di orribile: qualche cosa alla cui esistenza fino allora non avevano creduto.

« Mi vuol dire, per favore, con chi parlo? »

« Credere pure, signor maggiore, non è bello. Detto adesso stessa cosa anche alla sua signora. Non è bello venire a Roma e dimenticare così vecchi amici... Eppure noi essere stati insieme! Anche a pranzo! E avere amici comuni molto intimi, molto ma molto intimi... »

Riattaccai. Ormai ero sicuro: si trattava di qualcuno dalla parte di Dorothea, che aveva visto la fotografia sul Rome American. Riattaccai, forse la persona non avrebbe osato, almeno per il momento, ritelefonare. Mi volsi a Jane e tentai di sorriderle:

« Qualche cretino che si diverte, forse qualche giornalista... »

Ma Jane, senza dirmi nulla, era andata nel bagno.

Non domandai di meglio. Non avrei potuto resistere,

a vedermela davanti con quello sguardo. Qualche secondo ancora, le avrei confessato tutto. Accesi una sigaretta e cominciai a vestirmi adagio.

Quando uscì dal bagno, e poi per tutta la sera, il suo sguardo evitò di incontrare il mio; e così il mio il suo. Della telefonata, nè lei nè io, più una parola.

Ma un imbarazzo, una reticenza era ormai fra di noi. La sera a tavola, tacevamo di frequente, magari a metà di un discorso. Dopo pranzo, per fortuna, eravamo invitati dai Doolittles, nella loro villa sull'Appia Antica: c'era molta gente, si ballò, si chiacchierò, si bevve fino alle due di notte. C'era anche W. K., un attore di Hollywood, venuto a passare l'estate in Italia perchè era di moda. Tornammo all'albergo in macchina con lui. E quando fummo soli eravamo stanchi, avevamo bevuto, e avevamo da parlare male del party, dei Doolittles, di W. K. e di tutti e di tutto quello che avevamo visto.

L'indomani mattina andai dal Presidente della Repubblica, come in programma; e Jane mi accompagnò.

Il pomeriggio, avevo stabilito dentro di me che avrei cercato di vedere Dorothea e di intimorirla, o di pagare il suo silenzio, se necessario. Cambiai un grosso travellers' cheque, e mi preparai due mazzetti uguali, uno in una tasca e l'altro nell'altra, di biglietti da diecimila. Così, se bastava la metà, non correvo il rischio di vedermi aumentare la cifra fino all'intera somma dei biglietti che avrei tirato fuori.

Attraverso Guglielmo, che capiva al volo queste incombenze, trovai modo di farmi avvertire, in presenza di Jane, che alle sette ero atteso, per comunicazioni urgenti, all'ufficio stampa dell'Ambasciata.

Uscii alle sette meno dieci, dicendo a Jane che sarei tornato per il pranzo, ma molto tardi, forse dopo le nove.

Dal Grand Hotel alla casa di Dorothea sono pochi passi. Ma, dopo aver risalito via Veneto fino all'angolo dell'Excelsior, non ebbi il coraggio di voltare subito in via Boncompagni. Volevo riordinare le mie idee, pensare e pesare bene ciò che le avrei detto e ciò che le avrei taciuto ecc. Proseguii fino alla Porta Pinciana, attraversai il corso d'Italia e passeggiai per il parco pubblico della villa Borghese. Innanzi tutto, pensai, non devo parlarle senz'altro della fotografia e del mio matrimonio. Benchè, in fondo al cuore, fossi sicuro che era stata lei a farmi telefonare, pensai che sarebbe stato meglio se avessi potuto averne la prova, la confessione da Dorothea medesima, prima ancora che io la incolpassi esplicitamente. E poi... e poi, anche se le probabilità che la telefonata non provenisse da Dorothea erano molto scarse, era mio dovere non trascurarle: prima di tutto per un elementare rispetto di Dorothea, alla quale in tanti anni non avevo mai avuto nulla da rimproverare; in secondo luogo per mia convenienza e cautela. Se, infatti, Dorothea non era colpevole della telefonata, è segno che essa non sapeva ancora dell'esistenza di Jane: sarei stato proprio io a rivelargliela, con la mia cattiva coscienza.

Quando uscii dalla villa Borghese era il crepuscolo. Improvvisamente, ed esattamente non appena, riattraversato il corso d'Italia, cominciai a scendere via Piemonte verso via Boncompagni, qualche cosa cambiò. Fino allora, in questa faccenda di un eventuale ricatto di Dorothea e del miglior modo per fronteggiarlo, mi ero

comportato e preparato a comportarmi freddamente, prudentemente, con la saggezza di un vecchio libertino europeo, non di un giovane intellettuale americano. Improvvisamente, ai primi passi che feci in via Piemonte (il marciapiede in quel punto costeggiava la cancellata di un giardinetto privato) capii che non era affatto così. Proprio in quel punto, un sabato verso le due del pomeriggio, nel settembre o l'ottobre del 1944, mi ero fermato con Dorothea a lungo. Ricordai il suo vestito leggero, di seta nera, le braccia completamente nude, faceva ancora molto caldo, una cintura di pelle lucida con grosse borchie di ottone. Jane, con altri amici, mi attendeva all'albergo: dovevamo far colazione insieme, e andare per il week-end sul lago di Bolsena. Io ero in ritardo perchè avevo voluto vedere Dorothea, spiegarle che quella sera e la domenica non potevo venire da lei; ero corso in via Boncompagni e l'avevo trovata che usciva a far la sua solita passeggiata in via Veneto; non avevo avuto il coraggio di obbligarla a tornare su, e avevo cominciato a parlare, a spiegarle, camminando al suo fianco. Naturalmente ero atterrito che qualcuno dei miei colleghi che conosceva Jane, o addirittura Jane medesima, mi vedesse; perciò prendendo Dora sotto il braccio nudo fresco e pieno, svoltai con lei in via Piemonte, dove il pericolo di un incontro era minore mentre in via Veneto era inevitabile. Ricordai che risalendo via Piemonte mi guardavo attorno; ero spaventato all'apparire di ogni divisa americana, e cercavo di non farmi accorgere di questi sguardi da Dorothea; e che questa sensazione di doppia paura, mista alla vicinanza di Dorothea, al contatto del suo braccio nudo e del suo fianco alto e morbido, al suo profumo

volgare, al desiderio che mi riprendeva imperioso di lei, non era per nulla una sensazione sgradevole; direi anzi che il rischio di trovarmi a faccia a faccia con Jane, che per andare all'appartamento del suo albergo poteva anche passare di lì, aumentava il mio piacere di stare con Dorothea; e così avevo prolungato quel colloquio, che doveva durare pochi istanti, per mezz'ora, forse più; ricordai che a poco a poco via Piemonte si faceva deserta, per la tarda pausa meridiana dei romani, e che fermatomi nella breve ombra del giardinetto a fianco della cancellata, guardai per non so quanto tempo Dorothea nei suoi occhi verdi e d'oro e che non potendola baciare, e abbracciare lì, subito, come ne avevo voglia, le descrivevo, a bassa voce, senza gesti e senza moto alcuno, ma soltanto guardandola fisso negli occhi e tenendola per un braccio, le descrivevo minutamente ed esattamente tutte quelle follie che mi venivano in mente e che mi proponevo di fare con lei, a letto, il dopodomani; e ricordai che, così parlando, per la forza del desiderio e per la necessità di costringerlo tutto nello sguardo, nella parola, e nel semplice contatto di una mano, a un tratto mi era mancato il fiato e il cuore; il volto di Dorothea, e la casa soleggiata dall'altra parte della strada, che gli era di sfondo, mi sembrarono ondeggiare e come velarsi di una lieve nebbia; tacqui, avevo le labbra secche, guardai smarrito la strada deserta... Oh! perchè non potevo dare la mia vita a quella donna? Perchè era una donna che mi avevano insegnato a considerare *malvagia*? Non so. So soltanto che se non mi fosse parsa tale non avrei desiderato di darle la mia vita.

Passando ora davanti alla stessa cancellata, ricordai

quel lontano momento e, palpando nelle tasche della mia giacca i due mazzetti di biglietti di banca, capii che credevo di essere stato saggio e prudente ma invece ero pazzo, perchè temevo sì, ma insieme desideravo che Dorothea fosse stata lei a far la telefonata, e che ora mi ricattasse, e che mi ricattasse per la più grossa somma possibile, di più, molto di più di quella che avevo nelle tasche!

Temevo e insieme desideravo; e desideravo proprio perchè temevo. Guardai l'ora. Erano le otto. Mi misi quasi a correre. Forse era questione di secondi, non l'avrei più trovata in casa. Pensavo di gettarmi ai suoi piedi; di chiederle perdono; di dirle che capivo il suo risentimento perchè non le avevo ancora telefonato, nè annunziato la mia venuta a Roma, nè mai confessato il mio matrimonio; di offrirle, a titolo di inadeguata e provvisoria riparazione, tutto il denaro che avevo con me.

In questo stato d'animo, che oggi, ripensandoci, giudicherei esaltato e pressochè folle, scendevo di corsa via Piemonte. Vedevo, come in un turbine, due gatti che s'inseguivano, dei monelli che giocavano, un vecchio che fumava la pipa seduto all'angolo del portone: particolari banali e in qualunque altro momento privi di speciale significato: mi parvero, allora, immagini pregnanti di una vita animale felice libera, che mi persuadevano irresistibilmente a ciò verso cui correvo.

Voltai in via Boncompagni; giunsi al portone, che non avevo mai varcato, nemmeno nei momenti più sereni, senza trepidazione; attraversai l'androne rallentando il passo quanto era necessario per non insospettire la portinaia che poteva vedermi dal finestrino della guardiola; abbordai la buia scala.

Dal primo ripiano si poteva già vedere il pianerottolo del mezzanino e la porta della casa di Dorothea. Come vi giunsi, mi fermai di botto: avevo udito, visto aprirsi proprio quella porta, e uscirne Jane: guardò un attimo, istintivamente, in basso, dalla mia parte; data l'oscurità, sperai che non mi riconoscesse; si rivolse verso l'interno della casa e attraverso l'uscio socchiuso stese la mano a salutare. Io intanto ridiscendevo precipitoso la rampa; ma invece di correre verso l'androne di uscita, per raggiungere il quale avrei dovuto attraversare un tratto di cortile dove dalla scala sarei stato visibilissimo, continuai fino al cancello di una cantina che disgraziatamente era chiuso. Lì mi addossai al muro, nell'angolo più buio, e attesi. Udii il passo di Jane che scendeva tranquilla, dopo un momento vidi le sue gambe magre, la sua figuretta snella e diritta: come giunse a terreno si fermò, si guardò intorno cercando qualche cosa o qualcuno e infine, invece di proseguire verso l'uscita, si volse esitando verso l'interno della scala e verso il basso. Mi scorse nella penombra, scese alcuni gradini verso di me, e quando fu sicura che ero io mi disse con un sussurro, e con una voce rotta dall'angoscia:

« Harry, cosa fai lì? È inutile che tu vada su da quella donna, ti dirò tutto io... »

Mi colpì la dolcezza, che, nonostante l'angoscia, era nel tono delle sue parole.

Risalii fino a lei, e senza osare guardarla in viso, mormorai:

« Vedi, Jane, io... »

« Non dire nulla, » fece lei prendendo il mio braccio, stranamente, proprio con l'atto di chi cerca appoggio o difesa. « Non dire nulla, ti prego, adesso. Harry, ho or-

rore delle scene per la strada. Andiamo all'albergo. Ti spiegherò tutto. Vieni, andiamo, ti prego. »

Ella mi supplicava.

Ma perchè?

Nel tragitto non abbiamo detto parola. Lei pensava fortemente, lo vedevo. Io ricostruivo mentalmente ciò che era successo ed ero contento, anch'io, di non essere obbligato a parlare subito; preparavo, convulsamente, la mia difesa. Dunque Jane, senza alcun dubbio, mi aveva seguito, pensavo; oppure aveva avuto informazioni da qualcuno; qualcuno, forse la stessa persona che aveva telefonato il giorno prima, forse Dorothea stessa le aveva telefonato personalmente, le aveva dato nome e indirizzo; ed essa era venuta, aveva visto Dorothea, le aveva parlato, e ormai sapeva tutto. La sua dolcezza non aveva nulla di rassicurante, anzi mi atterriva. Che cosa avrebbe preteso, Jane? Era cattolica osservante, ormai; il divorzio per lei non esisteva; più volte avevo udito la sua decisa opinione in proposito. Avrebbe dunque preteso che io, nella mia vita, non rivedessi mai più Dorothea? Il giudice più severo non avrebbe saputo trovare maggiore tortura. Avrei cercato di sfuggirci, si capisce. Ma mi sarebbe stato possibile? Conoscevo Jane, la sua decisione, la sua precisione, la sua ostinazione. Preparai, lì per lì, la mia difesa. Ero stato qualche volta con quella donna, qualche volta, non di più. Del resto, era stata lei stessa, Jane, a presentarmela. Non si ricordava più? Tanti anni fa, l'estate del '44, in una trattoria. L'avevo ritrovata per caso. Naturalmente non avrei confessato che ero tornato alla trattoria nella speranza di rivederla. L'avevo ritrovata per caso, una notte, dopo che Jane era andata in Francia e mi aveva lasciato

solo, solo nell'atmosfera sensuale e peccaminosa di Roma; ed ero stato con lei qualche volta, dieci minuti ogni volta, non di più: una debolezza della carne, sì, un'infatuazione saltuaria e passeggera: gli uomini sono uomini, e quando vivono lungo tempo in Italia anche gli americani diventano come gli italiani per i migliori dei quali, Jane doveva saperlo, andare con le prostitute di professione, anche se sposati, non era peccato grave... E se Dorothea le aveva detto del nostro viaggio attraverso l'Italia Settentrionale, la primavera del '47? Avrei negato, recisamente negato. Dorothea mentiva, le avrei detto. Del resto, frugavo con angoscia nella mia memoria, quali prove le avrebbe portato di quel viaggio? I nomi dei luoghi, le date? Ma poteva anche averli saputi da me, che potevo avergliene parlato, in una mia visita a Roma. No, Dorothea non aveva nessuna prova che io fossi stato con lei più a lungo di quanto mi bastava confessare.

Giungemmo all'albergo. Come ci chiudemmo in camera, Jane, di nuovo con tono supplichevole, mi chiese di non accendere la luce.

Le finestre erano aperte sul giardino delle Terme, ormai era quasi notte; ma giungeva da fuori fastidioso il frastuono del traffico. Jane si tolse la giacca del leggero tailleur e chiuse la finestra. Si sedette, non vicina e non di fronte a me, in un angolo del divano.

Sentii che il momento di confessare e di chiedere perdono era venuto. Raccolsi le mie forze:

« Jane... » dissi.

Ma m'interruppe subito:

« Non parlare, Harry, ti scongiuro! Tu non sai nulla. Ti prego in questo momento di non parlare e non

dirmi nulla. Prima devi ascoltarmi. Non credere che io non mi senta colpevole. Oh, Iddio solo sa quanto ho pianto e quanto ho pregato! Pregato perchè questo momento non dovesse mai venire. Pregato perchè tu, la tua posizione, la tua carriera non fosse mai danneggiata dalla mia imperdonabile leggerezza. Leggerezza? Colpa, colpa, colpa di quello che ho fatto e colpa di non avertene mai parlato. Ma il Père de Lalande mi aveva detto che era meglio così. E certo era meglio così, era meglio che tu non sapessi mai: se ora non fosse successo ciò che è successo. Speriamo ancora che non capiti nulla di irrimediabile, che quelle lettere... vedi, non oso neanche chiederti perdono, non oso... sei così buono tu! »

E così dicendo si buttò a terra, in ginocchio, con la testa tra le mani, scossa da un pianto convulso, disperato.

Mi levai, m'inginocchiai accanto a lei e la accarezzai lievemente sui corti capelli della piccola testa magra.

« No, non sono buono io, Jane, » le sussurrai subito, commosso dalle sue lacrime e benchè non avessi ancora neppure incominciato a capire di quale sua colpa così grave, la mia carriera, le lettere, essa voleva parlarmi. « Anch'io ho le mie colpe. Anche tu non sai nulla di me. Che cosa puoi aver fatto tu, povero amore mio? »

E certo, in quel momento, ero così sorpreso e così commosso dal suo pianto, che provavo una grande vergogna di me stesso e l'impulso di confessarle, per primo e senza affatto diminuirne l'importanza, come avevo pensato, la mia relazione con Dorothea.

Ma Jane piangeva troppo per udire le mie parole o sentiva se stessa talmente colpevole che le avrebbe

attribuite alla mia gentilezza, al mio affetto, alla mia facoltà di perdono. Ed essa, lo vidi subito, aveva bisogno, più che del mio perdono, dello sfogo della propria confessione. Come una montagna era su di lei, che la schiacciava. Una montagna forse non tanto di fatti quanto di pensieri, di angosce oscure, di lunga solitudine, ed essa voleva divincolarsi non per sfuggirvi ma proprio per capire, accettare, chissà? amare. Voleva parlarne con me, perchè oscuramente avvertiva che soltanto con me poteva parlarne sinceramente e minuziosamente, e cioè rivagheggiando e accarezzando una colpa che, forse, non aveva mai commessa per intero o a sufficienza. Al Père de Lalande, certo, essa non poteva confessarsi così: continuando, in un certo senso, a peccare. A me sì.

Perciò, quando si calmò, mi prese per una mano, me la baciò e mi disse:

« Ti ringrazio, Harry, di essere così buono con me che non merito nulla. Ti confesso che quando ieri l'altro c'è stata la telefonata di quel mascalzone, e ho visto il tuo sguardo, e dal tuo sguardo ho visto che avevi intuito, o almeno sospettato la verità; e quando stasera, uscendo dalla casa di quella donna ti ho visto in fondo alla scala, e ho capito che mi avevi seguito, ho pensato che non avrei mai avuto il coraggio di parlarti. Ma ora vedo che sei così buono, così amico, vero amico... »

Nonostante la curiosità e la commozione e la vergogna, azzardai:

« Se vuoi, un altro momento, Jane, quando sarai più calma... »

« No, adesso, Harry. Abbi pazienza. Bisogna che ti

dica tutto adesso. Non per me soltanto. Ma anche per te. Domani dovremo agire, fare qualche cosa, ritrovare le lettere. Quel mascalzone che le ha può fare qualche cosa. Al telefono era minaccioso. Può essere pericoloso per la tua carriera. Ed è colpa mia, colpa mia, oh! Harry, quando saprai mi perdonerai? »

« Sì, Jane, » risposi gravemente, « anch'io sono colpevole. Qualunque cosa tu abbia fatto, sei già perdonata. Dimmi. »

15

CHI ha provato — e chi non ha provato? — che cosa sia scoprire l'infedeltà di una donna creduta fedele, anche se non fedelmente riamata, sa che alle torture della gelosia, più o meno dolorose secondo i casi, si mescola un'altra pena: ed è quella di essersi ingannati sul conto di una persona insieme alla quale abbiamo vissuto, notte e giorno, per un lungo tempo, lo stupore e l'umiliazione di vederla, in un attimo, completamente diversa da come l'abbiamo sempre vista: quasi assistessimo, nei brevi istanti necessari per la rivelazione, a una metamorfosi crudele che si compie sotto i nostri occhi. I tratti stessi del suo volto, fino a un momento prima così familiari, il suo sguardo, le sue movenze, le forme del suo corpo, la nervosità delle sue mani, il modo di gestire e di camminare, sono, ad un tratto, altri, nuovi, misteriosi, non li conosciamo, non ci appartengono più. Ella, pensiamo, ha sorriso a gioie che non sapremo mai; i suoi occhi hanno contemplato, ma con quale particolare espressione? lo ignoriamo, un altro uomo; le sue mani hanno carezzato, vibrando di una tenerezza ignota a noi e diversa da quella con

la quale carezzavano il nostro corpo, perchè diverso era il corpo, la realtà che la provocava. E nello stesso istante straziante in cui sentiamo tutto questo, sorge in noi, talvolta inconscio talvolta no, talvolta soffocato dalla nostra vanità e dai nostri pregiudizi talvolta libero e irresistibile, un desiderio tutto nuovo di lei. Vogliamo immediatamente possedere nella sua nuova natura che abbiamo appena scoperta e che, forse a torto, ci sembra in quel momento l'unica vera, la misteriosa compagna della nostra vita: vogliamo conoscerla subito, fino in fondo, quale essa improvvisamente ci appare: vincere in un amplesso disperato l'assurdo che ci ferisce.

Anch'io, mentre Jane, ripreso il suo posto all'angolo del divano, curva e quasi raccolta in se stessa, cominciava senza guardarmi a raccontare, anch'io dunque provai qualche cosa di simile: la guardavo, con stupore con rabbia con pena, come guardassi una persona estranea e nemica anche se a me intimamente legata, una persona che in quel momento aveva bisogno del mio affetto e della mia comprensione, ma che in passato e in segreto doveva certamente avermi odiato e che ancora, almeno in parte, per la parte di quel passato che essa non aveva ripudiato, doveva odiarmi.

Ma oltre la vanità e i pregiudizi di cui neppure io ero privo, il pensiero della mia colpa mi era troppo presente, la paura di essere, invece, costretto io alla rivelazione della mia infedeltà era troppo recente, per non complicare e per non trattenere la mia reazione, qualunque potesse essere, di gelosia, di dolore, di perdono, di libidine.

Avevo camminato dieci minuti al suo fianco, da via Boncompagni al Grand Hotel, nel vivace crepuscolo ro-

mano, preparandomi a confessare e ad attenuare il mio tradimento, a costruire un impasto credibile di verità e di menzogne; ero entrato in quella stanza pochi minuti prima col cuore che mi mancava per la vergogna di me medesimo; avevo spiato le ultime espressioni di Jane trepidando, senza osare levare lo sguardo su di lei, e vedendo in lei la virtù fatta persona, la coscienza stessa che stava per accusarmi e giudicarmi. Ed ecco, sul punto di aprire le mie labbra e di cominciare la fatica enorme di parlarle del mio peccato, essa aveva fatto quella stessa fatica, aveva con uno scoppio di pianto compiuto uno sforzo uguale, aveva sollevato un altro macigno che pesava come il mio. Dove credevo che fosse soltanto la giustizia insita e propria alla realtà che è fuori di noi e che è terribile ma che poi può anche consolare, mi ero trovato davanti, improvvisamente, uno specchio. Se odiavo Jane per quello che aveva fatto e stava per raccontarmi, non potevo fare a meno di odiare ancora di più me stesso, che ancora non confessavo nulla. Se la perdonavo, mi perdonavo.

E se mi lasciavo prendere dalla tentazione di desiderarla per la sua novità, per la sua colpa, pensavo che anche lei avrebbe dovuto desiderarmi allo stesso modo, appena avesse saputo di Dorothea. Ci saremmo amati non per noi stessi, ma quasi per gli altri. E qui mi smarrivo, qui indietreggiavo, come indovinando un viluppo confuso, mostruoso, animalesco, che alla fine non era neppure più reale...

...Ma che cosa ho scritto? Rileggo le ultime frasi. Belle frasi, belle parole: mi smarrisco, indietreggio, viluppo, irrealtà... E mi sembrano, appunto, soltanto frasi e parole. Mi sembra un'ipocrisia sicura di trovare il

pronto consenso degli ipocriti lettori che non vogliono essere disturbati, e anche il tuo, carissimo Mario; ipocrisia che nasconde la vanità, il pregiudizio, soprattutto la viltà.

Perchè? L'amore di una prostituta e di un uomo che la sfrutta non può essere vero amore? Che cos'è dunque il loro umile, schietto, reciproco accettarsi? Che cosa è il coraggioso spettacolo ch'essi danno al mondo della propria abbiezione? Pubblicarsi degradati significa riconoscere una gerarchia morale, un'altezza dalla quale si sia caduti; e non è neppure necessario rimpiangerla, per essere perdonati: bastano le umiliazioni della vita quotidiana; basta la segregazione a cui gli altri, che sono i più e i più forti, condannano; basta il giudizio della società.

Con questo non voglio dire che Jane ed io avremmo avuto il dovere di cambiar vita, di diventare una prostituta e uno sfruttatore. Ognuno fa non soltanto il bene; ma anche il male che può.

Il nostro dovere era soltanto di non illuderci. Per nascita, educazione, cultura, Jane e io eravamo costretti all'ipocrisia, cioè a mentire agli altri. Il nostro dovere si riduceva a non mentire con noi stessi, ciascuno nel segreto del proprio cuore. Perchè, tra lei e me, era già indispensabile: c'erano dei figli, c'era il principio della società.

Ciascuno nel segreto del proprio cuore, il nostro dovere era di riconoscere quali fossero i nostri gusti più profondi e quanto fossero simili tra di loro. Invidiavamo, lei e io, l'abbiezione delle prostitute e dei loro compagni. Chissà, forse soltanto nella pubblicità di quella abbiezione la nostra ansia avrebbe trovato pace.

Soltanto umiliandoci di fronte a tutto il mondo ci si sarebbe amati, noi due, di quell'amore intero che ci pareva crudelmente negato. Tutto si paga, e per avere qualcosa bisogna perderne un'altra.

« Harry, » disse intanto Jane, « nel 1944, poco tempo dopo che Roma fu liberata... non era neanche passato un mese, forse, dalla sera che ci eravamo visti la prima volta al party del colonnello Rehm.... tu hai conosciuto quella persona che adesso sono andata a trovare in via Boncompagni. Sono stata io a presentartela. È una donna, una prostituta, credo. Ma certo tu te la sei dimenticata. Non puoi ricordare... »

Mi raccontò della trattoria, indugiò in particolari che pensava potessero aiutarmi a ricordare. Io non sapevo che cosa dire. Ma che cosa potevo dire? Potevo dirle, in quel momento, che dalla sera successiva a quel medesimo incontro della trattoria, Dorothea era stata, per quattro anni, fino a oggi, la mia amante? Ero tormentato, angosciato. E la mia espressione, forse, la ingannava sempre più. Sempre più essa si sforzava a descrivermi la trattoria, la colazione, l'ora, e Dorothea stessa. Finchè io, con un cenno vago e doloroso, che essa forse vide impaziente e severo, dissi che ricordavo, sì, continuasse pure. E Jane continuò:

« Quella donna, che si chiama Dorothea, è l'unica persona che io conosco e che conosca... il giovanotto al quale ho voluto bene. Io gli ho scritto delle lettere, Harry, delle lettere da Capri, quando siamo tornati in Italia due anni fa, e quelle lettere lui mi ha giurato di non averle mai ricevute. Gli ho creduto. Ma ieri sera, al telefono... »

« Chi era al telefono, » interruppi. « Era lui? »

« No, non era la sua voce. »

« Ne sei sicura? »

« Sicurissima. Era una voce che non conosco. A me parlò subito delle lettere. »

« A me no, » dissi. Ricordavo con esattezza che la voce non aveva parlato di lettere.

« Naturalmente, » fece Jane affannata. « Naturalmente a te non ne ha parlato. Le lettere sono l'arma del ricatto. La sola prova. Io a te potrei sempre negare, senza le lettere, e lui potrebbe ridarmele dietro compenso. Oppure potrei confessarti tutto, come sto facendo; e quella persona potrebbe usare le lettere anche contro di te, minacciare uno scandalo se non lo paghiamo. »

« Ma chi è quella persona che ha le lettere? È lui? Chi telefonava era d'accordo con lui? »

« Non lo so, non lo so, Harry, » disse lei tra le lacrime. « Appunto per questo sono andata da Dorothea. Dorothea è sicurissima che non è lui. Dorothea, lo sento, è una brava donna, una persona di cuore. Ma potrebbe sbagliarsi. »

« Tu, però, » osservai, « tu, se gli hai scritto delle lettere, se lo conosci da tanto tempo, anche tu penserai qualche cosa di lui. È tipo capace di fare questo? »

« No. Non credo. Almeno non direi, non avrei mai detto... Ma quando si è in colpa, Harry, non si vede più chiaro negli altri. E ancora meno nella persona che è legata a questa colpa. Forse, probabilmente, quasi certamente, lo accuso a torto. Ma io non lo accuso, Harry. Io non so nulla. Ho mancato verso di te, verso Dio, verso Duccio e Donatella. Ho paura che succeda qualche cosa di terribile. Bisogna pagare. Comprare le

lettere. Dorothea dice che Aldo è sincero, non le ha mai ricevute. Altrimenti, se le avesse ricevute, a lei glielo avrebbe detto. Si vedono spesso. Comunque, dice Dorothea, non è possibile che Aldo abbia niente a che vedere con la telefonata. »

« Ma dov'è lui? Perchè non lo va a vedere? Non sarebbe più semplice, intanto? »

« Non è a Roma, è a Milano, e non è una cosa che si possa trattare per telefono o per lettera. »

« Ma che cosa c'era in quelle lettere, Jane? Perchè hai tanta paura? Lettere d'amore, frasi romantiche... non ti dico che mi faccia piacere; ma perchè hai tanta paura? »

« No, no, ero pazza quando ho scritto quelle lettere. Non mi chiedere nulla. Adesso ti dirò. Ti dirò tutto. Pensa che ero esaltata, ossessionata, pazza. Bisogna che ti racconti. »

« Ma se è vero che lui non c'entra e che non le ha mai ricevute, dove sono andate a finire? »

« Ho un sospetto. »

« Chi? »

« Abbi pazienza, Harry. Bisogna che ti racconti, prima. »

« Ma non dirmi come. Dimmi soltanto chi. Chi sospetti? »

Tacque. Si raccolse ancora di più, quasi si raggomitolò su se stessa. Sembrava che la confessione di questo nome le dovesse costare più di tutto il resto. Il nome dell'amante, lo aveva detto e ripetuto quasi, mi sembrava, con voluttà. Ma questo, della persona che in fondo lei sospettava di possedere le lettere e di ricattarci, questo nome non poteva dirlo. Respirava profondamente, piangeva, si torturava; e taceva.

« È una persona che conosco? » le dissi per aiutarla.

Non rispose. Ripetei la domanda, e aggiunsi:

« Dimmelo, Jane. Se è necessario agire, bisogna pure che io sappia il nome. Io, lo conosco? »

Finalmente, con un filo di voce, tra i singhiozzi disse:

« Sì. »

« E chi è? »

Dopo un altro silenzio, in cui misuravo la sua pena e me ne chiedevo, sorpreso, la ragione, confessò:

« Don Raffaele. »

L'orgoglio le era stato più duro a vincere che non la morale. Confessare il nome dell'intermediario, più difficile che non il nome dell'amante. E poi, che cosa sapevo io di questo Aldo? Non potevo disprezzarlo senz'altro. Ma Don Raffaele, lo conoscevo bene, purtroppo. Rividi il suo volto glabro, la sua correttezza pseudoanglosassone, la volgarità disperante di ogni suo atto o gesto, il sorriso mellifluo, le occhiate oblique. E come c'entrava proprio Don Raffaele e la sua bassezza, nella vita di Jane? Ero sbalordito e disgustato. Al nome di Don Raffaele, avevo dimenticato per un momento la mia colpa, e Dorothea e la sua padrona di casa e i suoi amici, conosciuti quella sera in trattoria, che non erano certo meno volgari del sensale di Capri.

« Perchè Don Raffaele? » domandai.

« Perchè la voce al telefono... »

Jane non seppe ripetermi esattamente le parole, in quell'italiano infantile, che essa credeva di aver udito al telefono e che l'avevano fatta impallidire. Ma insomma l'individuo al telefono, pareva le avesse detto che le sue lettere non erano mai state spedite.

« E io, » concluse Jane, « le avevo date da spedire proprio a Don Raffaele. »

« Non capisco, » dissi.

« Lo so, è una storia complicata, Harry. È difficile per me spiegarti. Del resto, è una storia vecchia, passata. Per me, per quello che io ormai posso sentire, una storia finita da tanto tempo. Oh! speravo che fosse veramente finita in tutto. Che tu non ne avresti mai saputo nulla, e mai avuto a soffrirne. E se non ci fossero quelle lettere, sarebbe stato così. Conobbi Aldo a Napoli, nel febbraio del 1944... »

« Prima di me dunque? »

« Sì, prima di te, sei mesi prima. »

« Perchè non mi hai mai detto nulla? » domandai, prendendo involontariamente la parte del giudice. Ma era lei che voleva che io fossi il suo giudice. Mi accorgevo che le mie domande e la mia apparente severità la consolavano. Era proprio ciò che essa cercava. Era lo scopo per il quale mi parlava. Cominciavo a intuire che essa voleva confessarmi per disteso quella colpa lontana e forse non commessa mai fino in fondo, proprio per riviverla in qualche modo: nell'unico modo col quale essa ormai aveva il coraggio di riviverla. Sentivo per lei ora una grande pietà, la guardavo e le parlavo con tristezza. Ed essa scambiava volentieri questa tristezza per severità.

« Non ti ho mai detto nulla, Harry... perchè dal primo momento che ti ho visto e conosciuto tu sei sempre stato così in alto per me... »

« Jane, non dire così. Se tu sapessi, io sono un peccatore certamente peggiore di te. »

Sorrise. Vidi che non credeva. Dovevo interrom-

perla? Parlare io? Confessare io tutto, sul momento? Deluderla per sempre sul mio conto?

Giuro che tacqui non per me; non per viltà. Ma proprio per lei. In quel momento sentii, con una precisione che, lo ammetto, oggi non sento più, quale fosse il mio dovere. E lo sentii pensando che il maggiore sacrificio lo compivo, ormai, piuttosto tacendo che parlando. Il mio dovere era continuare a fingere, almeno per il momento, di essere, come lei diceva, così in alto.

« Dal primo momento che ti ho conosciuto, Harry, ho visto in te, non so, qualche cosa che mi rimproverava della mia relazione con Aldo, e come un invito, una speranza di liberarmene. Credo che ti ho amato proprio per questo. Perchè tu mi portassi su, su con te, tra i tuoi quadri, i tuoi studi, i tuoi pensieri, dove tutto è bello e puro... »

« Jane, Jane mia cara, bella, dolce... » dissi vinto da un pianto che mi saliva irresistibile dalla coscienza della mia indegnità. E l'abbracciai, e la strinsi a me in un'onda di tenerezza che mi sopraffaceva. Che cos'è questo martirio, pensavo, perchè non possiamo essere angeli e perchè lo desideriamo? Soltanto la morte, sentivo, metterà fine a questo martirio.

Ma è la legge della vita che tutto si paghi; che ad ogni altezza corrisponda una bassezza; che agli affetti più divini si alternino inesorabilmente quelli più bestiali; e che i moti dell'animo più sciolti dal peso della carne esigano un compenso, e tosto evochino gli istinti dai quali credevamo di esserci liberati.

« Conobbi Aldo a Napoli nel febbraio del 1944, » riprese infatti Jane dopo che il nostro lungo tenerissimo abbraccio ebbe fine, ed eravamo di nuovo lontani, lei

all'angolo del divano, io in piedi alla finestra. « Lavoravo nel grande ospedale dei Camaldoli, l'ospedale più spazioso e più moderno di Napoli, che era stato requisito per le Forze Alleate. La guerra, in Italia, era in un momento molto grave. C'era il fronte del Garigliano, e la testa di ponte ad Anzio. Tutti i giorni arrivavano centinaia di feriti. Avevamo molto lavoro.

« Il piazzale davanti all'ospedale... »

Rividi Napoli durante la guerra, ricordai, come in un lampo, mentre Jane parlava, quell'atmosfera particolare, fatta di confusione, di vita, di avventura, una città, un'umanità che già Gobineau chiamò pulviscolo umano, e che in tempi normali è la più vivace del mondo, sconvolta, smossa, fatta frenetica. Rivedevo anche il piazzale dell'ospedale. Uno spettacolo. Formicolio di popolo. Bancarelle di venditori ambulanti. Giostre, tiri a segno. Mendicanti. Sfaccendati e profughi di ogni ceto, di ogni età. Lustrascarpe. Barbieri all'aperto. Bambini dappertutto come mosche. Civili e militari, americani inglesi francesi indiani italiani negri in un guazzabuglio di linguaggio e di gesticolazione. Commercio di scatolette, di sigarette, di donne per i soldati. Mercato nero di tutto, per tutti, fatto da tutti. E i nostri M. P. assolutamente impotenti a mettere sia pure un principio d'ordine, travolti da quel mare umano, che si limitavano a sorvegliare l'abuso più pericoloso, cioè l'eventuale ubriachezza dei G. I.

Senza che lei me ne parlasse, capii anche lo stato d'animo di Jane quando, finito il suo lavoro, usciva sul piazzale e doveva attraversarlo diretta in città, per qualche ora di necessario svago.

Dopo lunghe ore di dura assistenza, dopo la vista

orribile e pietosa delle sofferenze e talvolta della morte, dopo lo strazio delle operazioni, dopo le urla e i gemiti dei feriti, dopo l'odore nauseabondo dei medicinali: l'aria pura, il cielo azzurro, il clima che in febbraio è già primavera, e il sole, il sole di Napoli su tutto.

« Una mattina uscii verso le undici. Ero libera fino alle sei del pomeriggio. Veniva con me Edith, forse la ricordi. Ma era sempre più lunga di me a prepararsi. Da che cosa dipende, alle volte, il destino di tutta una vita! Se non era questo difetto di Edith, non avrei mai incontrato Aldo. Ero impaziente di uscire, volevo respirare aria pura, dissi a Edith che l'aspettavo di sotto sul piazzale, si sbrigasse.

« Una giornata meravigliosa. Ero in giacchetta e gonna, senza impermeabile. Si stava così bene. Mi sentivo forte e felice, avevo voglia di divertirmi, pensavo a Capri. Dalla finestra della mia camera, all'ultimo piano dell'ospedale, avevo contemplato Capri in lontananza, grigia tra mare e cielo, mentre mi vestivo, fino a pochi minuti prima. Non c'ero mai stata. Ma tra un mese, quando ci toccavano le nostre due settimane di riposo, Edith ed io forse ci saremmo andate. Nella domanda bisognava indicare il Rest Camp, e noi naturalmente avevamo scritto Capri. Che cosa avremmo fatto quel giorno? Volevamo andare in città, far colazione in un ristorante lungo il mare, mangiare frutti di mare, poi andare in barca, remare. Passeggiavo avanti e indietro davanti all'ospedale, nel sole, aspettando Edith. Ogni tanto chiudevo gli occhi, sentendo il sole su di me.

« Fra la folla un giovanotto era fermo, nel sole, proprio alla cantonata dell'edificio. Io passeggiavo avanti e indietro, dall'ingresso centrale fino alla cantonata e vi-

ceversa, e ogni volta che arrivavo alla cantonata lo vedevo bene. Ero costretta a guardarlo, e anche lui mi guardava.

« Era alto, molto alto per un italiano, e molto robusto, ma sembrava snello perchè era così alto. I capelli, bruni, corti e ricci. Un viso regolare, dai tratti rotondi e adolescenti, come in certe statue antiche. Gli occhi chiari, gialli sembravano. Le labbra carnose. Mi piacque subito moltissimo. Era vestito bene, troppo bene, come vestono gli italiani poco seri, con un'eleganza accurata, ricercata, quasi femminea.

« Ricordo benissimo che alla terza o alla quarta volta che, passeggiando, mi ero avvicinata a lui, non provai più stizza per il ritardo di Edith. Anzi, guardai l'ora preoccupata perchè adesso, da un momento all'altro, sarebbe giunta davvero. Ma tardava ancora. Ormai, ogni volta che andavo verso il giovanotto, i nostri sguardi non potevano non incontrarsi senza sorriso, lieve il suo, appena percettibile, forse, il mio. Io tornavo, molto sovente, a guardare l'ora, come per far capire al giovanotto che attendevo qualcuno e che il mio sorriso, e il suo, non dovevano alludere ad altro che all'imbarazzo della mia attesa.

« Ma ad un certo momento provai un vivo desiderio di parlare con lui, sia pure per un attimo, e di qualsiasi futile argomento. Andando verso di lui, tirai fuori un pacco di sigarette, ne portai una alle labbra, poi, giunta vicino a lui, gli voltai le spalle e cominciando ad allontanarmi cercai ostentatamente, nella borsetta e nelle tasche della giacca, dei fiammiferi che fingevo di non trovare. Lui mi raggiunse subito, facendosi procedere dalla propria mano sinistra. Una grande mano, con

anello d'oro, braccialetto d'oro, e orologio con cinturino d'oro. Faceva scattare un lighter, mentre mi diceva qualcosa in inglese. »

Non c'è dubbio, dunque. Lo avevo conosciuto anch'io. Era il giovanotto di quella sera in Trastevere. Amico di Dorothea, non poteva essere che lui. Non ricordavo il suo volto; ma la mano, come dimenticarla?

« Parlava inglese con un forte accento italiano, ma abbastanza correntemente. Di che cosa abbiamo parlato? Non so, di nulla, della bella giornata, di Napoli, della guerra, di Capri. Poche parole imbarazzate, e lunghi silenzi. Io cominciavo a sentirmi preoccupata: se qualche superiore, che usciva o entrava dall'ospedale, mi avesse visto con un italiano, e per di più un italiano dall'aspetto così vistoso e così equivoco! Allo stesso tempo, non mi stancavo di guardarlo fissa nei suoi occhi ridenti e gialli, e sapevo benissimo che finchè Edith non fosse sopraggiunta non avrei avuto la forza di staccarmi. »

Tu forse, che sei italiano, ricorderai da italiano l'epoca della liberazione, e perciò anche un aspetto fra i più strani della nostra occupazione: strano per voi italiani, per noi americani così normale che nessuno mai ci faceva caso. Ma tu, certamente, sarai stato colpito osservando che mentre i soldati americani non avevano il minimo scrupolo, e non provavano la minima esitazione a frequentare le ragazze italiane, di ogni categoria e ad ogni scopo, dalla fornicazione più frenetica con le cosiddette « segnorine » alla relazione sentimentale più corretta con le giovani di buona famiglia, le Wacs e tutte le altre donne che servivano nel nostro esercito come infermiere, impiegate, dattilografe, segre-

tarie, ecc. non era neppur pensabile avessero anche soltanto il secondo genere di rapporti con degli italiani. Non parliamo del primo!

Naturalmente, come in tutte le manifestazioni spontanee di una mentalità, in tutti i costumi profondi di un popolo o di un esercito, non v'era nessuna legge che vietasse a una ragazza americana di farsi vedere in pubblico in compagnia di un italiano. Non c'era bisogno di questa legge, perchè il delitto non era neppure un delitto; ma semplicemente un fatto che non accadeva mai, e che non era concepibile accadesse.

A Napoli, a Roma e poi a Milano, andai molte volte ai *parties* delle migliori famiglie, aristocratici sovente imparentati con inglesi o con americani. Si pranzava, si danzava, si passava la serata esattamente come nel salotto più formale e più noioso di Mayfair o dell'East side. Era pieno di ufficiali alleati. Ma una, una che è una delle nostre ragazze, non la vidi mai. Non erano invitate. Il problema non si poneva neppure. Non esisteva.

Non si trattava, insomma, di una teoria. Se tu avesssi accusato una qualunque ragazza dell'esercito americano di evitare gli uomini italiani perchè li considerava dei paria, la ragazza ti avrebbe risposto con una semplice risata o ti avrebbe dato del matto. Esistono alcuni esempi, prima e dopo la guerra, di matrimonio tra ragazze americane e giovani italiani, specialmente se questi sono di buona famiglia. Ma, durante la guerra, nessuno. E, comunque, al paragone, sono numerosissimi, dalla guerra in poi, quelli tra giovani americani e ragazze italiane.

Fu dunque, lo capii subito, il gusto del frutto proibito

che tentava Jane. Anche in questo la sua colpa mi ricordava la mia perchè se i nostri soldati non rischiavano nulla a farsi vedere in giro con le « segnorine », per un ufficiale era un contegno un po' troppo disinvolto, soprattutto se la « segnorina » era tale molto visibilmente, come nel caso di Dorothea. In ogni modo era ammessa la scappata, non una relazione continua.

« Infine, Edith arrivò, molto sorpresa di vedermi con un italiano. Lo salutai più secca, per via di Edith, di quanto avrei voluto. Non gli diedi neppure la mano. Soltanto lo guardai negli occhi, più fissa anche qui, di quanto avrei voluto, ma per opposte ragioni. Nel salutarmi si presentò con un inchino cerimonioso:

« " Gentilini. "

« Me ne andai con Edith, sperando di non vederlo mai più.

« Forse non ero sincera, in questa speranza. Forse quando siamo tentati, e cerchiamo di vincere la tentazione, non siamo mai sinceri. Oh, Harry, io sentivo molto fortemente che quel giovanotto italiano, bello e volgare, mi piaceva per tutto ciò che io più disprezzavo nella vita. Ma, insieme, sentivo che la violenza della tentazione era, appunto, una cosa sola con questo disprezzo. Che cosa dovevo fare?

« Sperai di non vederlo più.

« L'indomani, tuttavia, mentre mi cambiavo per uscire, mi preparai, quasi inconsciamente, un alibi con Edith. Le dissi che appena scese in città avremmo dovuto separarci perchè andavo in chiesa a confessarmi. C'era una chiesa, a Napoli, di Padri Maristi, che sono francesi o comunque parlano francese. Edith non è cattolica: mi avrebbe lasciata sola, e ci saremmo ritrovate

più tardi al ristorante. Avevo sul serio l'intenzione di confessarmi. Il giorno dopo era il primo venerdì del mese e volevo, come al solito, comunicarmi. Ma posso dire sinceramente che, nel profondo della mia coscienza, non riservassi un angolo scuro alla possibilità di un altro colloquio con quel giovane?

« Così fu, infatti. Appena uscimmo sul piazzale, cercai istintivamente, nel sole abbagliante, nella confusione della folla, la figura di Aldo. Lo vidi subito, benchè, scaltro come tutti gli italiani, fosse in vedetta non vicino all'ingresso dove Edith il giorno precedente ci aveva trovati, ma molto lontano, oltre la cantonata dove l'avevo visto prima che si avvicinasse a parlarmi. Anch'egli mi vide subito e lo fece capire non con un cenno di saluto, ma togliendosi la sigaretta di bocca e irrigidendosi verso la nostra parte. Tuttavia anche Edith lo vide subito. Era veramente troppo vistoso. O piaceva anche a lei. Me lo fece notare, e nel tono della sua voce era una punta di malignità:

« " Jane, guarda chi c'è laggiù! Non è quel bell'italiano col quale parlavi ieri? "

« *That handsome italian,* proprio così, disse. E riflettei, spaventata di me stessa, che la malignità di Edith mi feriva ma al tempo stesso solleticava il mio orgoglio. Nel miscuglio degli affetti che mi agitavano, mentre attraversavamo la folla per scendere in città, il più forte era proprio l'orgoglio di aver messo gli occhi su di un uomo così bello, il piacere di sentire il mio stesso desiderio per lui. Questo desiderio era, in me, così forte e così nuovo che, almeno per il momento, sembrava sufficiente, da solo, a riempirmi di gioia.

« Non avevo idee, non avevo progetti in quel mo-

mento. Lo avevo rivisto, un attimo, nella folla, nel sole, di lontano. Mi bastava. Se un Mefistofele mi fosse apparso al fianco, invisibile a Edith, e mi avesse sussurrato in un orecchio: Jane, vuoi che quel giovane ti segua? No, avrei risposto, perchè? sono felice di averlo visto, non voglio altro.

« Ma Mefistofele c'era, oh se c'era, vicino a me quel giorno. Soltanto, era troppo scaltro, anche lui, per mostrarsi. Prese l'aspetto di un venditore ambulante, uno degli innumerevoli venditori ambulanti che gremivano Napoli in quei mesi e sembrava che tutti gli abitanti della città si aggirassero dalla mattina alla sera nelle vie vendendo qualche cosa. Era magrissimo, piccolo, curvo, quasi gobbo, lurido, la barba lunga, le guance incavate e due occhi sfavillanti come diamanti. Aveva tra le mani, non so, non ricordo bene, delle cartoline ricordo o degli amuleti, forse le une e gli altri, tra le mani lunghe, secche e sudice. Allo svolto di un vicolo dove il passaggio era strettissimo, tra casse che ingombravano il selciato da una parte e il banco di un friggitore dall'altra, obbligò Edith e me a fermarci, essendosi piantato in mezzo, davanti a noi. Rifiutammo di comprar nulla, smarrite, e disgustate da quel contatto. Ma siccome insisteva, mi voltai indietro per cercare, istintivamente, un altro passaggio, e nel voltarmi vidi Aldo, lontano, in alto, su una scala di pietra che avevamo sceso anche noi per entrare nel vicolo: il vicolo era in ombra, la scala un taglio di sole: vidi Aldo, un attimo, immobile tra la folla che saliva e scendeva la scala.

« Mi aveva visto. Mi seguiva con grande prudenza. Questa volta mi fece anche un cenno con la mano, che

però, tra il gesticolare della folla, nessuno poteva notare, neppure Edith. La quale del resto non si accorse di nulla perchè occupata a dare qualche soldo al Mefistofele, che ci lasciò passare.

« Il cuore ormai mi batteva. Ero sicura che Aldo mi avrebbe seguita. Ma poteva anche perdermi, tra quella folla fitta, in quel labirinto di vicoli. Speravo e temevo, al tempo stesso, che mi perdesse. Non sapevo che cosa volevo di più, veramente. Ero angosciata. Non mi voltai più indietro. Lasciai al caso, al destino, alla Provvidenza, in quel momento non sapevo più se avevo ancora una fede.

« Quando giunsi davanti alla chiesa salutai in fretta Edith, confermandole l'appuntamento al ristorante del giorno prima. Volevo fare almeno questo: entrare in chiesa prima che Aldo, se ancora mi seguiva, potesse vedere dove entravo. Sapevo che se fosse riuscito ad avvicinarmi, non avrei avuto la forza di non fermarmi a parlare con lui. L'unico atto di cui avevo la forza era questo, sfuggire, sparire, e pregare.

« Salutata Edith, salii di slancio la scalinata della chiesa e nel momento che sollevai la pesante portiera di cuoio guardai di sfuggita indietro. Non c'era. Con un sospiro, di sollievo e di amarezza, entrai.

« La chiesa era molto buia. Andai a una cappella laterale, dove ardeva la lampada del S.S. Sacramento. Non c'era nessuno. Per chiamare il Padre, che venisse a confessare, bisognava andare in sacrestia. Ma avevo bisogno di pregare, prima. M'inginocchiai e pregai disperata Nostro Signore, il Sacro Cuore di Gesù... L'indomani era il Suo giorno; e la Sua immagine, per una coincidenza che mi commosse alle lacrime, era proprio

all'altare davanti a me, dove mi ero inginocchiata. La lampada che ardeva non era elettrica; ma una vera fiamma, che palpitava in un cuore di vetro rosso. E il mio cuore palpitava con quella fiamma, e la preghiera veniva spontanea alle mie labbra:

« " Gesù, " gli dicevo, " Tu che hai tanto sofferto nel Giardino degli Ulivi, Tu sai ciò che io provo, da quando ho visto quel ragazzo. E Tu sai che la mia angoscia non è ridicola. Se raccontassi a Edith ciò che io provo, Edith certamente riderebbe, sarebbe scandalizzata e riderebbe. Ma Tu, o Signore e Dio mio, che hai perdonato alla Maddalena, Tu non ti scandalizzi. Dimmi, o Signore, ciò che debbo fare, se vedo ancora quel ragazzo, se egli mi segue un'altra volta e cerca di parlarmi. Io non lo amo, o Signore, io so che si tratta di una passione vergognosa, bassa, sensuale, come la bellezza di lui, che è pagana e diabolica. Debbo continuare a sfuggirlo? Ma più lo sfuggo, e più lo desidero. Come adesso che sono disperata, disperata e infelice e piena di rimorso per essere entrata di corsa in questa chiesa affinchè lui non mi vedesse più, e forse in questo momento, fuori nella piazzetta qui davanti egli si guarda intorno e mi cerca inutilmente per le strade vicine, non sospettando mai più che io sia entrata in questa chiesa. Ho fatto bene, ho fatto male? Se ho fatto bene, perchè provo rimorso? Perchè la Tua pace non discende su di me? Se ho fatto male, perchè non sono sicura di aver fatto male? Perchè ho dei dubbi, opposti fra di loro? Gesù mio, Signore, Sacro Cuore di Gesù, io confido in Te. "

« Avevo appena finito questa preghiera che sentii di non essere più sola nella cappella. Ero piegata sull'in-

ginocchiatoio, mi stringevo il viso e soffocavo i miei singhiozzi tra le mani, e le mie dita e le palme erano bagnate dalle lacrime. Sollevai appena lo sguardo. Quanto bastò per vedere, a destra, accanto a me e vicinissimo a me, il corpo di Aldo, che riconobbi dalla mano sinistra ingioiellata, la quale si posava in quel momento, lentamente, leggermente, con le punte delle dita, sul bordo dell'inginocchiatoio. Egli era in piedi al mio fianco. Vidi soltanto il suo corpo, più grosso di quello che avrei pensato, e la mano.

« Il piacere che provai fu così forte che per un lungo momento rimasi immobile, il viso tra le mani, come se continuassi a pregare. Ma invece non pensavo neppure. Non facevo nessuna riflessione. Stavo inginocchiata, immobile, gli occhi chiusi, felice, improvvisamente vuotata di tutto. Egli era lì, accanto a me, con il suo corpo: questo mi bastava. »

16

A UN giudice?

Neppure a un testimonio. Jane, senza saperlo, raccontava a un complice.

Quante volte avevo provato le sue stesse angosce. C'era una sola differenza. Io non avevo mai pregato. E che cosa aveva servito, a lei, la preghiera?

Non a placare, bensì a raffinare il tormento. Non a risolvere, bensì a complicare il problema. La preghiera aveva dunque un risultato contrario a quello che, convenzionalmente, ci si attende dalla preghiera.

Ma chi può dire che questo estremo strazio, questa squisitezza del dolore e del piacere non fosse già un risultato? un contrasto più nobile e più vero del mio?

« Rialzai finalmente il viso, » proseguì Jane, « e cominciai ad asciugare le mie lacrime. Non dicevo nulla perchè, ripeto, non pensavo nulla. Non avevo piani, idee, neppure desideri. E credo che se Aldo, anche lui, avesse continuato a tacere, sarei rimasta lì in quella chiesa, inginocchiata, vicina a lui, per chissà quanto tempo. Ma parlò.

« " Piange? " sussurrò. " Perchè piange? Mi rincresce! "

« " Vada via! " Le sue parole erano bastate a rompere l'incanto. Supplicai: " Vada via! Vada via subito, mi lasci sola. "

« " Ma perchè? " e invece di andarsene s'inginocchiò al mio fianco, toccando il mio braccio col suo e sfiorando la mia guancia con la sua. Io guardavo, davanti a me, l'altare. Ma lui guardava me e mi diceva sottovoce: " Perchè vuole che me ne vada, adesso che possiamo parlare in pace? "

« " Siamo in chiesa! Non ha vergogna? Sono venuta qui per pregare! "

« " Vergogna? Di che cosa? Non lo sa che io le voglio bene? "

« " Non dica sciocchezze. Non mi conosce nemmeno. "

« " È necessario conoscere per amare? Lei sa benissimo che non è vero. Io la amo. La amo dal primo momento che l'ho vista. Sono uno studente. Mi vuole sposare? "

« Oh, Harry, tu lo sai come sono questi italiani. Sono sicuri del fatto loro. Guardano negli occhi. E se vedono negli occhi della donna una risposta, un sorriso di simpatia, si credono autorizzati, anzi invitati a continuare. Ma noi, che non diamo eccessiva importanza ai nostri sentimenti personali, e non crediamo di dover seguire senz'altro i moti istintivi del nostro animo, e non siamo abituate a confondere la sincerità con l'innocenza, noi allora siamo prese alla sprovvista.

« A quell'assurda proposta, avrei dovuto sorridere. Fui turbata, invece. Naturalmente, non ero stupida.

Capii subito che quel giovanotto parlava di matrimonio soltanto per impressionarmi favorevolmente, per convincermi senz'altro della serietà della sua passione, e ottenere così da me un favore più immediato. E se, per un caso altrettanto assurdo della proposta, io avessi acconsentito a sposarlo, egli non avrebbe avuto nulla da perdere. Avrebbe, come dicono loro, *fatto il colpo*.[1] Ma fui così turbata che, trascurando queste considerazioni, pensai davvero alla possibilità, alla realtà della cosa. Sposare quell'italiano volgare ed effeminato? Era come se avessi dato l'anima al diavolo, per tutta la vita.

« Mi accorsi che ero tentata, disperatamente tentata di dire di sì, sorprendendo lo stesso giovane. Lui era lì, sorridente, tranquillo. Io avevo dentro l'inferno.

« Mi levai di scatto, terrorizzata. Non c'era che fuggire.

« " Arrivederci, " dissi, e mi avviai, di corsa, all'uscita.

« Mi raggiunse in mezzo alla chiesa, mi prese per un braccio, mi fermò. Avrei voluto svincolarmi; ma due vecchiette erano lì e ci guardavano; e non osai. E la presa, il contatto della sua mano aveva avuto il potere istantaneo di indebolire la mia volontà.

« " Di qui, " fece lui gentilmente accompagnandomi, invece che alla porta centrale donde ero entrata e dove ero diretta, a un'uscita laterale. E prima di sollevare il tendone che chiudeva la bussola, si accostava alla pila, mi offriva l'acqua benedetta.

« Lo guardai sbalordita, esitando come di fronte a un sacrilegio, come se vedessi il demonio in persona offrirmi l'acqua benedetta. Ma la sua espressione, in

---

[1] In italiano nel testo (Nota del traduttore).

quell'atto, era così semplice, compunta, quasi infantile! Sfiorai i suoi polpastrelli inumiditi, mi volsi all'altare segnandomi, uscii.

« Nella bussola buia, mentre egli, alle mie spalle, lasciava ricadere la portiera, io facevo per aprire l'uscio che dava sulla strada. Ma era chiuso con un grosso catenaccio. Prima ancora che potessi tentare di aprire, egli mi fu vicino, mi abbracciò, mi strinse a sè con forza, e cominciò a baciarmi.

« Non ero una donna vissuta. I miei flirts si contavano sulle dita di una mano.

« Comunque, fu una cosa completamente diversa da tutto quello che avevo avuto fino allora. Non avevo mai pensato che si potesse baciare così. Di colpo, scoprii che fino a quel momento ero stata una ragazzina. Baciare, mi dissi, era dunque una cosa dura, una cosa forte e selvaggia. La testa girava; sembrava di svenire; il mondo intorno, Edith le amiche la mamma la casa la guerra le idee i gusti, tutto ciò con cui ero vissuta fino a quel momento, tutto crollava, cancellato dalla mia coscienza, non esisteva più. Esisteva soltanto il gusto particolare di quella bocca, ricco di infinite variazioni continuamente diverse, precise e logiche come altrettanti concetti che però non avessero bisogno della parola per esprimersi e trovassero nella sensazione, ciascuno, il suo significato. Gli animali, credo, devono pensare così. »

« Jane, » le dissi a questo punto con amarezza pensando ai baci di Dora, « Jane, perchè non hai sposato lui invece di me? Credo che il tuo dovere era di sposare proprio lui. »

Sollevò lo sguardo verso di me, forse per la prima

volta da quando parlava; e sembrò vedermi ancora attraverso la lontananza in cui il ricordo l'aveva portata.

« Il mio dovere? Forse... » rispose, e c'era, nel tono della sua voce, un'amarezza più profonda della mia, il rimorso di un'occasione perduta per sempre, la memoria di una viltà fatale. « Ma che fosse il mio dovere, allora non lo vedevo, tutto al contrario. Il mio dovere... Forse hai ragione, Harry: soltanto, la tua espressione è sbagliata, » e concluse con il barlume di un sorriso, che era ancora più disperato della tristezza che l'aveva dominata fino allora. « Bisognerebbe dire: il mio dovere era di non fare il mio dovere. »

« Proprio così, Jane. »

« Ma come potevo saperlo, allora? Se non avessi mai visto Aldo, e una mia amica mi avesse lodato la sua bellezza e me lo avesse descritto minuziosamente, non avrei provato che disgusto e repulsione; infatti, se ci riflettevo un istante, egli sembrava riunire in sè tutto quanto ho più aborrito nella vita, fino dalla mia infanzia. Era italiano, e pur amando l'Italia non ho mai avuto nessuna stima e nessuna simpatia per gli uomini italiani. Era bello, e sono sempre stata fredda alla bellezza dei ragazzi: fino dal collegio portata per i miei compagni intelligenti, non per quelli belli. Era volgare, e il più lieve sospetto di volgarità era sempre stato sufficiente a distruggere, per me, il fascino di qualunque uomo. Quando si parla del *coup de foudre* si dice di solito che esso non è che il risultato di una lunga attesa; e che esso si verifica quando il caso ci fa incontrare, improvvisamente, una creatura che risponde ai nostri gusti, alla nostra cultura, alla nostra educazione, o che, si dice perfino questo, assomiglia a nostro padre o a qual-

cuno che abbiamo amato durante la nostra infanzia: una apparizione, insomma, alla quale eravamo preparate.

« Niente di più falso, per me. O, se credi, niente di più vero, ma soltanto se rovesciato. Aldo era esattamente il contrario di tutto quanto avevo amato e sognato. Tu lo sai, Harry, io ho sempre odiato i gioielli alle mani. Non dico alle mani degli uomini; ma anche alle mie. Prima che tu mi avessi regalato questo, lo sai bene, non avevo mai portato braccialetti. Perfino l'orologio da polso mi dà fastidio, lo sai. Molte volte lo porto nella borsetta. Perfino la fede, i primi tempi, ricordi? non mi ci potevo abituare. Quei cinturini di metallo per l'orologio, quei braccialetti a targhetta con il nome, che con la guerra diventarono così di moda fra i nostri soldati, e tutti, indistintamente tutti li portavano, mi hanno sempre, non so perchè, fatto ribrezzo.

« Ebbene, la sua mano sinistra... Come posso spiegarti? Era un feticismo, un'ossessione, una follia. Non potei mai guardarla senza turbamento. E quando egli disparve dalla mia vita, era la cosa di lui che più ricordavo.

« Volevo andare da uno psicanalista. Il Père de Lalande mi disse che era inutile, era peggio. Il demonio, quando riesce a tentarci così, nella carne, nei nervi, contro ogni argomento della nostra ragione, non lo si vince neanche più con la preghiera; ma soltanto cercando di pensare ad altro, distraendoci. Il Père de Lalande mi consigliò di non pregare. Perchè pregando, mi disse, continuavo, senza volerlo, a pensare ancora più fortemente alla tentazione.

« Proprio ciò che, vedendo chiaro grazie all'estremità della mia stessa angoscia, capii da sola quel giorno,

mentre lui mi baciava e mi stringeva a sè da soffocarmi, nell'oscurità della bussola. A un certo momento mi sentii perduta. Il demonio in persona mi stava abbracciando e baciando, per trascinarmi nell'inferno. Dovevo fare qualche cosa, pur di fuggire. Capii che una reazione violenta, ormai, avrebbe avuto l'effetto opposto, mi avrebbe legata per sempre a lui. Usai l'astuzia, la soavità: non soltanto con lui, ma con me stessa. Se mi sciolgo da questo abbraccio, pensai, e fuggo, e gli dico che non lo voglio vedere mai più, so benissimo che il giorno dopo soffrirò talmente per la mia risoluzione, e la tentazione sarà così forte, che non potrò vincerla. E lo cercherò tra la folla all'uscita del piazzale, e farò in modo di trovarmi di nuovo con lui. Usai l'astuzia.

« " Ascolta, " gli dissi sciogliendomi dalle sue braccia adagio, carezzevolmente, così che egli non cercò di trattenermi, " ascolta. Qui a Napoli è molto difficile che ci possiamo vedere. Sono sempre con la mia amica, come hai visto ieri e oggi. E lei non deve assolutamente accorgersi di nulla. Non capirebbe. Del resto, sono molto occupata all'ospedale. Ma tra un mese avrò quindici giorni di riposo... "

« " Tra un mese! Tra un mese sarà finita la guerra! " sussurrò rattristato. " E tu, se non mi vuoi sposare, ripartirai per l'America! Io ti amo e sono pronto a sposarti. Ma capisco benissimo che tu, prima di accettarmi, devi conoscermi. E come puoi conoscermi se non stiamo un poco insieme? Tra un mese! "

« " No, " dissi, " la guerra non sarà ancora finita. Durerà ancora chissà quanto. Tra un mese avrò quindici giorni di riposo, e andrò a Capri... Non potresti venire a Capri? Là c'è più libertà, ci potremmo forse vedere... "

« Sorrise felice. Gli chiesi perchè.

« " Perchè io non sto a Napoli, " disse. " Sto a Capri. Lavoro all'O.S.S. come interprete, col colonnello Livingston. Vengo a Napoli quasi tutti i giorni. Ma sto a Capri. Domani mi daranno la divisa. "

« Uscimmo dalla bussola, riattraversammo la chiesa fino all'ingresso principale camminando adagio. Lui mi dava il braccio. Questa coincidenza di Capri avrebbe dovuto placarmi, invece tornava, seppur lievemente, ad agitarmi. Volevo lasciarlo con la possibilità, con la speranza di rivederlo; non con la certezza. Tanto è vero che mentre gli avevo detto che Edith era il principale impedimento perchè continuassimo a vederci a Napoli, gli avevo taciuto che essa sarebbe venuta con me anche a Capri. Trovai pace nel pensiero che, dopo tutto, nessuno mi obbligava ad andare a Capri. Tra un mese, se, come speravo in quel momento, la tentazione sarebbe passata, avrei potuto scegliere qualche altro posto. »

« Invece, poi... »

« Sono andata a Capri proprio perchè credevo di avere vinto la tentazione. Non lo avevo più visto, da quel giorno. Non era più venuto sul piazzale. In pochi giorni, riuscii a non pensarci più, quasi a dimenticarlo. Mi dissi che avevo avuto come un momento di follia. E partii, con Edith, senza esitare, sicura di me stessa. Il Père de Lalande dice che è stato il demonio a darmi questa calma, questa sicurezza, perfino questa dimenticanza dell'aspetto che mi aveva tentato. Il demonio sapeva che l'unico modo per farmi andare certamente a Capri era questo: togliermi ogni paura del male, persuadermi addirittura di non ricordarne più la dolcezza... Lo strano, osservai al Père de Lalande, è che Aldo lui

stesso non si sia fatto più vedere, come se lo avesse saputo, come se fosse stato d'accordo col diavolo. Invece, anche questo era un caso. Il colonnello Livingston, improvvisamente, era stato trasferito, e il nuovo superiore lasciava Capri più di rado e quando lo faceva non si portava dietro l'interprete.

« Presi il battello con Edith una mattina di marzo. Il mio cuore era leggero. Ti giuro che avevo dimenticato tutto. Godevo del mare, del sole, dell'aria pura, chiacchieravo con Edith, discutevamo che cosa avremmo fatto a Capri quei quindici giorni. Edith voleva dipingere e s'era portata la cassetta dei colori. Io mi ero portata tanti libri, volevo star sdraiata al sole lunghe ore e prendere la tinta. Parlavamo dell'acqua, se sarebbe stata abbastanza tepida da poter fare i bagni. Basta, non pensavo a niente altro. A un certo momento entrammo nella cabina perchè ci accorgemmo di avere freddo e fame. Seguitammo a chiacchierare a un tavolo del bar, mangiando sandwiches e bevendo vermouth. D'un tratto, udimmo il battello che rallentava e guardammo fuori.

« L'isola era davanti a noi, enorme, altissima, controluce, visione inattesa e sgradevole.

« Provai una stretta al cuore. In quelle linee contorte, in quella forma bizzarra, convulsa e senza colori, sentivo qualche cosa di sinistro e di ostile. Ed ecco, Aldo mi era apparso. Dopo un mese che non me lo figuravo più, mi era apparso, ora, sullo sfondo freddo e cupo dell'isola. Lo rivedevo nella precisione dei suoi tratti, del suo sguardo, del suo corpo, e di tutto quello che credevo di avere dimenticato.

« Aldo è lassù, mi dissi guardando verso le alte rocce

e le piccole case sparse qua e là. Aldo è lassù, e io, di nascosto da Edith e, fino a quel momento, da me stessa, io vado da lui.

« Lo vidi in piazza, la sera di quello stesso giorno. Vestito in divisa americana, come mi aveva annunciato e al pari di molti italiani che lavoravano nei nostri uffici. Tuttavia, appena mi vide, fu saggiamente discreto. Ero con Edith, seduta al caffè. E lui al caffè di fronte, insieme ad alcuni nostri ufficiali. Appena mi vide, e fu sicuro che io l'avessi visto, si mise gli occhiali da sole, forse per poter guardare liberamente dalla mia parte, forse perchè così c'era minore rischio che Edith lo riconoscesse. Gli fui grata della sua prudenza. Ma se volevo trovarmi con lui, come fare? E poi, volevo?

« Ero combattuta, divisa tra il desiderio e la paura. Paura di non riuscire a trovarmi con lui senza che Edith lo sapesse, senza che nessun americano ci vedesse; e paura di far male. La prima paura aiutava la seconda. La difficoltà, l'impossibilità, quasi, di trovarmi con lui mi persuadeva a credere che, in ogni modo, avrei commesso un peccato molto grave.

« Edith, per fortuna, gli volgeva le spalle e non poteva accorgersi di nulla. Avevo messo anch'io gli occhiali da sole. E mi contentai, quella sera, di guardarlo laggiù, ai tavolini del caffè di fronte; di osservare, anche così di lontano, ogni suo gesto; di godere al pensiero che eravamo tutti e due sull'isola e che domani, dopodomani, uno di questi giorni, si sarebbe forse presentata l'occasione naturalmente favorevole ad un incontro.

« A un certo momento Edith guardò l'ora, disse che dovevamo andarcene. Alloggiavamo ad Anacapri, nella

pensione di una signora danese. La pensione era deserta, c'eravamo soltanto noi due. Ma la signora ci aveva ripetutamente raccomandato di essere puntuali al pranzo; e la corriera partiva di lì a pochi minuti.

« Per raggiungere la corriera, che era in fondo alla piazza, oltre la chiesa, dovevamo passare proprio davanti ad Aldo. Temevo che Edith lo vedesse. Ma anche, volevo prolungare fino all'ultimo il piacere che provavo a guardarlo. Dissi a Edith che non avevo fame; che si stava così bene lì a quel caffè, in quell'arietta fresca, col nostro martini davanti; che da più di un anno vivevamo assillate dall'orario: adesso eravamo in riposo, la danese si sarebbe inquietata, non importa, in caso avremmo preso una macchina. Edith, ridendo, si arrese. Ma, proprio in quel momento, vidi gli ufficiali che erano con Aldo alzarsi e avviarsi, e con loro, naturalmente, anche lui. Restò l'ultimo, e guardava insistentemente dalla mia parte, fino a quando scomparve nel sottoportico di Tragara.

« Tornai l'indomani. Prendemmo l'abitudine di venire ogni giorno due volte in quel caffè a prendere l'aperitivo, a mezzogiorno e la sera. E vedevo, ogni volta, Aldo; ed egli ogni volta mi vedeva. Ma così non poteva durare. Un'ansia, una smania rapidamente era cresciuta dentro di me, fino a togliermi il sonno, l'appetito, qualunque piacere di quel soggiorno. Ero pallida, ero brutta. Edith, preoccupata, mi domandò che cosa avessi. Le dissi che non mi sentivo bene: forse era il vitto della danese che non mi andava. Infine, un giorno, mi accorsi improvvisamente che era già passata una settimana dal nostro arrivo a Capri. Un'altra settimana, e saremmo dovute ripartire. Ero al solito caffè, quando ebbi questo pensiero. E Aldo era lì, al suo posto. Mi

alzai, come spinta da una molla, prima ancora di pensare che cosa avrei fatto. Ero decisa a parlargli.

« Edith che leggeva, nel sole, mi domandò dove andavo. Trovai una scusa, non ricordo più bene... Ah sì, avevo visto in un negozietto, in un vicolo, un paio di sandali che volevo comprare. Mentre dicevo, tremai all'idea che lei si alzasse per accompagnarmi. Ma non si mosse. Continuò a leggere. Il destino era dunque dalla mia parte!

« Rincuorata, attraversai la piazza, verso il caffè dove era seduto Aldo. Mentre camminavo diritta verso di lui (avevamo tutti e due, sempre, gli occhiali da sole) lo fissavo, e anche lui mi fissava. Gli passai vicinissima seguitando a fissarlo, quasi lo sfiorai. Raggiunsi il vicolo che fiancheggia la chiesa, mi voltai un istante, vidi che Aldo stava alzandosi, aveva capito.

« Rapida, quasi correndo, m'inoltrai su per il vicolo, e quando arrivai dove non si poteva più essere visti dalla piazza, mi fermai. Dopo un secondo Aldo era lì, mi teneva fra le braccia. Non c'era nessuno, per fortuna. Ma mi staccai da lui con violenza e ripresi a camminare, cominciando a spiegargli come avrebbe dovuto fare per vedermi. »

« Avevi già pensato tutto, naturalmente! » osservai a Jane, con sarcasmo quasi involontario.

« Sì, Harry, ma come per gioco, » spiegò lei, pronta, sincera.

« Gioco pericoloso! » queste espressioni ironiche mi venivano senza volerle.

« Devi credermi, Harry! »

« Ti credo, ti credo. » Infatti credevo, e credo tut-

tora, che fosse sincera. Ma aggiunsi: « E questo che cosa cambia? »

« Cambia che tutto sembrava succedere naturalmente, indipendentemente dalla mia volontà. So benissimo che sono colpevole lo stesso. Non cerco scuse, Harry. Voglio, soltanto, dirti come andavano le cose, nella loro verità.

« Avevo pensato tutto, fantasticato per filo e per segno la notte, nella mia stanza ad Anacapri. Sentivo il vento tra gli ulivi, aprivo la finestra, uscivo sul terrazzino, guardavo il bosco di ulivi che circondava e stringeva da presso la casa, e la grossa bouganvillea che si arrampicava coi suoi fiori violetti fino al mio terrazzino, guardavo la notte, il cielo stellato, nel profondo buio del mare le luci delle barche: e quell'idea fissa non mi lasciava dormire. Avevo pensato tutto come se potesse accadere; ma credendo, fermamente, che non sarebbe mai accaduto.

« Ora, nel vicolo, non avevo il tempo di modificare quel piano. Anche se non era il migliore, non avevo il tempo d'immaginarmene un altro. Lo comunicai ad Aldo. Poi, pregandolo di tardare a seguirmi, e se, possibile, di tornare in piazza passando da un'altra parte:

« " A questa notte! " gli dissi, e me ne andai di corsa.

« " I sandali? " mi chiese Edith vedendomi.

« " Non c'erano della mia misura. "

« Aldo doveva venire quella notte, dopo mezzanotte, appena il colonnello, che si ritirava alle ore più diverse e qualche volta anche molto tardi, gli avesse dato libertà. La danese andava a letto verso le dieci. Edith, per fortuna, aveva una passione per dormire e anche quella volta non si fece pregare. Alle dieci e mezzo io ero già chiusa nella mia stanza. Comunicava con la

sala da bagno; ma il bagno, per un'altra porta, comunicava con la stanza di Edith. Le chiavi, grazie al cielo, funzionavano tutte.

« Gli avevo detto di prendere una macchina. Prima di mezzanotte e mezza non poteva essere da me. Cercai di far passare il tempo scrivendo una lettera a casa, leggendo un libro, una rivista. Era impossibile. Mi sentivo così agitata come non ero mai stata nella mia vita. Cercavo di distrarmi. Ma potevo fermare il pensiero soltanto nel fantasticare sul mio incontro con Aldo, che sarebbe avvenuto di lì a due, a tre ore, in ogni modo quella stessa notte. Ben presto, credo che entrai in uno stato d'animo simile alla follia. Andavo avanti e indietro nella stanza, a piedi scalzi per non far rumore. Mi guardavo continuamente allo specchio, mi pettinavo e spettinavo e ripettinavo. Il respiro sembrava mancarmi. Aprivo la finestra, uscivo sul terrazzino, rientravo. Era una sensazione che non avevo mai provato, di sofferenza acuta, fisica, e mescolata a una grande gioia ma così profondamente e inestricabilmente che questa gioia, che pure sentivo, non mi dava nessuna pace.

« A un certo momento provai il bisogno di piangere forte, di urlare. Era come uno spasimo. Temetti di non poterlo vincere. Mi lasciai guidare dall'istinto. Feci quello che il mio corpo mi comandava. Mi denudai, mi stesi per terra, cominciai a contorcermi come un animale. Infine giacqui, bocconi, sulle mattonelle lisce e fredde, perfettamente immobile: soltanto che avevo preso l'orologio e lo avevo messo davanti a me, per terra, e mentre stavo così, senza il più piccolo moto, fissavo il quadrante. Era il mio piccolo orologio, quello che ho ancora adesso. Non c'è la lancetta dei secondi.

Anche per l'orologio, perciò, il tempo stesso sembrava che si fosse fermato. Mettiamo che fossero state le undici e mezza. Al pensiero che egli poteva ritardare anche fino alle due e più in là, mi pareva che non avrei mai avuto la forza di attendere fino a quell'ora.

« I miei occhi si sforzavano di avvertire sul piccolo quadrante, nella semioscurità della stanza (avevo coperto con una sciarpa la luce accanto al letto) il progresso delle lancette. E questo progresso avveniva ma con una lentezza smisurata e torturante: come se avesse bisogno di strappare proprio a me un secondo dopo l'altro, dilaniandomi pezzetto per pezzetto nel mio desiderio, straziandomi, stirandomi, allontanandomi sempre più dall'oggetto del desiderio. Allontanandomi? Sì, come spiegarti? Il desiderio s'ingrandiva molto più rapidamente di quanto rimpicciolisse il tempo che mi restava da attendere. Dopo un quarto d'ora che ero stesa bocconi, un'ora e tre quarti mi parve un tempo infinitamente più lungo di quello che mi fossero parse due ore un quarto d'ora prima.

« Se ripenso, oggi, a quella notte terribile, sono convinta che fu una malattia. Quel ragazzo, qualunque attrattiva potesse avere, non giustificava in nessun modo lo stato d'animo in cui mi trovavo. La pazzia era in me, tutta mia. Come quando leggiamo sul giornale che un contadino una notte uccide con l'ascia la moglie e i figli che pure aveva sempre mostrato di amare. Per questo, vedi, Harry, sento di poterti dire tutto. È come se ti parlassi di un'altra persona. Ero un'altra persona. Perchè, altrimenti, avrei scelto un uomo che disprezzavo? »

Non dissi nulla. Pensavo a me e a Dora, e sapevo che

Jane sbagliava. Non che mentisse. Credeva di dire la verità. Ma ormai io sapevo che talvolta la nostra natura cerca nell'amore proprio la negazione, l'annullamento di se stessa. E non è malattia. È, anzi, un compenso, una volontà di capire tutta quella parte di realtà che di solito rifiutiamo, un desiderio di essere come gli altri, un bisogno di normalità.

« Non ricordo più a quali altre follie mi sia abbandonata mentre aspettavo. Ricordo soltanto che più il tempo passava più soffrivo. Quella gioia, che in principio era confusa al tormento, gradatamente diminuì fino a mancare del tutto. Verso l'una cominciai addirittura a sperare ch'egli non venisse più: solamente avrei voluto esserne avvertita. Era un'agonia. Supplicavo che finisse, comunque.

« Dalla mezza ero in piedi, fuori sul terrazzino, addossata al muro, in un angolo donde potevo vedere il cancelletto d'ingresso. Non ci voleva chiave. Bastava spingerlo. Gli avevo spiegato tutto. Fissavo, in fondo al viale di aranci, questo cancelletto. Lo fissavo senza tregua, che i muscoli del collo e del viso mi dolevano: come se dipendesse da me; come se, continuando così a fissarlo, con l'ostinazione, con la forza del mio sguardo, vi avessi potuto fare apparire da un momento all'altro la figura di Aldo.

« Ecco, mi dissi più volte, ecco, ora conto fino a nove: e dopo il nove egli apparirà. Contavo. Ero sicura. Contavo. Mentre contavo, rallentavo man mano. Ma ero sicura. Giungevo a sette. A otto.

« A nove. Nulla era accaduto. Un vento caldo, a folate, soffiava sugli ulivi. Non si udiva alcun altro rumore. La danese e la donna di servizio dormivano dalla

parte opposta della casa. Edith sul lato che faceva angolo con la mia camera; e neanche lei, se fosse stata sveglia, avrebbe potuto udire aprirsi il cancelletto, nè camminare qualcuno sulla ghiaia del viale.

« Non guardavo se si vedevan le stelle. Non guardavo verso il mare, nè le luci delle barche, come le altre notti, quando pensavo, solamente pensavo, a lui. Ora guardavo fisso il cancelletto. E non pensavo neanche più a lui. Pensavo a quello che guardavo: al cancelletto. Come il giocatore che ha giocato tutto su un solo numero guarda soltanto la roulette e dove si ferma la pallina, senza mai pensare al denaro che pur desidera vincere. Ero pazza, Harry. Non credi anche tu che ero pazza? »

« Sì, lo so, Jane, » dissi senza volerlo. « Ti capisco. Anch'io ho provato qualche cosa di simile. »

« Non puoi aver provato! » fece lei, quasi con un grido. Vidi, ancora una volta, che una mia confessione, quella sera, non era possibile. Forse non ci avrebbe neppure creduto. Avrebbe creduto che io inventassi, per pietà di lei. Era come affascinata dalla propria colpa. Voleva, ad ogni costo, aver peccato. Come se, con l'andar del tempo, fosse giunta al punto di dubitare della realtà dei propri ricordi.

« A un tratto udii un passo, » riprese. « Lontano, leggero, sul cemento della stradina che scende da Anacapri, tra ville e giardini, fino lì. Sembrava un passo di piedi scalzi, di qualcuno del paese.

« Trattenni il fiato, sempre fissando il cancelletto. E se era lui, e sbagliava, e continuava a scendere? Gli avevo spiegato bene. Ma la stradina continuava. C'erano altre ville, più giù, altri giardini, altri cancelletti.

Il passo si avvicinava, lesto, leggero. Non poteva essere lui. Mi rassegnai, già prima. Forse era qualche pescatore, che scendeva giù al mare, a ritirare le reti. Non poteva essere lui.

« Una figura, un attimo, passò dietro il cancelletto. Era una ragazza. Come la odiai! Mi accorsi che, inconsciamente, avevo sperato fosse lui. Se avessi potuto ucciderla! Tornava certo da un convegno d'amore, o vi andava. Anche per questo, come la odiai. Il passo si allontanava, ora correva. Udii infine, forse era alla villa di sotto, cigolare un cancello. Tornò il silenzio. E, a quando a quando, il soffio del vento, lo stormire degli ulivi.

« Quanto tempo ancora rimasi lì, diritta, appoggiata al muro scabro di cui la mia schiena ormai conosceva ogni ruga, ogni asperità? Che ora era, ormai?

« Non avevo preso l'orologio con me. Avevo commesso l'errore di uscire di scatto sul terrazzino, senza pensarci. Adesso, mi pareva impossibile rientrare, abbandonare, fosse pure per un attimo, il mio posto di osservazione.

« Il cancelletto era là, bianco tra il fogliame nero degli aranci. »

17

PERÒ non la fece attendere invano. E tornò le notti successive, tutte le notti della settimana che Jane si fermò ancora a Capri. Arrivava verso l'una, si arrampicava sulla bouganvillea, andava via prima che facesse giorno.

Nè la padrona della pensione nè Edith se ne accorsero. Jane ebbe paura una volta sola. Una notte, le disse che il giorno dopo sarebbe stato libero: il colonnello andava a Napoli e non c'era lavoro. Propose a Jane di trovarsi a una data ora in un punto deserto, oltre la Marina Piccola; sarebbe venuto a prenderla con la barca; se la giornata era bella, com'era probabile che fosse, avrebbero fatto il bagno insieme. Jane rifiutò. Lui, quando cominciò ad albeggiare ed era il momento di andar via, si buttò sul letto, deciso a restare e a dormire. Jane spaventata, arrabbiata, si era opposta; ma aveva dovuto cedere, e tenerlo tutto il giorno, fino alla notte seguente, nascosto in camera.

Si era chiusa dentro a chiave. Il difficile fu di non

lasciare entrare mai nè Edith nè la cameriera. Accusò un forte mal di testa; disse che aveva bisogno di riposo, che non voleva vedere nessuno. Edith, una delle molte volte che era venuta a bussare, le aveva persino chiesto se ci fosse qualcuno nella camera, le era parso di sentir parlare.

Jane aveva atteso che Edith andasse a Capri, e poi era uscita, richiudendo a chiave, ed era corsa giù in cucina a prendere dei sandwiches e da bere.

Al ritorno da Capri, nuovamente Edith aveva bussato alla porta. Trovava molto strano che Jane non la facesse entrare. Era preoccupata. Finalmente il sole calò, venne la notte, e appena possibile lui se n'era andato.

Jane credette di dovermi informare di questo episodio, che era piuttosto comico, solamente per una ragione: e cioè che Edith ebbe un sospetto, e questo sospetto una conseguenza molto grave.

Molto più grave di quanto essa stessa credeva! Se non era per quel sospetto di Edith, io non avrei conosciuto Dorothea.

L'ultima notte, Jane pensò che sarebbe stato imprudente, dopo ciò che era successo, non accettare di andare con Edith a un party di certi ufficiali loro conoscenti.

Lo salutò dunque la penultima notte. E alle insistenti richieste del ragazzo, che si diceva innamoratissimo e sempre pronto a sposarla, aveva risposto che acconsentiva a rivederlo, ma soltanto a Roma. Si sapeva che la liberazione di Roma era vicina. E che l'ospedale vi sarebbe stato trasferito subito. Jane gli disse di scriverle, una volta a Roma, e gli diede l'indirizzo militare dell'ospedale. Quindi si salutarono.

Jane capiva di aver commesso una debolezza, a dare l'indirizzo. Ma in quel momento, mi assicurò, era guarita. Non vedeva l'ora di partire da Capri, e che tutto finisse. Gli aveva dato l'indirizzo come il solo mezzo perchè lui non la importunasse. Temeva, altrimenti, che sarebbe venuto a cercarla ai Camaldoli.

L'addio fu, da parte di Jane, freddo, disincantato. Quando finalmente lo vide allontanarsi per l'ultima volta nel viale, uscire dal cancelletto, sparire, essa tirò un gran sospiro di sollievo.

Passò l'ultimo giorno con Edith, e la sera andò con lei al party. Pranzarono in una trattoria con gli ufficiali che le avevano invitate e poi, com'è costume, questi le condussero in giro nelle case di alcuni loro amici, a far visita, bere un whisky, danzare. Jane era contenta di trovarsi di nuovo tra noi. Sentiva, per reazione forse, o forse proprio perchè le notti che aveva passato con l'italiano l'avevano persuasa che i suoi gusti e le sue preferenze non erano mutati, il bisogno e la speranza d'incontrare un americano che le piacesse in un altro modo: nel modo in cui, di lì a un mese o poco più, le piacqui io quando m'incontrò a Roma.

Verso la mezzanotte capitarono in una villa sontuosa a Tragara. Era appena entrata, nell'euforia del whisky e della compagnia, che in fondo a un corridoio, attraverso una fuga di porte aperte, vide, nel biancore di una cucina, Aldo che, togliendo il ghiaccio da un frigidaire, preparava i drinks. Era capitata in casa del colonnello. Anche Aldo la vide subito ma non la salutò e continuò il suo lavoro. Jane era certa che non si sarebbe fatto accorgere di nulla. Ma, e Edith?

Subito dopo, nel salone, Jane cercò istintivamente di

volgere le spalle alla porta del corridoio. Edith, invece, vi stava di fronte.

L'ingresso di Aldo coi drinks, Jane lo vide, così, sul volto di Edith: la quale trasalì, le si avvicinò, le strinse forte il braccio, le sussurrò in un orecchio:

« Jane, il tuo amico di Napoli! »

« Che amico?! » fece Jane.

« Ma sì, guarda, *that handsome italian*! »

Jane guardò e, prima di poter riflettere se fosse cosa saggia, negò. No, Edith sbagliava. Assomigliava. Assomigliava molto. Ma non era lui.

Edith insistette, sicura. Jane non si diede per vinta; ma più tardi, nel corso della serata, trovandosi lei e l'amica distanziate, una in un gruppo e l'altra in un altro, si accorse improvvisamente che lo sguardo di Edith si era posato su di lei: e non era uno sguardo benevolo, anzi! era uno sguardo sorpreso, offeso, e indagatore.

Aldo si aggirava nel salone soltanto per portare nuove bottiglie, bicchieri, ghiaccio o per sbarazzare dai bicchieri usati. Non partecipava in nessun modo alla conversazione, non era presentato, e tornava ogni volta in cucina. Faceva il cameriere, insomma, anche se ufficialmente le sue incombenze erano quelle di interprete.

Non levò mai gli occhi su Jane. Non le fece il più piccolo segno. Jane, naturalmente, e soprattutto dopo aver scoperto, in quello sguardo, il sospetto e la segreta ostilità di Edith, era angosciata. Venne finalmente l'ora di andare via. Mentre uscivano nel giardino, Edith le si accostò. Guardò indietro verso la villa e le disse sottovoce:

« Non capisco perchè vuoi negare l'evidenza. »

« Va', » le aveva risposto allora Jane con una certa stizza, « va' a chiederglielo tu stessa. Vedrai. »

Era sicura che Aldo, ormai, sarebbe stato al gioco. Fu Edith a non starci. Non domandò nulla ad Aldo, e non parlò più della cosa. Tuttavia, da quel momento, Jane capì che non poteva più contare sulla sua amica.

Circa un mese dopo, Roma fu liberata. Appena vi giunse, Jane ricevette la lettera di Aldo. Le dava un appuntamento, sulla terrazza del Pincio, di giorno. Jane andò, trascurando per una volta ogni prudenza. Lontana da Aldo, era stata ripresa a poco a poco dal bisogno di lui, dalla follia, dalla malattia. Questi alterni stati di animo, diceva Jane, gli psicanalisti li chiamano *cicli*.

Malattia? No. Ma capivo così bene! Anche se in una donna il fatto, per le sue conseguenze fisiologiche e sociali, è più grave, come avrei potuto non perdonarle?

Capitò che Edith passò in carrozzella per il Pincio, e la vide con Aldo. Questa volta non c'erano dubbi. Jane immaginò una spiegazione: avrebbe detto a Edith di aver incontrato al Pincio il giovanotto di Capri, non quello di Napoli. Ma in quel momento erano a braccetto. La spiegazione non era molto credibile.

Edith la sorprese. La sera, quando si videro, non le disse nulla; nè dopo mai. Cominciò a trattarla, da quella sera, con una lieve freddezza e, ogni tanto, a darle quelle occhiate strane, dove Jane vedeva, oltre all'indignazione e al rimprovero, e al pregiudizio puritano e anglosassone, anche una inconscia invidia.

Qualche settimana dopo, Jane fu certa di essere rimasta incinta. Nonostante la repugnanza, l'orrore e una ideologia profondamente contraria, non pensò neppure per un istante di non liberarsi. Ma l'unica persona alla

quale avrebbe potuto rivolgersi era un medico militare del loro reparto e questo medico, era, appunto, fidanzato di Edith. Anche se egli non avesse parlato, era impossibile nascondere a Edith ogni cosa.

Bisognava agire subito. Dopo una notte di angoscia, parlò ad Aldo. Aldo le fece conoscere Dorothea. Dorothea, con la sua padrona di casa che era, o si diceva, infermiera, la portarono da un'altra infermiera. Costei provvide.

Proprio in quei giorni, Jane m'incontrò. Dalla disperazione e dalla paura attraverso cui era passata, dal rimorso che ancora provava, dal timore dell'avvenire, si attaccò a me come ad un angelo salvatore.

Tuttavia, finchè restò a Roma, non cessò mai completamente di vedere Aldo. Di rado, e soccombendo ogni volta ad un'aspra lotta con se stessa, essa tuttavia andava a trovarlo in una camera ammobiliata. Anche di notte, forse dopo aver pranzato con me e mentre io non osavo raggiungere Dorothea perchè Jane poteva telefonarmi all'albergo.

« La sera che partisti per Napoli, dove l'indomani ti saresti imbarcata per la Francia, » domandai a Jane, ricordando improvvisamente, « quando venni a prenderti al campo, mentre aspettavo, tu andavi e venivi per il tuo lavoro. A un certo momento, ti vidi al telefono. Mi dicesti che avevi chiamato un prete, il tuo confessore, credo, per salutarlo. Era vero? »

« No, » disse Jane chinando la testa. « Il mio confessore c'era. Un padre gesuita americano. Quello che poi mi mandò l'indirizzo del Père de Lalande a Parigi. Ma ero già stata a salutarlo il giorno prima, all'Università Gregoriana. No. Quella telefonata non era a lui. »

Restammo in silenzio, un lungo momento. Io ripensavo quella notte, la partenza dall'ospedale, il trambusto delle ambulanze e dei camion. Ricordavo il mio dolore di dover dire addio a Jane e l'impazienza che provavo, così stranamente congiunta a quel dolore, di essere con Dorothea. Rivedevo Jane al telefono nella baracca: illuminata appena, attraverso il finestrino di cellophane sporco, lontana e quasi irreale. Parlava, parlava al telefono, senza sapere che io lì fuori non udivo le sue parole ma la vedevo. Mai come in quel momento, nonostante o forse addirittura perchè, partendo, mi lasciava tutto a Dorothea, Jane mi era stata cara, mi era parsa destinata e mia. Ora scoprivo che la realtà era stata ben diversa. Soffrivo! Ero ferito, certo. E tuttavia, sentivo che non avevo il diritto di lamentarmene, se non nella vanità. Perchè Jane mi aveva mentito; ma in fondo non mi aveva ingannato. Non mi aveva tradito se non in quanto aveva tradito se stessa, e in questo tradimento io ero stato suo complice. La sua colpa l'aveva condotta un giorno a Dorothea, ed io ero stato condotto alla mia colpa dalla sua colpa. Amara consolazione? Qualche cosa di più. Essa telefonava. Credevo che telefonasse a un prete. Telefonava al suo amante. Ma io, che, mentre la guardavo e la pensavo mia, pensavo anche a Dorothea e sovrapponevo l'immagine di Dorothea a quella di lei, io non ero con lei nella sua stessa doppiezza? E Jane, in fondo, senza che nè io nè lei lo sapessimo, non mi era più vicina, più fedele e più mia proprio perchè divisa, quello stesso momento, in sè, come me?

Inutile, più ci pensavo e più capivo che Jane e io eravamo fatalmente solidali, eravamo uniti e confusi nel

bene come nel male; e che, in un modo o nell'altro, tutti gli esseri umani lo sono; i traditori traditi; e i traditi traditori. Ciascuno, chiuso nel proprio egoismo, si crede un giorno in diritto di abbassarsi, di godere una viltà che non danneggi il prossimo; ma s'inganna: codesta viltà non è mai innocua, si propaga, si moltiplica, rimbalza. Insomma, sembra che il peccato sia regolato dalla stessa legge che regola la virtù; sia anche quello, non meno di questa, una forma di amore.

Diceva:

« Harry, ti ho mentito un'altra volta. Ti ho nascosto un fatto ancora più grave. A Natale, l'ultimo Natale di guerra, io ero in Francia, tu eri a Roma. Ebbene, a Natale, io sono venuta a Roma, ci sono stata due giorni di nascosto da te; e poi non ti ho mai detto nulla. Approfittando di una licenza che mi avevano dato e di un aereo che portava da Nizza a Roma due dottori del nostro ospedale, ero partita da Saint Pierre d'Albigny proprio per venire a trovare te. Volevo farti un'improvvisata, passare il Natale con te.

« Ma una volta arrivata a Roma, ero stata presa, improvvisamente, dalla tentazione di rivederlo. C'era qualche cosa di disperato, di estremo in quella tentazione. Anche se non me lo avevi ancora chiesto, sapevo che, finita la guerra, ci saremmo sposati. Ebbene, mi dissi, voglio rivedere Aldo, stare con lui per l'ultima volta. Poi tornerò in Francia, poi in America, e sarà finita per sempre.

« Gli telefonai appena giunta, dall'aeroporto. Era in casa. Andai da lui, prima ancora che all'albergo. Rimasi con lui fino a notte. Era la notte di Natale. Aldo aveva una cena con gli amici, a cui non poteva rinunciare. Mi

diede appuntamento per l'indomani, e mi lasciò sola. Andai all'albergo.

« Nonostante l'ora (erano le nove passate) telefonai alla Gregoriana, al padre gesuita. Ero tormentata dal rimorso di quello che avevo fatto. Volevo confessarmi, andare ad una messa di mezzanotte, fare la Comunione. Il padre mi disse che a quell'ora la Casa era chiusa e non poteva più ricevermi. Insistei. Mi disse allora che un loro Padre, tedesco ma che parlava benissimo l'inglese, andava a dire una messa di mezzanotte dalle Suore tedesche della Beata Paolina di Mallinckrodt. Mi diede l'indirizzo. Avrebbe avvertito il Padre, e telefonato alle Suore. »

« Ti ricordi l'indirizzo? » domandai a Jane.

« Perchè? Non mi ricordo esattamente; ma era dalle parti della via Nomentana. Perchè vuoi sapere? »

« Perchè quella notte ti ho vista, Jane. Hai preso un taxi, non è vero? »

« Sì, » disse.

« Poco prima della mezzanotte? »

« Sì. »

« Io ero sulla jeep. All'incrocio del viale della Regina ti ho vista, un attimo, dentro il taxi. Ho visto la divisa americana. Ho pensato che era una ragazza che ti somigliava. Come potevo immaginare che tu fossi a Roma? Sono andato anch'io in una chiesa cattolica, quella notte. A San Pietro. »

Non dissi altro.

Non osavamo guardarci.

Se avessi potuto parlare! Ma come? Dopo, un giorno, le avrei detto tutto. Subito, era impossibile.

« Dalle Suore trovai il Padre, che mi confessò. Poi

assistetti alla Messa. Una piccola cappella. Ai banchi di sinistra c'erano le Suore dell'Istituto, dieci o dodici. A destra gli invitati, alcune famiglie tedesche residenti a Roma. Mentre il Padre diceva la Messa, le Suore cantavano. Una, anziana, magra, suonava l'armonium. Aveva le più belle mani che abbia mai visto: bianche di cera, sottili, raffinatissime.

« Tutte le suore in coro cantavano. Erano i loro inni di Natale. Il motivo di qualcuno, identico ai nostri. Cantavano con voci soavi e tremanti. La felicità e la fede erano sui loro volti. Guardavano l'altare e vedevano quello che io non sapevo più vedere: la loro infanzia, le ore più belle della loro infanzia, che per loro non erano perdute. Erano rimaste fedeli ai loro ricordi più belli. Ed ecco, i loro ricordi più belli, forse le notti di Natali lontani tra le montagne di un villaggio bavarese, tornavano a loro, intatti. Il cuore era ancora quello. Quello che aveva creduto e sperato ed amato. Avevano rinunciato al mondo. Ma avevano conservato il meglio che il mondo possa dare: l'unione del corpo e dello spirito.

« Capii, guardandole, quanto sia errato pensare alle religiose come a donne che mortifichino i propri sensi. Esse li sublimano, invece. Pregavano e cantavano, lo vedevo, con un trasporto di tutta la loro natura. Erano felici anche nella loro carne. E quando si alzarono dai banchi e s'incamminarono lente, diritte, le mani giunte, gli sguardi fissi all'altare ed ardenti, per andare a ricevere la Comunione, vidi che in loro si compieva l'atto supremo dell'amore.

« In quel momento, mi domandai se il mio dovere non era di seguire il loro esempio, e cioè non di farmi suora,

ma di sposare Aldo. Di gettare la mia vita, come esse avevano gettato la loro. Di credere e di amare fino in fondo, con tutta me stessa, un solo essere. Di sublimare anch'io i miei sensi. Aldo era indegno? Ma perchè era indegno? Quale creatura umana è indegna? E indegno di che cosa? Di me? Sapevo benissimo che tra noi due chi peccava veramente ero io. Io che tradivo lui, e te, e me stesssa, dividendomi tra lui e te. Lui, non aveva detto tante volte, e non me lo aveva ripetuto anche poche ore prima, che era pronto a sposarmi? Ormai ridevo quando lui me lo diceva. Ebbene, sarà stato interessato; era un matrimonio che lo elevava al disopra della sua condizione sociale; ma se c'era in lui possibilità di salvezza, se c'era un germe di vita (e perchè non avrebbe dovuto esserci?), il mio dovere era di raccogliere quel germe, di farlo fiorire.

« Proprio perchè non mi sentivo questo coraggio, l'indomani non andai all'appuntamento, non lo vidi, neppure gli telefonai per avvertirlo. A sera ripresi l'aereo per Nizza, sparendo, credevo per sempre, dalla sua vita. »

« Jane, » le dissi comprendendola fino in fondo. « Jane, è vero; ora sono sicuro: il tuo dovere era di sposare lui. »

« Lo dimenticai. Credetti di averlo dimenticato. La fine della guerra, Parigi, il ritorno in America, il nostro matrimonio, una vita nuova, e poi Duccio. Ma, già a Princeton, nelle ore che tu facevi scuola o eri in biblioteca, le lunghe ore che restavo sola in casa, avevo ricominciato, piano piano, a ripensare a lui. Come se non ci fosse nessun male, nessun pericolo, capisci? Fantasticherie, uno scherzo. E a poco a poco, invece, diventò un'ossessione. Ci pensavo continuamente. Ecco forse perchè mi vedevi così nervosa. Ecco perchè volli

venire, assolutamente, a Capri. Avevi ragione, per il clima che non avrebbe fatto bene a Duccio. Ma ero pazza, di nuovo, come una volta. Volevo rivederlo ad ogni costo, e a Capri. Era a Capri che avevo sempre immaginato di trovarmi ancora con lui. Era a Capri che volevo, come dirti? mettere alla prova i miei sogni: convincermi se davvero lo amavo. Sentivo che ora non avrei più avuto dubbi. Sarebbe stato sì, oppure no. E se era sì, ero decisa a dirti ogni cosa, e ad andare contro la mia religione, contro tutto, a divorziare, a sposarlo.

« A Capri. Del resto, arrivata a Roma, gli telefonai. Ma non abitava più là, da molto tempo. Non aveva lasciato nessun indirizzo. Avevo ancora il numero di quella donna, Dorothea. Telefonai a lei. Neanche lei sapeva dove fosse Aldo in quei giorni. Mi assicurò che avrebbe potuto rintracciarlo per mezzo di un suo parente. Mi domandò, se ci riusciva, che cosa dovesse dirgli. Che mi scriva, risposi. Dove? A Capri, le dissi. E pensai subito che la lettera di Aldo sarebbe potuta arrivare, e tu essere ancora lì. Allora commisi lo sbaglio, il grande sbaglio, Harry. E non credere che non mi rendessi conto di quello che facevo. Ma è stato più forte di me. Per caso c'era lì sul comodino, mentre telefonavo, un foglio. Il foglio dove Guglielmo aveva scritto per noi gli indirizzi di Capri e il nome di Don Raffaele, al quale dovevamo rivolgerci come persona di fiducia, perchè ci trovasse la casa. Raccomandai a Dorothea di dire ad Aldo di scrivermi in una busta chiusa e mettere la busta dentro un'altra busta per Don Raffaele. Aldo conosceva soltanto il mio nome da signorina. Comunque, a Dorothea dissi tutto, persino che mi ero sposata. »

« Ma le tue lettere? » domandai.

« Una volta a Capri... non vorrei parlarti di questo, Harry. Vedi che ti ho detto tutto. Ma, di questo, ho la vergogna peggiore. Ebbene, ho fatto il male e bisogna che paghi. »

Tacque un istante, come raccogliendo le proprie forze. Nascose la testa fra le mani. Ricominciò:

« Subito, il primo giorno, al Quisisana, appena mi trovai un momento sola con Don Raffaele — tu eri andato, non so, forse in piazza a comprare dei giornali — parlai a Don Raffaele. Egli avrebbe ricevuto una lettera: doveva darmela senza che tu vedessi.»

« Ma che scusa hai trovato? »

« Inventai che ero divorziata, prima di sposare te. E che il mio vecchio marito, il quale adesso si trovava a Roma, ogni tanto mi scriveva. E preferivo che tu non sapessi. Ecco, ti ho detto tutto. »

« Ma le tue lettere, le tue? »

« La lettera di Aldo arrivò quando tu eri ancora lì. Se voglio immaginare l'inferno, ricordo quello che provai quel giorno. Tu eri con me, nella living room della villa. C'era il sole. Entrò Don Raffaele, coi suoi saluti, i suoi inchini, al suo solito. Ti consegnò una nota di spese che aveva fatto. Tu posasti la nota sul tavolino e mentre la leggevi e tiravi fuori il portafoglio e contavi i denari, lui, alle tue spalle, mi strizzò l'occhio. Così. Io fui all'inferno, in quel momento. Don Raffaele era il diavolo. »

Jane aveva strizzato l'occhio, imitando Don Raffaele. In quell'atto, era impallidita. Provai, anch'io, vedendola, come un brivido. E poi, subito, una grande pietà. Che cos'è che costringeva una creatura così nobile, un'anima così aperta, così chiara come Jane, a queste bassezze, a questa tortura?

« Tu sai quello che tutti dicevano dell'Ufficio Postale di Capri. Probabilmente erano esagerazioni. Ma insomma, anche questa era una tentazione; e faceva parte di quell'altra tentazione più grande alla quale avevo deciso di abbandonarmi. Volli, sì, volli, assurdamente, affidarmi a Don Raffaele. Temendo, o credendo volentieri di temere che all'Ufficio Postale aprissero le mie lettere, appena tu partisti consegnai a Don Raffaele una lettera senza indirizzo. Egli stesso avrebbe dovuto scriverlo. All'Ufficio Postale conoscevano la sua calligrafia, e non le avrebbero certamente aperte. »

« E così, per Don Raffaele, questo tuo primo marito sarebbe stato un italiano. Ma credi che lui non le abbia mai aperte? »

« Temo di aver capito bene al telefono. Temo che non le abbia mai spedite. Quando poi vidi Aldo, egli mi giurò di non aver mai ricevuto da me nessuna lettera. Tuttavia, fino a ieri, fino alla telefonata, ho sempre creduto che non avesse detto la verità. »

« Ma perchè avrebbe dovuto mentire? Perchè dirti che non le aveva ricevute mentre invece le aveva ricevute? A quale scopo? »

« Ho pensato, non so, ho pensato che le lettere erano così assurde, così pazze, che non aveva avuto il coraggio di rispondere; oppure non aveva risposto per semplice pigrizia, e non osava confessarmelo. »

« Dove gliele avevi indirizzate? »

« Dove mi aveva detto lui, nella sua unica lettera. A Roma, all'Hotel Excelsior. »

« Abitava all'Excelsior? »

« Credo. »

« Ti ricordi quante erano? »

« Sei. Qualcuna molto lunga. »

« E che cosa gli dicevi? »

« Tutto quello che sentivo e speravo in quei giorni. Gli dicevo come lo attendevo, e perchè lo attendevo. Tutte le idee più pazze che mi attraversavano la testa. Se non avessi potuto scrivere quelle lettere, se non avessi avuto quello sfogo, credo che sarei veramente impazzita. »

« Ma non hai mai pensato che così ti mettevi interamente nelle sue mani? »

« Sì, l'ho pensato. Ma non capisci? Era proprio quello che volevo, mettermi nelle sue mani. Il pericolo faceva parte del piacere che provavo a scriverle. »

« Non hai pensato a me, a Duccio? »

« Ho pensato. Ma ero pronta a qualunque soluzione estrema, anche se vergognosa. Ti ho detto, ero pronta a divorziare e a sposarlo. »

« Glielo hai scritto, anche questo, nelle lettere? »

« No. È stata la sola cosa, forse, che non ho scritto. Perchè avevo deciso di rivederlo, prima. Erano passati più di due anni. Non ero sicura, rivedendolo, di amarlo come volevo e credevo. Attesi un mese e mezzo. Sei lettere, furono poche. Avrei potuto scrivere una lettera al giorno. Avrei potuto vivere scrivendogli. Ma lui non rispondeva mai. E così mi facevo forza. Gli ultimi quindici giorni, non scrissi più. Duccio cominciava a non stare tanto bene. Mi dissi che il Signore aveva voluto punirmi. Che vivevo in peccato mortale, peccato di pensiero e peccato di desiderio. Che non potevo continuare così.

« E disperavo, ormai, di vedere Aldo a Capri. »

18

Il 14 maggio, a Capri, è la festa di San Costanzo, patrono dell'isola. I preparativi sono fatti con grande anticipo. Fin dai primi del mese, nei pomeriggi solitari, affocati dallo scirocco, Jane cominciò a udire le sparatorie irritanti dei mortaretti, e gli interminabili rintocchi di monotone campane. Il bambino, allo scoppio dei petardi, sussultava. Se dormiva, si svegliava e non poteva più prendere sonno. Se mangiava, allontanava da sè la bottiglia e non voleva più succhiare. Sembrava che la impazienza, l'inquietudine, l'eccitazione non fossero soltanto di Jane che attendeva apparisse Aldo; ma della stagione stessa, del clima estenuante, di tutta l'isola che si preparava alla festa.

Jane si ostinava ad attendere; ma in fondo non sperava più. E pensava di essersi dannata per nulla.

Poi venne il giorno della festa. Già a Parigi, per spiegarmi il suo ritorno alle pratiche più devote del cattolicesimo, essa mi aveva raccontato gli avvenimenti di quel giorno, e cioè l'improvviso spavento per una colica di

Duccio, la ricerca affannosa del dottore fra la folla della processione, e il voto alla Madonna di Lourdes. Mi aveva, però, raccontato tutto, meno la cosa più importante. La vera ragione del voto, l'aveva taciuta. Ora, piangendo, mi chiedeva perdono e mi diceva la verità:

« Da quindici giorni, vedendo che lui non rispondeva, avevo smesso di scrivere quelle lettere pazze. Avevo rinunciato alla speranza di ritrovare Aldo, ma non a pensare a lui. Quando incontravo Don Raffaele, sentivo di odiarlo profondamente. Era un odio misto di rabbia, perchè mi ero messa nelle sue mani *inutilmente*. E provavo, vedendolo, il rimorso torturante di essermi sporcata di quell'infamia nella speranza di un piacere che poi non avevo avuto. Non c'era consolazione, non c'era compenso alcuno. Avevo il danno e le beffe. Duccio cominciava veramente a soffrire del clima, mangiava poco, dormiva male. Anche questo rischio era stato inutile. Pensavo alla data del tuo ritorno, che ormai si avvicinava, quasi con impazienza. Ma quella data avrebbe anche segnato la fine di tutti i miei sogni; e non sapevo darmi pace. Il mio destino era davvero questo? Dopo lunghi mesi di desiderio, dopo tante fantasticherie che negli ultimi tempi si erano fatte minute, precise, fiduciose, non avrei più incontrato Aldo nella mia vita?

« Uscivo dalla villa, giravo per Capri come una pazza. M'inoltravo in sentieri deserti verso punta Tragara, oltre la vista dei Faraglioni, oltre le ultime ville solitarie. Vagavo per i pascoli di erba gialla, corta e secca, tra le grosse rocce porose che erano sparse qua e là. Mi stendevo su una di queste rocce, calda e ruvida, e restavo lungo tempo immobile a guardare il mare verde profondo, il cielo, o coprendomi gli occhi con un foulard e un cap-

pello di paglia: vedevo così un'oscurità calda, gialla ed informe.

« Attendevo che egli, per un caso impossibile, arrivasse in quel momento e proprio in quel luogo. Aveva percorso il sentiero che avevo percorso io, e ora, dall'alto, scorgendomi, attraversava senza rumore il campo d'erba e mi giungeva alle spalle e mi abbracciava prima ancora che io lo potessi vedere.

« Come la prima volta, quando lo avevo atteso dal balconcino della pensione di Anacapri, contai anche ora fino a nove. Ma il calcolo, questa volta, era ben più assurdo!

« Mi vergogno a raccontarti queste cose. Ma non te le voglio tacere, perchè tu misuri a quale stato di isterismo fossi giunta, a quale follia.

« Come allora il muro a cui mi appoggiavo, adesso la rugosità della roccia pareva darmi qualche conforto. Giacendo sulla roccia, dopo qualche tempo, il mio corpo cominciò a dolermi in parecchi punti. E questi dolori erano quasi un piacere. Perchè così il mio corpo, soffrendo, non era più solo.

« Tornata a casa da una di queste passeggiate, un giorno ebbi l'idea di continuare in qualche modo a farmi del male. Questo bisogno di soffrire fisicamente era una cosa sola con l'attesa e il desiderio in cui vivevo. Era una piccola consolazione. Studiai come avrei potuto soffrire. Allo stesso tempo provavo come un bisogno di essere stretta, schiacciata, soffocata.

« A notte, quando le domestiche, finito il loro lavoro, se ne erano andate, e la Fräulein e Duccio già dormivano, scesi in giardino, presi una corda grossa che serviva a tendere i panni, ne tagliai un pezzo abbastanza lungo e

poi, chiusa a chiave in camera, me la strinsi intorno alla vita due, tre volte, più forte e più stretta che potevo, quasi da togliermi il respiro. Pensai che fosse lui con le sue mani a stringermi così. E mi misi a letto, soffrendo, felice almeno di soffrire, e mi addormentai.

« Un altro giorno andai su ad Anacapri, fino alla pensione. Rifeci la stradina che lui aveva fatto la notte per venirmi a trovare. Rividi la villetta bianca tra il fogliame scuro degli aranci, e la bouganvillea dai fiori violetti che si arrampicavano al terrazzino della mia finestra. Entrai. Mi presentai alla signora danese, che trovai più vecchia e più rugosa. Mi fece festa. Non aveva pensionanti, salvo una signorina d'età, una scrittrice. Volli vedere la mia stanza. Tutto era rimasto come allora. I mobili di legno chiaro, le tendine, le coperte di cretonne, i ninnoli, e l'aria, la luce, l'odore, i rumori di fuori, della campagna, del vento tra gli ulivi. Certo, se Aldo fosse apparso, sarei tornata lì con lui. Non dissi alla signora che ero sposata, le dissi che ero per qualche giorno a Capri, sola, in albergo. E che se mi fossi trattenuta ancora un po' di tempo, forse sarei venuta a stare da lei.

« Ma questo fu nei primi giorni, quando ero ancora calma, ancora sicura che egli avrebbe risposto alle mie lettere e sarebbe venuto.

« Dopo, a poco a poco, le mie giornate si fecero inquiete, agitate, frenetiche. Andavo continuamente in piazza, mi aggiravo tra i tavolini dei caffè, tra i gruppi degli stranieri e dei turisti, con la speranza, ogni volta, di vederlo. Oppure andavo agli arrivi della funicolare che succedevano immediatamente agli arrivi del battello da Napoli e scrutavo la fisionomia dei passeggeri con

ansia instancabile. Don Raffaele era sempre lì, col suo sorriso ambiguo, col suo saluto esageratamente ossequioso e ricattatore. La sua presenza mi perseguitava. Se lo incontravo tornando a casa, verso l'una del pomeriggio, nel viottolo deserto e soleggiato, prima ancora che gli chiedessi qualcosa, egli allargava le braccia e con espressione mesta mi diceva:

« " Niente, signora, niente ancora... "

« Mi facevo forza, sorridevo:

« " Non ha importanza, Don Raffaele. Nessuna importanza. Grazie, buon giorno. "

« Ma poi, pochi passi più giù, mi fermavo davanti a una porticina di legno, che si apriva nel muretto bianco di una villa.

« Era la villa (mi pareva di ricordare ma non ne ero ben sicura), era la villa dove ero andata l'ultima notte del mio soggiorno a Capri durante la guerra, la villa del colonnello americano, con cui Aldo allora lavorava.

« Mi fermavo davanti a quella porticina, di vecchio legno verde, stinto e screpolato, e mi sembrava, assurdamente, che Aldo vi avesse lasciato una traccia, il suo nome scalfito, con la punta di un temperino, tra quelle rugosità. Studiavo quelle rugosità a una a una. ALDO, mi sembrava a volte di leggervi, ALDO, ALDO. Non so perchè, ma poter scoprire con certezza il suo nome, scritto da lui, su quel vecchio legno, mi avrebbe dato un conforto quasi uguale a quello del suo arrivo a Capri. Forse pativo troppo di dover vivere interamente nella immaginazione e nel desiderio. Nonostante la lettera ch'egli mi aveva pur scritto da Roma un mese prima, cominciavo a dubitare della sua esistenza reale; e avevo

bisogno, comunque, di qualche oggetto esterno che me la provasse.

« La mia vista si affaticava, fino a dolermi, nel decifrare i geroglifici sulla porticina, parte screpolature della età e delle intemperie, parte segni di mani umane che veramente vi avevano scalfito nomi, date e frasi. Come era possibile, mi dicevo nella mia follia, che anche Aldo non avesse scritto il suo nome? Ma ero poi assolutamente sicura che fosse la villa del colonnello? C'ero venuta con Edith, quella notte lontana, e dopo molti *high-balls*. Come potevo esserne sicura?

« Venne infine la festa di San Costanzo. Il giorno prima, la Fräulein, come già ti ho detto a Parigi, si era presa una brutta storta scendendo alla Marina Piccola, e non poteva camminare. Le due donne di servizio, secondo avevano avvertito con grande anticipo, erano in completa libertà fino all'indomani.

« Verso le tre del pomeriggio — senza interruzione, da un paio d'ore, le campane suonavano e i mortaretti sparavano — mentre già si udivano, lontani, portati a folate dal vento, ora il coro della processione ora la banda che intonava inni religiosi; e stesa sul letto, chiusa nella stanza buia, io cercavo invano quel sonno che non trovavo nemmeno la notte: improvvisamente la Fräulein mi chiamò, con voce angosciata: " Il bambino sta male! "

« Duccio era violaceo, gli occhi sbarrati, rigido in tutto il corpo. Sembrava che non respirasse.

« Lo presi in braccio, lo chiamai scuotendolo. Ma sembrava che non mi sentisse, non mi vedesse neppure.

« Con la Fräulein, che s'intendeva di bambini e dei loro mali, provammo di tutto. Acqua, schiaffi, tenerlo appeso per i piedi, respirazione artificiale.

« Finalmente si riprese. Pur senza cambiare colore, volse gli occhi verso di me, mi riconobbe. Non piangeva, nè sorrideva. Mi fissava con gli occhi aperti e tristi, con una espressione di sofferenza intelligente. Un'espressione cosciente, adulta. Perchè, insieme alla sofferenza, e più che la sofferenza, i suoi occhi esprimevano l'umano stupore di soffrire. Erano stupiti ed offesi. " Perchè non me l'hai detto, mammina? " parevano accusarmi, quegli occhi. " Perchè non me l'hai detto che si può soffrire così? " E improvvisamente le sue manine incominciarono ad annaspare nel vuoto. E a tratti, come a spasimi, tremavano.

« Guardai in faccia la Fräulein, e allora capii che non c'era nessuna speranza che non si trattasse di una cosa grave. Essa non poteva camminare. Uscii di corsa. Alla villa vicina c'era il telefono. Ma la villa era chiusa. Suonai il campanello. Chiamai, urlai, non c'era nessuno, erano tutti alla festa. Correndo più in fretta che potevo mi slanciai sul viottolo che conduce alla piazza.

« Fino in piazza, non incontrai nessuno. Quando arrivai, il cuore mi scoppiava in gola. La folla gremiva ogni angolo: era in piedi sulle sedie e sui tavolini dei caffè, per vedere la processione che stava per passare. Le campane suonavano a distesa, rimbombando tra le strette mura. I mortaretti scoppiavano vicinissimi, con fragore assordante. Cominciai a fendere la folla, per raggiungere la farmacia, che era in fondo alla piazza. Passavo a fatica tra corpo e corpo, in un'aria calda, affocata, soffocata, fetida. Tutti si accalcavano, gli uni sugli altri, uomini e donne, paesani, turisti, stranieri, e cercando di vedere al disopra delle spalle di quelli che stavano davanti applaudivano, ridevano, urlavano, si

agitavano. Non sembrava credibile che fosse una festa religiosa. Prima di arrivare alla farmacia, intravvidi a una finestra del mezzanino del caffè d'angolo Don Raffaele. Lo chiamai con un grido. Gli domandai se avesse visto il dottore.

« " Eccolo! " rispose Don Raffaele dalla finestra. E m'indicò dalla parte opposta della chiesa: " Eccolo lì, sulla scalinata della chiesa! " e notando il mio smarrimento: "Scendo subito, signora!"

« Mi slanciai verso la chiesa. Ma potevo avanzare soltanto con grande lentezza. Don Raffaele mi raggiunse che ero ancora ai primi passi. Continuando ad avanzare come potevo, dissi a Don Raffaele che Duccio stava male, malissimo: mentre io cercavo di arrivare fino dal dottore, perchè lui non andava in farmacia?

« " La farmacia oggi è chiusa, signora! "

« Don Raffaele mi rincuorò (" Non s'impressioni così, stia calma, i bambini sa come fanno! ") e mi aiutò ad avanzare, precedendomi e facendomi strada.

« Ma quando arrivammo alla scalinata della chiesa, il dottore non c'era più.

« Don Raffaele domandò a tutti. Nessuno l'aveva visto. Allora egli protestò, freneticamente, di averlo visto coi suoi propri occhi in quel punto dove ci trovavamo noi in quel momento, soltanto pochi minuti prima. Tutti continuavano a negare. E Don Raffaele a protestare.

« Finalmente una donna ammise di averlo visto. Sì, era vero, il dottor Cuomo era stato lì al suo fianco, era stato lì fino a un istante prima, e se n'era andato di là, no, di qua, a sinistra, aveva attraversato la piazza, verso la stazione della funicolare. La donna, una donna del paese, e Don Raffaele parlavano rapidissimi, in dia-

letto, con gran gesti, e non capivo quasi nulla di ciò che dicevano. Soprattutto non capivo perchè mai, dopo aver indicata la direzione presa dal dottore, che era tutto ciò che volevamo sapere, la donna continuasse a parlare. D'altro non parlava: in quel fiume di parole, distinguevo continuamente "dottore, u dottore, u dottor Cuomo". E non capivo perchè, senza posa, Don Raffaele le rispondesse e la interrogasse. Che cosa c'era d'altro da fare se non inseguire il dottore, cercare di trovarlo? Presi violentemente per un braccio Don Raffaele, gli dissi, per piacere, d'inseguire subito il dottore; e gli indicavo nella stessa direzione indicata dalla donna.

« Ma no. Don Raffaele mi fece cenno di tacere, un momento, un momento ancora. E tornò a parlare fitto fitto in dialetto con la donna.

« Io mi guardavo smarrita intorno, avendo davanti a me Duccio, i suoi occhi stupiti ed offesi che mi imploravano; e stretta in quella folla sudicia, in quel calore, in quel clamore, mentre entravano nella piazza, alla testa della processione, le fanciulle della Congregazione vestite di celeste, e il loro coro tremulo acuto stonato strideva sugli applausi e le grida, sentendomi incapace di fare nulla, nulla per salvare Duccio, soffrivo come non avevo mai sofferto.

« "Don Raffaele! Don Raffaele! La prego!" urlai scuotendolo a forza, con tutt'e due le mani.

« "Eh, si calmi, signora, si calmi," rispose lui voltandosi per nulla commosso. "A che serve agitarsi così?"

« "Ma il dottore è andato di là!" gridai ancora indicando verso la stazione della funicolare.

« "No, non è andato di là. Di là è andata la signora, la moglie del dottore, che era qui con lui. Il dottore

invece è andato in casa di una donna che deve partorire, e questa donna qui stava appunto spiegandomi dove abita quell'altra donna. "

« " È lontano? "

« " Non credo. "

« " Andiamo subito! "

« " Ma aspetti. Ancora questa donna non si è spiegata bene. Non ho ancora potuto capire bene dove sia. "

« Ricominciò a parlare con la donna, e questa a spiegare e a fare continui rapidissimi gesti, a destra, a sinistra, in alto, in basso, che volevano indicare svolte, e altre svolte, salite, discese, scalette, sottoportici, sentieri.

« In quel momento la banda, che era entrata in piazza al seguito delle Figlie di Maria, di schianto, con un boato, con un fragore trionfale e lacerante, scoppiò a suonare.

« E dietro la banda, nei lunghi camici rossi, stretti alla vita da rozze corde, otto uomini che portavano poggiata su due travi poggiati sulle loro spalle la statua dorata e ondeggiante del Santo Patrono. Guardai con odio il volto roseo, gli occhi imbambolati del Santo. Con odio i tre vecchi preti ammantati d'oro che seguivano la statua stanchi, annoiati, indifferenti a tutto quel chiasso, parlottando tra di loro e distratti a quando a quando da un'occhiata, una frase che scambiavano con qualche donnetta più vicina della folla. Con odio i ragazzotti che dondolavano violentemente i loro turiboli spandendo zaffate d'incenso rancido. Con odio tutto e tutti.

« Ed ecco, mentre ancora Don Raffaele al mio fianco parla con la donna e si fa spiegare esattamente dove trovare il dottore, mentre la banda, che si era fermata, a due passi da noi, sulla scalinata della chiesa, replica senza tregua a tutta forza il ritornello della sua marcia

trionfale, di là della processione, oltre la schiera dei canonici grassi, in mozzetta ed ermellino, che tallonano, non meno profani nè repugnanti, i ragazzotti e i tre preti, vedo, in prima fila, in un gruppo di signore eleganti, Aldo.

« Non ebbi, neppure il primissimo momento, nessun dubbio che fosse proprio lui.

« Era lì, con la sua bellezza, e la sua giovinezza, tra la folla, nel sole di Capri. Maglietta azzurra a mezza manica. La mano dal braccialetto d'oro. Rideva guardando la processione. Cingeva alla vita una ragazza. Parlava animatamente con una donna grassa, anziana, dipinta, ingioiellata, che gli era accanto, dall'altro lato. Il fragore assordante della banda, il ritornello tronfio e banale non aveva più nulla di spiacevole: era, di colpo, una musica bellissima, e veramente trionfale.

« Dimenticai tutto. Dunque era venuto. Ma non era venuto per me, evidentemente. Era venuto in compagnia. In compagnia di donne. Ecco perchè non mi aveva più scritto. Tuttavia il piacere e la sorpresa di vedermelo vivo davanti, a pochi passi di distanza, furono così forti che non provai nessuna delusione, nessuna gelosia per quelle donne. Facevano parte della sua apparizione. Erano come un corteggio che gli fosse dovuto e che gli stava benissimo.

« Per quanto tempo, così, seguitai a contemplare Aldo? La voce di Don Raffaele mi riscosse come da un sogno. Avevo completamente dimenticato Duccio. Don Raffaele mi diceva che correva a chiamare il dottore. Io lo aspettassi lì.

« Ma io non lo aspettai lì. Appena Don Raffaele si allontanò tra la folla, tornai, assolutamente senza volerlo,

senza rendermene conto, come se fossi ipnotizzata, tornai a dimenticare Duccio. E poichè la processione stava per finire, attraversavo la piazza e raggiungevo Aldo.

« Mi vide e mi riconobbe senza alcun imbarazzo. Come se se lo aspettasse. Doveva aspettarselo, infatti, perchè sapeva che ero a Capri. Fece le presentazioni, tra me e le sue amiche, con perfetta disinvoltura. La più giovane era, almeno così disse lui, attrice cinematografica. E quella grassa e matura era addirittura una celebrità: una famosa cantante della radio italiana e del varietà, nome che naturalmente non conoscevo e che ho dimenticato. La giovane era carina ma insignificante, innocua. Del resto, capii subito che essa non era amica di Aldo, ma della cantante, ed era venuta a Capri perchè invitata da costei. La cantante, invece, mi parve una donna d'un certo carattere: procace, vivace, allegra, violenta e autoritaria. Essa aveva, senza dubbio, una relazione con Aldo. Mi parve persino che ne fosse innamorata. E le apparenze (soltanto le apparenze perchè non ebbi mai volontà di indagare) erano purtroppo contrarie alla dignità di Aldo. »

Il racconto di Jane m'interessava. Ma più mi premeva impedire, se possibile, il ricatto delle lettere; scoprire chi avesse telefonato; sapere chi fosse, veramente, questo Aldo.

« Vuoi dire, » domandai a Jane, « che la cantante gli dava dei denari? »

« Non so nulla, Harry; ma quella fu certamente la impressione che ebbi, vedendoli insieme. »

«Ma lui, lavorava? Che lavoro faceva? È vero che era studente? »

« Non lo so con sicurezza. Lavorare, credo che lavo-

rasse soltanto nel cinematografo, in attesa di prendere la laurea. Non credo, in ogni modo, che guadagnasse molto. Oggi Dorothea mi ha detto che adesso è a Milano, in una compagnia di riviste. »

« Le lettere? »

« Appena, nella confusione della folla che si sperdeva dopo la processione, potei restare un attimo sola con lui, lasciandoci precedere di qualche passo dalla cantante e dalla sua amica, fu la prima cosa che gli domandai. »

« Ebbene? »

« Non le aveva ricevute. Almeno negò, subito, recisamente. Perchè, disse, non avrebbe dovuto rispondermi? Le avevo mandate all'indirizzo ch'egli mi aveva dato nella sua: Hotel Excelsior, Roma. Come mai non le aveva ricevute? Sospettai che Don Raffaele le avesse trattenute; ma in quel momento c'era la presenza di Aldo, vivo, finalmente, accanto a me, e c'era, insieme, pensiero di Duccio, per occuparmi del quale ero forzata a trascurare e forse perdere Aldo. Nell'angoscioso contrasto di questi due sentimenti così forti non ebbi, per la sorte delle lettere, la più piccola preoccupazione. Subito, del resto, ci riunimmo alle due amiche. Aldo scendeva con loro al Quisisana a prendere il tè. Non ebbi il coraggio di lasciarlo. Andai con loro. Quando Don Raffaele tornava in piazza col dottore e non mi trovava, che cosa avrebbe fatto? Ecco che la mia ansia di non abbandonare Aldo e la paura di perderlo combattevano la mia ansia e la mia paura per Duccio. E in tale incertezza raggiungevo, almeno apparentemente, quella calma che Don Raffaele mi aveva consigliato invano. Non cambia nulla, cercavo di persuadermi: Don Raffaele e il dottore, non trovandomi in piazza, penseranno certamente che sono

tornata alla villa, e andranno direttamente là, e il dottore vedrà subito Duccio, e ordinerà la cura necessaria. Era una calma apparente. Seduta al tè con Aldo e le due donne in una terrazza del Quisisana, ero straziata di dover parlare, scherzare, e apparire amabile, mentre Duccio soffriva, forse era in pericolo, e forse... Ma guardavo Aldo, davanti a me. Il suo volto non mi era mai sembrato così bello. Ero immobile in quella poltrona, incapace di alzarmi e di fuggire come avrei voluto. Ero piena di desiderio e di rimorso. Ero felice e disperata. Provavo un'infinita vergogna di me stessa; ma questa vergogna, la vedevo, era la conseguenza della mia totale soggezione alla creatura che mi stava davanti in quel momento e che mi pareva quasi divina; e perciò la mia vergogna mi dava anche piacere, anzi, un maggior piacere. Mi sentivo colpevole. Colpevole nel momento di commettere la colpa. Ma, questa colpa, la credevo inevitabile, giusta, e perfino bella. Puoi capirmi?

« Più i discorsi, con Aldo e le due signore, erano sciocchi, fatui, scherzosi, e più mi torturava l'idea che, in quegli stessi momenti, Duccio soffrisse, e magari mi cercasse, intorno, coi suoi occhi che non conoscevano ancora la parola ma soltanto le figure, e prima fra tutte la mamma; ma più, proprio per questo, mi pareva che la mia infatuazione prendesse valore: non fosse più una infatuazione, ma vero amore. L'avevo voluto, mi dicevo. Nei tre anni che ero rimasta separata da lui, nei lunghi mesi americani di solitudine e di fantasticheria, e infine qui a Capri attendendolo morbosamente e sognandolo, che cosa avevo fatto se non pregare per un momento supremo come questo, una congiuntura in cui mi fosse dato di provare, a lui e, più ancora, a me stessa, il mio

amore per lui contro me e contro tutto quanto avevo di più caro? Ed ecco il destino, o Iddio, me l'aveva offerto, questo momento; mi aveva messo in questa congiuntura. Finalmente, a rischio della vita di Duccio, che era l'amore più forte che avevo al mondo, dovevo crudelmente dimostrare la serietà delle mie intenzioni.

« Vedi, Harry, mi accorgo che queste cose mi sono chiare soltanto adesso che te le dico. Anzi, proprio perchè te le dico, le faccio chiare a me stessa. Allora, o anche dopo, ripensandoci, erano una massa confusa di sentimenti e di angoscia.

« La cantante e la ragazza avevano deciso di fare, prima di sera, una breve gita ad Anacapri dove non erano mai state. Andarono di sopra a cambiarsi, ed io rimasi sola con Aldo un quarto d'ora. Era il momento; avrei potuto dirgli di Duccio, e scappar via. Ma egli non sapeva ancora nulla del mio matrimonio. Stupidamente, per paura di perderlo, volevo, prima di confessargli tutto, essere con lui ancora una volta. Volevo subito. Glielo dissi, senza guardarlo, ma senza esitare. Parve molto commosso del mio desiderio, di cui del resto si era già accorto. Ma si scusò che subito era impossibile, senza scandalo per le sue amiche.

« Quando dunque?

« Domani, mi disse, le due sarebbero ripartite, e lui avrebbe cercato di rimanere. Oppure le avrebbe accompagnate fino a Napoli, e poi sarebbe tornato. No, quella sera, risposi sempre senza guardarlo, quella sera, o mai più per tutta la vita. Quella sera? Cercò, senza offendermi, di persuadermi a rimandare. Cercò di farmi capire, a mezze frasi, a mezze parole, che egli era venuto in compagnia, quasi ospite della cantante e di quell'altra,

e che non avrebbe potuto, in nessun modo, abbandonarle la sera. E che cosa sarebbe successo, gli domandai, se le avesse abbandonate? Si sarebbero offese. Ebbene, che cosa importava? dissi, forte di un torto ben più grave che io facevo a me stessa per lui. Ma offese da rompere con lui, spiegò, offese da non vederlo mai più. Dissi che, allora, se non veniva con me quella sera, non l'avrei visto mai più io: scegliesse. Esitò ancora. Egli taceva, e, nel silenzio, io pensavo a Duccio. Rivedevo le sue manine, che annaspavano, a spasimi, scosse dallo strano fremito. Quanto tempo era passato? Che cosa era successo intanto? Quando avrei baciato di nuovo quelle manine? Infine Aldo parlò. Disse di sì. Andava bene stasera. Ma dove? Ad Anacapri, dissi, alla pensione della danese, come una volta. C'ero già stata, la cosa era possibile. Lo avrei atteso nel viottolo, davanti al cancelletto, alle dieci. A mezzanotte, supplicò. A mezzanotte, acconsentii. Avevo più tempo per stare accanto a Duccio. A mezzanotte.

« Alzai lo sguardo allora; e lo fissai: e vidi che i suoi dolci occhi gialli mi fissavano con desiderio, ma anche con incertezza, quasi con paura. Come potevo fidarmi? gli domandai. Io mi spostavo fino lassù. Come potevo essere sicura ch'egli venisse?

« Non sapeva come rispondermi; quale prova darmi. Mi ripetè che sarebbe venuto, stessi tranquilla. Non ero tranquilla, risposi. Le sue parole non bastavano. Volevo una prova. Si guardò intorno smarrito. Guardò l'ora al polso. Teme, pensai, il ritorno delle due amiche. Invece ebbe un'idea. Si sfilò il braccialetto di maglia d'oro con l'orologio e me lo diede fanciullescamente:

« " È tutto quello che possiedo al mondo. Tienilo.

Mettilo nella borsetta che nessuno veda. Se non venissi, puoi tenerlo per sempre. "

« Risi aspra, decisa. Il pensiero continuo di Duccio, e del sacrificio che ne facevo, mi spronava a vendicarmi in qualche modo. Cosa importava a me del suo braccialetto d'oro? Risi.

« " Lo so che tu sei ricca, " disse allora lui. " Ma per me questo è un tesoro. Guarda, guardalo bene. È un Audemars e Piguet. Il meccanismo solo vale duecentomila lire. Con la cassa, e con il bracciale che è tutto di maglia d'oro massiccio a diciotto carati, fa più di mezzo milione. Sarei un pazzo se non venissi. Volevi una prova? Non posso darti di più. "

« Mi sentii cattiva. Ormai l'anima l'avevo data. Che cosa m'importava del resto? Tenevo l'orologio in mano; lo soppesai, lo osservai, e dissi ridendo:

« " Chissà. Forse non sono sicura neanche così. Forse, se stasera racconti ogni cosa alla cantante, lei te ne regala uno di brillanti. "

« Non si offese, poveretto. Crollò il capo malinconicamente e mi sussurrò di nuovo, ma ancora più sottovoce: " Sta' tranquilla. "

« Era un po' invecchiato. Sembrava che per lui non fossero passati tre anni, ma dieci. Il corpo aveva ancora da ragazzo. Ma il viso, dalle guance sempre piene e carnose, mostrava qua e là qualche ruga, e gli occhi cerchiati, come stanchi.

« Tornarono le due bambocce, la grassa vecchia e la magra giovane, fresche di Mitsouko, incipriate, ritoccate, una rumorosa, l'altra cinguettante.

« Andammo in piazza. La gita consisteva nel prendere un'auto da noleggio, farsi trasportare ad Anacapri, fer-

marsi cinque minuti a guardare il panorama, e poi tornare.

« Salutai. Ormai non avevo più ragione per stare con loro, potevo correre a casa, e al tempo stesso ritenermi sicura di non aver rinunciato ad Aldo. Ma come una forza misteriosa ed assurda pareva trattenermi, farmi indugiare. Non potevo staccarmi, nè staccare lo sguardo da Aldo. Dopo averli salutati una prima volta, li accompagnai fino all'automobile, la grossa torpedo da noleggio; e rimasi lì, incerta, mentre loro salivano su.

« Ci salutammo di nuovo. Nel darmi la mano la cantante, sempre cordiale e vivacissima, notò la mia aria esitante. Mi disse perchè non venivo anch'io. E poichè non mi vide pronta al rifiuto, per la mano che non aveva lasciata mi tirò, quasi mi strappò dentro.

« Ero pazza. Pazza e snaturata, mi dicevo mentre la grossa macchina traballante saliva su per le prime svolte verso le rocce di Anacapri. Perchè mi trovavo lì, stretta fra quelle donne profumate, allontanandomi ancora di più da Duccio? Ero una madre io? Ma che madre! E no, no, non avevo rinunciato a essere madre. Stringere a me Duccio, baciarlo, sentirmelo vivo tra le mani, vivo... Mi parve di rendermi conto, per la prima volta, che cosa sarebbe stato se Duccio, intanto, fosse morto. Eppure non era un assurdo. Era una possibilità nell'ordine naturale delle cose. Quanti bambini muoiono a quell'età, specialmente se delicati. Duccio non era delicato, era forte, era sano; ma aveva sofferto molto del clima. Se, quando tornavo a casa, lo avessi trovato morto? Oh, che cosa potevo fare per salvarlo!?

« Pregai. Finalmente, con tutta l'anima, per un attimo, pregai. Ma potevo pregare io? Da quanto tempo

ero in peccato mortale? Non da un'ora o da due, non da quando avevo visto Aldo alla processione; ma dal giorno in cui ero giunta a Capri e avevo cominciato ad attenderlo; ma da quella sera a Princeton che tu tornasti da New York dopo aver visto Offner, e mi annunciasti che si andava in Italia, e io decisi, tra me, irrevocabilmente, che sarei venuta a Capri, e te lo dissi; ma da prima, ancora da prima. Ero scivolata gradatamente nel peccato mortale abbandonandomi, in principio come per prova o per scherzo, e poi a poco a poco sempre più seriamente, al ricordo delle lontane ore avute con Aldo al Rest Camp, e all'immaginazione di altre ore con lui, infinite, egualmente lontane, in un futuro improbabile se non impensabile. Potevo pregare? Era degna la mia preghiera di giungere fino al Signore? No, certamente no. Sarebbe stato troppo comodo. E non osai più pregare. La sola cosa che potevo fare era questa: pensare fortemente che ero indegna di pregare.

« L'auto era giunta in quel momento all'ultima e più ripida rampa della salita. Rallentò scoppiettando e dopo qualche metro si fermò.

« Proprio lì sopra, a mezza altezza, nella roccia, c'è, in una nicchia come una cavernetta, la statua della Madonna di Lourdes, lampade votive ed ex voto tutt'intorno. Il grassone che guidava la macchina ci disse di scendere e continuare a piedi per l'ultimo breve tratto della salita, mentre egli avrebbe cercato di rimettere in moto.

« Nella luce grigia del crepuscolo, l'altissima roccia era a strapiombo su di noi, massa enorme e nera dove non si distingueva che la statuetta della Madonna, bianca e azzurra, lievemente illuminata.

« Le due donne ed Aldo non guardavano da quella parte. Erano andate al parapetto. Guardavano a picco, sotto, il precipizio, e la lastra senza colore del mare, e le luci lontane di Napoli. Cominciarono scherzando a camminare su per la strada, come aveva detto il grassone.

« Rimasi indietro, pochi istanti. Guardai la Madonna. Poi guardai la figura di Aldo, alta e snella, che si allontanava per la strada bianca, a braccetto tra l'una e l'altra donna. Oh sì, potevo pregare! Ma dovevo, in qualche modo, pagare. Pagare perchè la mia preghiera fosse efficace, e ottenesse la grazia che Duccio vivesse. La Madonna, che ora fissavo intensamente, mi aveva dato l'idea, e il coraggio. Sì, mi aveva dato anche il coraggio.

« Ebbi un attimo, un solo attimo di esitazione. Guardai Aldo che si allontanava e, in quell'attimo, sentii che perdevo, per sempre, non Aldo, ma qualche cosa di molto più importante, qualche cosa di mio, che cosa esattamente non avrei saputo dire. In quell'attimo, capii che ero come sospesa ad un filo. Tutta la mia vita era in gioco. Sospesa dove? Quale gioco? Non sapevo, non sapevo nulla. Mentre me lo chiedevo, avevo già deciso.

« Avevo già fatto il mio voto. Se Duccio viveva, avrei rinunciato per sempre ad Aldo. »

19

«Poco dopo, risaliti in macchina, mentre facevamo un giro per i vialetti di Anacapri, la cantante notò che Aldo non aveva il suo orologio. Dissi subito che lo avevo io, e lo estrassi dalla borsetta e lo riconsegnai ad Aldo che mi guardava interrogativamente. Avevamo fatto un gioco, spiegai alla cantante; Aldo aveva perso e mi aveva dato l'orologio in pegno.

« " Ma Aldo, " osservò la cantante, scherzosa e tuttavia scrutando me e lui, " Aldo, per riavere il pegno, avrà promesso una penitenza. Perchè non la fa? "

« Dissi che non volevo più nessuna penitenza. Non mi andava più. Ritornati giù a Capri, salutai definitivamente la compagnia.

« Trovai modo di mormorare rapidamente a Aldo che avevo scherzato: aveva ragione lui, era molto meglio che quella sera non ci fossimo visti.

« Di corsa, e seguitando, per tutto il tragitto, a pregare la Madonna, un'Ave Maria dopo l'altra, tornai a casa. La Fräulein era sulla porta, e aveva Duccio in

braccio. Duccio, che stava benissimo, che era stato benissimo subito, cinque soli minuti dopo che ero corsa a chiamare il dottore, e aveva mangiato il suo pasto regolare, e aveva dormito. Il dottore era venuto con Don Raffaele, e aveva detto che si era trattato di una colica violenta ma assolutamente senza conseguenze. Io, piuttosto, che cosa era successo di me? La Fräulein era terribilmente preoccupata...

« Non potevo rispondere alla Fräulein. Piangevo di felicità, baciavo e abbracciavo Duccio, che rideva, e non pensavo ad altro.

« Non pensai ad altro per due giorni. Mi occupavo di Duccio e ogni tanto pensavo alla Madonna, e mentalmente la ringraziavo.

« Il terzo giorno, alla mattina, mentre mi preparavo per portare Duccio giù alla Marina Piccola, la cameriera mi annunciò la visita di un signore che voleva parlarmi. Non aveva capito il nome.

« Scesi di sotto, pensando che fosse Baxter, quel musicista inglese che avevamo conosciuto in piazza prima della tua partenza e che poi era venuto due o tre volte a prendere il tè. Invece, era Aldo.

« Appena lo vidi, lo desiderai subito con tutte le mie forze: ma non più col mio cuore. Come spiegarti? Ecco, non era più *una creatura divina*. Era un vizio. Un vizio forse irresistibile. Ma null'altro che un vizio. »

« Allora, che cos'hai fatto, Jane? Il voto? »

« Ruppi il voto. Lo ruppi senza esitare, quella sera stessa. »

« Senza esitare? Com'è possibile? Perchè? La Madonna ti aveva ascoltato. Non hai avuto paura? »

« No. Perchè capii, con assoluta chiarezza, che non

avevo fatto il voto di rinunziare per sempre; ma per quella prima sera, soltanto: per quella prima sera e nel momento in cui credevo che Duccio stesse male. Capisci, ero convinta di tornare a casa e di trovare Duccio gravemente ammalato. Abbandonarlo, quella notte, andare su ad Anacapri per stare con Aldo *mentre* Duccio era in pericolo: ecco a che cosa avevo rinunciato davanti alla Madonna. Quello era il mio voto affinchè Duccio vivesse. Non altro. Adesso, andare con Aldo non aveva più nessun valore. Era un piacere, sì, ma un piacere che non aveva più nulla, come spiegarti? più nulla di tragico, più nulla di definitivo. Era come acqua fresca, lo sentivo, di fronte a ciò che avrei provato se non avessi fatto il voto, non avessi restituito l'orologio, e fossi andata quella notte ad Anacapri.

« Andare quella notte ad Anacapri, se non avessi fatto il voto, voleva dire, capisci? chiederti il divorzio e sposare Aldo. Non importa se prima, tornando a casa, avessi trovato, come lo avrei trovato, Duccio in perfetta salute: non importa, perchè avrei soltanto portato a compimento una decisione presa nel momento in cui ancora temevo per la vita di Duccio, e dopo aver cercato di pregare, e, soprattutto, dopo avere avuto l'ispirazione del voto. »

Ricordai a Jane ciò che essa stessa mi aveva detto a Parigi quando mi aveva parlato del suo voto, benchè tacendomene la parte essenziale. Mi parve di poterle ripetere le sue stesse parole. E cioè: Se Dio esiste, non esiste, per Dio, un prima nè un dopo. Tutto è un contemporaneo davanti a Lui. Secondo me, quindi, essa era tenuta ad osservare il voto.

« È quello che mi ha detto anche il Père de Lalande.

Io ho cercato di difendermi, non perchè credessi di non aver peccato, ma soltanto per spiegargli come il peccato, che avevo commesso rompendo il voto, fosse un peccato infinitamente meno grave di quello che avrei commesso se, *dopo aver avuto l'ispirazione del voto,* non l'avessi seguita e fossi andata la notte ad Anacapri. Quello era il peccato veramente mortale. Il peccato che si può commettere, nella vita, una volta sola. Il peccato per cui si può avere tanta disperazione da andare all'inferno, o tanto rimorso da diventare Santi. Io non l'ho commesso. »

« Dovresti essere contenta, Jane, di non averlo commesso. »

« Sono contenta. Ma a volte mi viene un dubbio. Un dubbio strano, tormentoso. Che fosse un peccato necessario. Adesso, per esempio, vedi? adesso che temo per te; adesso che Don Raffaele, con le mie lettere, ci ricatta... Non era meglio che fossi stata cattiva fino in fondo e che avessimo divorziato? Ora non avresti nulla da temere. »

L'indomani Jane doveva volare da Ciampino direttamente a New York. Annullammo la prenotazione, fissammo un posto su un aereo che partiva tre giorni dopo da Parigi, e andammo a Capri. Era chiaro che le lettere non le poteva avere che Don Raffaele, e che la telefonata era stata fatta da una persona di sua conoscenza.

Partimmo da Roma noleggiando un'auto la mattina presto. Fummo a Napoli alle dieci, in tempo per il battello. A mezzogiorno sbarcavamo a Capri. Don Raffaele, secondo la sua abitudine, era alla Marina Grande. Passeggiava sul molo col maresciallo delle guardie di finanza, in attesa del battello. Ci vide subito, e ci venne

incontro festosissimo, alzando ambo le braccia, sorridendo il più aperto dei suoi sorrisi.

Tuttavia, notò immediatamente che eravamo senza valigie. Seppe che ripartivamo lo stesso pomeriggio. Ne parve sorpreso e rattristato:

« Ma come? Non si fermano? È un delitto! Come si fa a venire a Capri e non fermarsi almeno una notte? Eh! Eh! Eh! »

« Siamo venuti semplicemente per parlare con lei, Don Raffaele, » dissi serio. Le sue espansioni mi esasperavano. Non volevo mostrarmi troppo spaventato. Ma neppure indugiare in familiarità. Più presto fossimo venuti al dunque, meglio sarebbe stato.

« Parlare con me? Troppo onore! Io sono a loro completa disposizione. Dica, dica pure, signor maggiore. »

« Dove andiamo? » dissi volgendomi anche a Jane.

« Vogliono salire su in piazza? Se permettono, offro il vermouth. Questa volta tocca a me. »

« Devo parlarle di un affare, Don Raffaele. Non abbiamo tempo da perdere. Possiamo venire a casa sua? Forse è meglio. » Pensavo, naturalmente, ch'egli conservasse le lettere in casa: e non volevo, una volta ch'egli avesse accettato la cifra che intendevo offrirgli, tardare ad entrare in possesso delle lettere.

« A casa mia?! Oh, signor maggiore, mi scusi. Ma anche per la signora, poverina, è così lontano. Bisogna camminare più di mezz'ora. Sarei onoratissimo di riceverli nella mia povera casa. S'immagini, signor maggiore! Ma sarebbe troppo disturbo per loro, mi creda pure. Possiamo parlare al caffè. Perchè no? »

« È un affare delicato, Don Raffaele, » dissi fissandolo.

Ma egli, che pure era così attento e perspicace, non

parve questa volta accorgersi della forza nè dell'intenzione del mio sguardo.

« Un affare delicato? » chiuse gli occhi un attimo, come pensando. « Possiamo andare al Quisisana, in una sala, su una terrazza, no? »

« Nemmeno, Don Raffaele. Cerchi di capirmi subito. Devo parlarle senza testimoni. In un locale privato. »

« Benissimo. Vengano in Municipio, allora. A quest'ora non c'è più nessuno. »

« In Municipio?! »

« Ma sì. Vedo che lei non sa nulla. Chiedo scusa se parlo di me. Ora sono Sindaco. Sono il Sindaco di Capri. Da più di sei mesi. I miei concittadini hanno avuto fiducia nella mia persona. Si accomodi, prego, signora...»

Così dicendo c'invitava a entrare nella stazione della funicolare. Poichè mi appressavo allo sportello dei biglietti, mi fermò precipitosamente:

« Per carità non s'incomodi! Loro sono con me. Chi viene col Sindaco non paga il biglietto. Eh?! almeno questo! »

Durante il tragitto in funicolare, mentre parlavamo di argomenti indifferenti, la stagione, la frequenza dei forestieri, il problema dell'acqua a Capri, e poi lui s'informava del bambino, e Jane, malgrado l'intima repugnanza, soggiogata e travolta da quell'enfatica cordialità, gli rispondeva a tono, dava notizie di Duccio, diceva perfino della nascita di Donatella eccetera, io guardavo quell'uomo col quale tra breve avrei dovuto combattere una vergognosa, miserevole battaglia; lo studiavo, osservavo la sua faccia glabra, le labbra sottili, gli occhi grigi ridenti sfuggenti, le grinze appena accennate agli angoli della bocca, fisionomia fine e scettica, maschera

giunta in eredità, attraverso generazioni di cortigiani di trafficanti di servi di preti, dalle antichissime civiltà mediterranee, via via fenicie, greche, alessandrine, italiche e spagnole, fino a quell'essere rozzo e volgare che la portava, senza mai togliersela, come l'arma più potente ch'egli avesse; e misuravo da quella maschera le forze secolari della sua astuzia con le forze improvvisate della mia. Come avrei fatto a vincere? Quanto caro avrei dovuto pagare?

Senza dubbio alcuno, sapeva tutto di noi. Sapeva che la famiglia di Jane era ricca. Sapeva che abitavamo a Parigi. Sapeva la mia posizione all'Unesco. Non mi aveva detto nulla. Ma parlava abbastanza per lui il suo ossequio, segnatamente più profondo di quello che soleva tributarmi l'anno prima.

Guardavo Don Raffaele, lo vedevo ridere, scherzare, complimentare Jane; e senza più ascoltare il senso delle sue frasi, disperatamente pensavo cifre, soltanto cifre: mille dollari? duemila? cinquemila? diecimila? Mi palpavo in tasca il libretto degli chèques. Mi dicevo che il mio deposito all'American Express di Parigi non sarebbe bastato; che avrei dovuto ricorrere a Jane perchè ricorresse a suo padre. Forse con una prima somma avremmo potuto strappare parte delle lettere. Ma quanto ci occorreva sborsare per averle tutte?

In piazza non c'era nulla di mutato. Salvo che, per la stagione canicolare e l'ora, i forestieri se ne stavano tutti dalla parte in ombra, e il caffè di faccia, in pieno sole, era completamente deserto. Il caldo era tale che tutti se ne stavano immobili, seduti ai tavolini. Uomini e donne, seminudi, occhiali neri, sorbivano con gesti cauti e lenti alte bibite ghiacciate.

Attraversammo la piazza ed entrammo nella casetta del Municipio. Salimmo al primo piano. Don Raffaele aveva la chiave. Ci ricevette in uno studio ampio, disadorno, buio per le imposte chiuse.

« Qui se non si fa così, si crepa, » spiegò Don Raffaele. « La signora permette? » e si tolse la giacca. Andò a sedersi al suo posto di Sindaco, dietro una grande scrivania ingombra di carte. Ci fece accomodare dall'altra parte, su due poltrone di vimini.

Prima di parlare, raccolsi il mio coraggio e il mio disgusto. Guardai un'ultima volta Don Raffaele. Seduto sulla sua poltrona, in maglietta grigia a mezza manica, si asciugava con un fazzoletto il sudore intorno al collo e sulla nuca. Sopra di lui, alla parete incalcinata di bianco, i ritratti del Papa e del Presidente della Repubblica. Più in alto il Crocefisso.

« Don Raffaele, » dissi, « entro in argomento senza preamboli. Mia moglie mi ha detto ogni cosa. »

Il lieve sorriso di attenzione, che fino allora era rimasto sulle labbra sottili di Don Raffaele, istantaneamente cadde. Il suo viso serio, ma tranquillo, osservò un momento Jane e poi di nuovo me.

Continuai:

« Io dunque so che mia moglie, l'anno scorso, mentre era qui a Capri, ricevette una lettera dal suo primo marito. Lettera che fu spedita al suo indirizzo, Don Raffaele, e che lei consegnò a mia moglie. Mia moglie non voleva mentirmi; ma semplicemente evitare che io m'inquietassi. Al tempo stesso, per evitare che all'Ufficio Postale potessero essere aperte le lettere che essa intendeva scrivere al suo primo marito... »

« Mi scusi se la interrompo, signor maggiore. È veris-

simo, purtroppo, che in passato l'Ufficio Postale di Capri non dava nessuna garanzia. È tanto vero che fui io il primo a confermarlo alla sua signora. Ma, con la stessa sincerità, tengo a dichiararle che, da quando io sono Sindaco di Capri, ciò non avviene più. Questo abuso enorme, inaudito, che viola uno dei primi e più elementari privilegi di una nazione civile, a Capri è finito, signor maggiore. Lo dica pure a tutti. A tutti i suoi concittadini. È stato il primo provvedimento della mia amministrazione. Benchè, come lei sa, le Poste non dipendano dai Comuni, bensì direttamente dallo Stato, appena eletto Sindaco io ho fatto, con questo unico e preciso scopo, un viaggio a Roma, a mie spese, e ho sanato la piaga. Da sei mesi l'Ufficio Postale di Capri è altrettanto segreto dell'Ufficio Postale di Washington. Mi scusi per l'interruzione, signor maggiore. Dica, dica pure adesso, continui... »

Continuare? Non trovavo più le parole per riprendere il discorso. Per quanto non ci fosse nessuna dipendenza logica tra questo improvviso erigersi di Don Raffaele a risanatore della moralità dell'Ufficio Postale e l'esitazione che provavo ad offrirgli una cifra per ottenere le lettere, sentii, mentre egli diceva di aver *sanato la piaga*, ingigantire la mia esitazione e con essa, purtroppo, la prima cifra che intendevo offrire.

Don Raffaele certamente aveva previsto questo effetto: e perciò mi aveva interrotto con tanto spreco di frasi, e tanta ostentazione di moralità.

Egli era Sindaco. Egli aveva riformato l'Ufficio Postale. Dunque, il prezzo delle lettere era molto più alto di quello che io pensassi.

Ho detto che non ero capace di riprendere il discorso. Per fortuna intervenne Jane.

« Don Raffaele, » disse, « io ho detto tutto a mio marito. Ho detto, cioè, delle sei lettere che le diedi da impostare perchè lei le mettesse in altra busta e ci scrivesse l'indirizzo. »

« Va bene, signora, » disse Don Raffaele.

« Quanto vuole per quelle sei lettere? » dissi improvvisamente, alzandomi in piedi e battendo un pugno sul tavolo.

Don Raffaele indietreggiò sulla spalliera della poltrona, spaventato.

« Non capisco, » balbettò. « Non capisco che cosa lei voglia dire, signor maggiore. »

« Oh! Lei capisce benissimo. Non faccia l'ingenuo, andiamo. Quanto vuole per le sei lettere? Le offro mille dollari? Va bene? »

« Ma signor maggiore, volentieri.... volentieri, con tutto il cuore. Anche senza i mille dollari. Ma io le lettere le avevo impostate! »

Ero in piedi, curvo sul tavolo, curvo su Don Raffaele che mi guardava e indietreggiava, sempre più atterrito. Sono molto alto, e lo dominavo. Fissandolo con tutto l'odio di cui ero capace:

« Non conti storie. Basta! » gli dissi. « Le lettere non sono mai arrivate a destinazione. E lei lo sa benissimo. Chi è che ci ha telefonato a Roma ieri l'altro? Una persona incaricata da lei. Dunque, basta. Quanto vuole? Mille dollari sono pochi? Lo dica. Abbia almeno questo coraggio! »

Mi accorsi, allora, che Don Raffaele tremava. Tremava ed ansava ed era pallido di paura.

« Permetta, signor maggiore, » disse con voce supplichevole. « Si calmi, la scongiuro. Permetta che mi alzi... »

Appoggiandosi con le due mani ai braccioli della poltrona si alzò tutto tremante, si voltò verso il muro, guardò in alto, stese la mano destra, su, in direzione del Crocefisso.

« Ecco, vede, signor maggiore, » fece quasi piangendo. « Lo giuro sul Crocefisso. Giuro sul Crocefisso che le sei lettere le ho chiuse... lo dice lei che sono sei, ed io non lo nego, ma assolutamente non mi ricordo quante fossero... le ho chiuse, senza leggerle, in altrettante buste, ho scritto di mio pugno un nome che non ricordo; ma l'indirizzo era l'Hotel Excelsior a Roma; le ho sigillate; e le ho impostate. Poi non ho saputo, non so più nulla. Le ripeto, lo giuro davanti al Crocefisso. Possa morire in questo momento la mia nipotina, che ha sedici anni e quattro mesi e che è l'unica persona al mondo che amo, perchè mia moglie non mi aveva fatto dei figli, possa morire in questo momento la mia nipotina Costanza se quello che ho detto non è la pura e semplice verità. »

Giurando e parlando, guardava ora il Crocefisso e ora si volgeva, al di sopra delle spalle, per vedere l'effetto delle sue parole su di noi. Abbassò il braccio infine, e tornò alla scrivania, asciugandosi le lacrime col fazzoletto bagnato di sudore e continuando a fissarmi spaventato. Io tacevo. Guardai Jane. Stava a testa bassa, seduta sulla sua poltrona, e taceva anche lei.

Dopo una lunga pausa:

« Ma lei non deve fare così, » riprese sottovoce Don Raffaele, e allungò timidamente una mano verso di me,

e con tono umile e quasi paterno seguitò: « Ascolti qualcuno che ha un bel po' d'anni più di lei. Si calmi. Non si preoccupi in quella maniera. Ci sono tante disgrazie, tanti dolori nella vita. Ma di fronte a una malattia grave, alla malattia inguaribile di una persona cara, di un familiare, che cosa sono i suoi guai, e anche gli scandali? Niente, mi creda, niente... Io sono vedovo, mia moglie è morta di cancro. Sette anni di torture. Quelle sono le disgrazie della vita, signor maggiore. Ringrazi il Cielo e la Madonna che la signora sta bene, che lei sta bene, e che i loro bambini in America stanno bene. E il resto... il resto cerchi di risolverlo con calma, con ponderatezza, senza agitarsi così. Che diamine, signor maggiore, una persona come lei! »

Una commozione, che stentavo a frenare, mi gonfiava il petto, mi era nella gola. Stesi la mano a quell'uomo che avevo così ingiustamente e bassamente calunniato, gliela stesi con estrema vergogna perchè avevo bisogno che egli me la stringesse:

« Mi perdoni, Don Raffaele. Sono stato un pazzo. Mi perdoni. Mi perdona? »

« Ma che perdono e perdono, signor maggiore, » fece allora Don Raffaele afferrandomi la mano tra le sue. « Sono drammi... drammi sentimentali, succede a tutti. Si perde la testa, non si sa più quello che si fa. Ma poi passa, e non ci se ne ricorda nemmeno più. Con tutto l'augurio, maggiore. »

« Perdoni anche me, Don Raffaele, » disse Jane che si era alzata ed era venuta al tavolo e gli stendeva anche lei la mano.

« Oh, basta con questo perdono! » rispose Don Raffaele alzandosi, inchinandosi, prendendo la mano di

Jane e sfiorandogliela con un bacio. « Che sono il Cristo io? Sono il Sindaco di Capri, e come Sindaco sono severissimo e non perdono niente a nessuno! Se uno butta la carta straccia sul selciato e non negli appositi cestini di ferro che ho fatto mettere a tutti gli angoli, multa. Se di notte i forestieri fanno baccano e svegliano chi dorme, multa. Se il costume delle graziose signorine bagnanti, eh? c'intendiamo, non è quello prescritto dalla legge, multa. Multa, multa, multa. »

Scoppiò in una gran risata e ci condusse fuori a prendere il vermouth.

« Torna in America, signor maggiore? Vanno in aereo? »

Non sapeva di Parigi, non sapeva dell'Unesco, non sapeva nulla. La nostra cattiva coscienza gli aveva attribuito un'informazione vastissima e un potere diabolico, ch'egli non aveva.

Bevuto il vermouth, lestamente si congedò. Erano quasi le due. Tardi, disse, e la nipotina lo attendeva per la colazione. In realtà, egli ebbe persino la delicatezza di capire che, convinti della sua innocenza, noi lo associavamo tuttavia alle nostre angoscie, al mistero delle lettere, e che ci faceva un piacere a sparire.

Così fu. E da quel momento, tra Jane e me, fino alla fine, tutto andò bene. Scendemmo subito alla Marina Grande e facemmo colazione lì, per essere sicuri di non perdere il battello delle sedici.

Quella notte dormimmo a Napoli, dove avevamo lasciato i nostri bagagli. L'indomani mattina, con uno sleeping diretto, partimmo per Parigi.

Pensavamo a Don Raffaele e ci sentivamo tranquilli, rasserenati. Le lettere? Lo scandalo? Attendiamo gli

eventi, ci dicevamo. Chi ha le lettere, se vorrà dei denari, prima di pubblicarle verrà bene a chiederceli. Era stupido agitarsi come avevamo fatto.

Ero ormai persuaso che Jane al telefono non avesse capito bene. Cercai di ricostruire le parole che potevano aver causato l'equivoco. Angosciata dal rimorso, ossessionata dall'idea di un ricatto, Jane poteva aver parlato delle lettere per prima. E l'individuo, allora, chiunque egli fosse, poteva, nel suo italiano artificiosamente infantile, averle detto: " Lettere? *mai sentito.* " Come per dire: lettere? non ne so nulla. E Jane poteva aver pensato: " The letters? they have *never been sent.* " Sentito, sent, spedite. Le lettere non sono mai state spedite. E aveva subito pensato a Don Raffaele. Chissà?

Spiegai a Jane il mio arzigogolo. Complicato ed improbabile, aiutò comunque a calmarci.

Ciò che ci aveva impressionato, rasserenandoci come d'incanto, era soprattutto la straordinaria umiltà di Don Raffaele, di quell'uomo furbo, avido di denaro, e certamente colpevole di innumerevoli bassezze nella sua vita, il quale, accusato per una volta a torto, non si era ribellato, non si era indignato; ma aveva sopportato l'accusa quasi con rassegnazione, e si era difeso soltanto con la paura.

Questi sono gli italiani! Umili fino alla viltà, savi fino al tradimento, umani sempre, eroici mai, e a volte santi.

Don Raffaele, che ci era parso un diavolo dal primo momento che lo avevamo conosciuto, si era rivelato, negli ultimi cinque minuti, addirittura un santo. Opera di un santo fu il bene che ci fece!

Nel vagone letto parlavo con Jane pacatamente di queste cose. Tutto quanto era successo pareva un brutto

sogno. Venne la sera. Il treno, arrampicandosi per le buie montagne, si avvicinava al confine. Non accendemmo la luce. Nei tratti che il treno percorreva all'aperto, tra una galleria e l'altra, a mezza costa sul fianco scosceso della valle, dai finestrini entrava l'aria pura della notte alpina. Supino sulla cuccetta vedevo le creste nere dei monti e il cielo blu cupo e le stelle lucidissime.

Avevo dimenticato tutto, perfino Dorothea, e volevo bene a Jane.

Fui felice. Perchè non ammetterlo? Perchè non ammettere, nella vita, tali rovesciamenti e tali contraddizioni? Perchè cercare ad ogni costo una logica dove non era che mistero e forse una logica più alta, che ci sfugge, che non possiamo capire?

Fui felice. Felice con Jane, come e più che con Dorothea.

Non ricordo che cosa pensavo, che cosa, esattamente, provavo. Ricordo soltanto che, in treno, fui felice.

E che, perciò, subito dopo, le prime parole di Jane mi ferirono, mi delusero, riempiendomi d'amarezza. Avevo creduto che anche Jane fosse stata felice con me, come me. Ma invece no.

Subito dopo, Jane disse dolcemente, accarezzandomi:

« Noi due ci amiamo, Harry, lo so. Ci amiamo di vero amore. Ma che peccato, Harry, che non ci amiamo anche nel fare all'amore! »

Il treno in quel momento rallentava, arrivando all'ultima stazione italiana. Il profilo nero delle montagne, il cielo, le stelle, si fermarono adagio adagio, si fissarono inquadrandosi nel finestrino. Udivo passi di ferrovieri, o di rari viaggiatori, qualche voce sparsa, un richiamo, un grido lontano, un fischio. Poi il silenzio della mon-

tagna di notte, lo scroscio dei torrenti. Una campana, dal villaggio, suonò le undici. E io mi ridicevo subito, mi mandavo già a memoria, come una condanna, le parole di Jane: " che peccato che non ci amiamo anche nel fare all'amore! "

Per lei, dunque, io ero, sotto questo punto di vista, poco più che acqua fresca. Acqua fresca, anche questa espressione era stata sua.

Non risposi nulla. Giaceva sopra di me. Il suo volto era affondato nella mia spalla. Me la stringevo contro. La sentivo, magra, piccola, compenetrata con me. Non negai. Non risposi nulla. Guardavo la montagna. Ascoltavo i torrenti.

Il bello poi era, non potevo impedirmi di riflettere, il bello poi era che forse Jane si sbagliava. Forse era stata felice anche lei, e per suo naturale pessimismo non si accorgeva di questa felicità troppo vicina.

O forse ero io, per mio naturale ottimismo, che aprivo uno spiraglio alla mia vanità?

Ma, continuando a riflettere, sospettai di essere stato così felice con Jane perchè era la prima volta che la prendevo dopo avere avuto la confessione del suo tradimento. E che forse un giorno anche lei, quando avrebbe avuto la confessione del mio, sarebbe stata altrettanto felice... Ma era assurdo parlarle quella notte di Dorothea. Jane partiva l'indomani per l'America. Al suo ritorno a Parigi, in settembre, le avrei, con calma, raccontato tutto. Volevo però dirle qualche cosa fin da quella notte. Istillarle come un dubbio. Se non altro perchè non si tormentasse troppo; non si sentisse, verso di me, troppo colpevole. Quante più volte, al suo confronto, io l'avevo tradita! E non soltanto con Dorothea,

ma con tante altre donne. Mi venne in mente, tra le altre, Checchina. E con Checchina la catenina d'oro, e la medaglietta della Madonna di Lourdes, la stessa Madonna alla quale Jane aveva fatto il voto, e che la povera Checchina mi aveva dato facendomi promettere di conservarla o di regalarla, in caso, soltanto a mia moglie.

Cercai la catenina, che tenevo sempre nella tasca interna del portafogli, la cavai fuori e la porsi con la sua medaglietta a Jane.

« Anch'io sono stato colpevole verso di te, » le dissi. « Quando tornerai a Parigi ti racconterò tutto. Questa medaglietta con la Madonna di Lourdes me l'ha regalata una donna, un'italiana con la quale sono stato mentre tu eri a Capri. Ti racconterò. »

« Perchè devo tenere questa medaglietta? » disse Jane adombrandosi. « Io non la voglio. »

« Ti prego, tienila, » insistei. « Così, guardandola, non avrai troppi rimorsi. Del resto, era una così brava ragazza. »

« Perchè dici *era*. È morta? »

« No. Ma non credo che la incontrerò mai più. Era una brava ragazza. Anche il tuo Aldo è un bravo ragazzo, in fondo. Il male, Jane, non è mai negli altri. È sempre, e soltanto, dentro di noi che lo desideriamo. »

Non rispose subito. Guardava la catenina. Vidi che pensava qualche cosa con forza; e che non aveva il coraggio di parlare. Infine disse:

« Anche Aldo porta al collo una catenina così. »

Se la mise al collo e, forse travolta dal nuovo pensiero, cominciò a baciarmi appassionatamente. Mi ricordai allora le ultime parole con le quali Checchina

aveva accompagnato il regalo, per persuadermi ad accettarlo: " Ti porterà fortuna, vedrai. "

E chissà, quella volta, fu felice anche Jane.

Fino all'ultimo momento parve felice. Fino all'ultimo bacio che le diedi, all'aeroporto di Orly, l'indomani sera.

Gli addii agli aeroporti sono i più strazianti. Si comincia a rimanere separati, mentre si è ancora nello stesso luogo, da burocrati in divisa che incanalano i partenti tra basse palizzate, vetrate, stretti corridoi, come bestie condotte al macello.

Attendevo fuori, nella notte, guardando il grosso Constellation con il quale Jane sarebbe partita. Le eliche turbinavano per prova. Ma i viaggiatori non li avevano ancora fatti uscire dall'edificio. Eccoli, infine, un gruppetto sparuto, distante, un gruppetto di esseri umani che mi sembravano camminare come riluttanti, e come spinti da invisibili carnefici, verso il mostro che li avrebbe trasportati di là dall'oceano. Nel buio, a quella distanza, cercai invano di distinguere la figuretta di Jane. Alzai, agitai la mano in segno di saluto sperando che invece essa mi vedesse.

Il gruppetto salì sull'aereo. La scala fu ritirata. Di nuovo le eliche dei quattro motori, una dopo l'altra, girarono per l'ultima prova. Poi tutte e quattro insieme. E l'aereo cominciò lentamente a muoversi, a girare su se stesso.

Era lento; ma in pochi istanti, inspiegabilmente, era già scomparso nell'oscurità, verso il centro del campo.

Salii sulla mia macchina, mi allontanai dall'aeroporto verso Parigi. Dopo cinquecento metri mi fermai e scesi. Guardai verso il campo. Udivo rombi confusi di motori. Vedevo qua e là, luci e fari. Dov'era l'aereo di Jane?

Dopo qualche minuto mi parve d'indovinare la sua forma, grigia nella notte nera, che prendeva quota.

Due luci, una rossa, una verde, che si accendevano e spegnevano alternativamente, apparvero per un momento in mezzo al cielo. Poi più nulla.

C'era soltanto un rumore di motori che si allontanava sempre più, e mi accorsi ad un tratto dell'immenso stridìo dei grilli: riempiva la notte e la campagna.

Faceva molto caldo. Il cielo era coperto di nuvole. Non si vedeva nemmeno una stella.

QUI S'INTERROMPEVA IL DATTILOSCRITTO DI HARRY.

20

Devo dichiarare subito, in quanto regista, che il racconto di Harry... Ma com'è brutta questa parola, questo abusatissimo nome di *regista*. È inutile, non mi va, non mi ci posso abituare. Non era molto meglio continuare a dire, come si era sempre detto, metteur en scène, o direttore di scena, o semplicemente direttore?

Devo dunque dichiarare, in quanto uomo di cinematografo, che il racconto di Harry mi parve senz'altro ricco di idee, di spunti, e persino di fatti; ma che, per ottenere il finanziamento di un qualsiasi produttore, anche del più colto e spregiudicato, sarebbe stata necessaria una completa rielaborazione.

Appena letto il dattiloscritto, risposi a Harry in questo senso. E gli dissi che la sua storia mi aveva impressionato. Badasse a finirla, ora, e a spedirmi subito la conclusione. Tra un paio di mesi, al mio ritorno a Roma, sarei certamente arrivato con qualche idea. Avremmo lavorato insieme, cercando di cavarne un soggetto per film.

Non che avessi molta speranza di mai girare un film con dei personaggi la cui psicologia era così complicata ed eccezionale, per non dire folle. Contavo semplicemente di riuscire a vendere il soggetto, data la possibilità di inserire nel *cast* due grandi attori americani, e far guadagnare così un paio di milioni ad Harry.

Tuttavia non gli scrissi di questo mio programma minimo. Non volevo scoraggirlo dal finire il racconto. E neppure gli scrissi di tutte le contraddizioni e assurdità che mi era parso di notare nella serie degli avvenimenti da lui narrati, e che, a volte, mi facevano persino dubitare della loro veridicità. Come era possibile, per esempio, che essi si fossero lasciati sconvolgere da quella telefonata misteriosa fino a partire per Capri e abbordare Don Raffaele in una scena tanto assurda? Ma soprattutto non mi andava giù la telefonata per se stessa. A quanto scrive Harry, l'individuo, telefonando, aveva profferito vaghe minacce, *ma non aveva chiesto denari*. Perchè dunque tanta agitazione?

Quanto al personaggio, diciamo così, di Don Raffaele, ero sicuro che Harry e Jane avevano esagerato nei due sensi: prima a crederlo troppo diabolico, e poi troppo santo. La verità stava certamente nel mezzo. Don Raffaele non era capace di ricattare come essi avevano dapprima temuto, ma neppure capace di quella profonda umanità e umiltà che li aveva poi commossi fino all'entusiasmo. Molto probabilmente, Don Raffaele, accortosi di avere a che fare con due persone che egli non poteva giudicare se non come degli squilibrati, dei pazzi, aveva stimato inutile lo sdegno, prudente la bonarietà, e saggio, in ogni caso, cavarsi d'impaccio il più presto possibile con qualche parola di circostanza. D'ac-

cordo, egli non aveva le lettere. Ma quelli erano degli americani e, data la sua posizione di novello sindaco di Capri, bisognava, soprattutto e a qualunque costo, ch'essi non potessero in avvenire mai più dubitare della sua integrità e non comunicassero a nessuno il più piccolo sospetto. Il che egli aveva ottenuto in pieno, con il suo giuramento davanti al Crocefisso, le sue lacrime, la sua dolcezza, la sua mitezza.

Ma, dove erano andate a finire le lettere? Era poi vero che il giovanotto non le aveva mai ricevute? La telefonata, non era poi stata opera sua? A questo proposito, io non ero così ottimista come Harry e Jane.

E che cosa era successo, in seguito, tra Harry e Jane? Perchè Harry aveva lasciato Parigi e il posto all'Unesco e viveva miseramente in via Margutta con Dorothea? Dopo tutto, avevano dunque divorziato? Harry, come lo avevo rivisto, pareva essersi legato a quella donna per la vita e per la morte, pareva disperato, rovinato, un uomo alla deriva. Che cosa era successo?

Dopo qualche tempo, confesso che cominciai ad attendere l'arrivo della fine del racconto di Harry con vera impazienza. Tornavo all'albergo ogni sera da Joinville e, prima cosa, chiedevo al portiere se fosse giunto un plico per me. O una lettera, o un telegramma che mi avvertisse di andare alla Gare de Lyon, come l'altra volta.

Ma Harry non rispose neppure alla mia lettera. Gli scrissi ancora un paio di volte, inutilmente. Passarono così due mesi e quando, ai primi di settembre, tornai a Roma, andai subito in via Margutta.

Salii la sudicia scala con una certa trepidazione. Oh, non pensavo più al mio tentativo di avventura con la bella pugliese. Pensavo a Harry, alla sua vita, di cui,

fino a un certo punto, ormai conoscevo tutto. Tutto. Ma non Dorothea la quale, dopo il lungo e dettagliato racconto, rimaneva a chi avesse letto, misteriosa, perchè misteriosa era rimasta allo stesso Harry.

Che donna era, in fondo? Venale o generosa? Amava Harry, oppure ci stava insieme soltanto per calcolo? Era difficile rispondere basandosi soltanto sulle confessioni di Harry. Difficile perchè era chiaro che Harry, senza saperlo, non amava Dorothea per quello che essa era, nella sua realtà, e qualunque fosse la sua realtà; ma la amava per come egli si immaginava e desiderava che essa fosse, e si ostinava follemente a rappresentarsela: cioè egoista, malvagia, meretrice, fredda, autoritaria.

Accadeva, anche qui, un po' quello che era accaduto per Don Raffaele. Harry non si accostava alla realtà di Dorothea con il desiderio sia pure appassionato di scoprirla; bensì con l'ansia e la volontà di riscontrarla identica a quell'immagine folgorante, assurda, mitica che la apparenza fisica della donna aveva fin dal primo momento suscitato in lui.

La realtà di Dorothea, umile prosaica e bonaria, non rispondeva al mito che di lei Harry si faceva. Ma questa mancata rispondenza, anzichè distruggere il mito, lo confermava. Incapace e incurante di vedere chi fosse, nella realtà, la sua dea, Harry trasformava le continue delusioni che questa gli dava in altrettanti e crescenti interrogativi, pieni di mistero e di fascino. Si accorgeva, per esempio, in una certa occasione, che essa non era imperiosa e malvagia com'egli aveva sognato? Ebbene, egli non ne deduceva, come chiunque avrebbe fatto, che Dorothea era mansueta e bonaria; bensì che non aveva voluto, in quella data occasione, mostrarsi imperiosa e

malvagia quale certamente, secondo lui, essa era. *Non aveva voluto.* E la ragione di questo suo non volere era inspiegabile: il suo fascino più forte che se avesse voluto. Era un dominio illimitato ed inesauribile, perchè alimentato non dalle qualità reali di lei, e neppure dalle illusioni di lui, ma addirittura dalle stesse delusioni che egli continuamente provava.

Insomma, se per un assurdo Harry avesse trovato un'altra Dorothea, e questa Dorothea fosse stata realmente, oggettivamente, la malvagia e sciocca divinità ch'egli adorava, in brevissimo tempo non l'avrebbe più adorata. Essendo, come era, un uomo buono e intelligente, Harry avrebbe in brevissimo tempo urtato contro la durezza massiccia, lo schifo, la noia di una *vera* malvagità e di una *vera* sciocchezza. No, egli poteva continuare a stare con Dorothea soltanto perchè Dorothea era completamente diversa da come lui la pensava.

Questa la mia interpretazione. Ma l'avevo dedotta dalla lettura del manoscritto di Harry, ed ero ansioso, naturalmente, di controllarla sulla realtà.

Passai davanti agli studi dei pittori, attraversai il cortiletto pavimentato dalle vecchie ceramiche, suonai il campanello della loro porta.

Attesi a lungo; suonai di nuovo, invano. Pensai che fossero fuori e me ne andai. Tornai il pomeriggio tardi, con il medesimo risultato.

Mi ostinavo a non telefonare. Volevo sorprenderli. La notte, tuttavia, mi decisi. Li chiamai alle undici, a mezzanotte, all'una. E poi la mattina presto. Il telefono dava il segnale di libero, e nessuno rispondeva.

Tornai allora a via Margutta e, dopo aver provato ancora una volta al loro alloggio, scesi a parlare con la

portinaia. Harry era partito da più di dodici giorni. La portinaia non sapeva dirmi per dove. Non le aveva detto nulla, non aveva lasciato indirizzo. Domandai della « signora ». La portinaia non sapeva nulla. Era scomparsa anche lei lo stesso giorno. Dunque, partiti insieme? La portinaia non sapeva dirmelo. L'unica cosa certa era questa: fino all'ultimo momento Dorothea e Harry erano stati insieme, ed erano saliti insieme in un taxi, con le valigie, davanti al portone di via Margutta. In un taxi? Non con la jeep? La jeep non l'aveva più, l'aveva venduta da più di un mese.

Andai all'Associazione della Stampa Estera, dove sapevo che Harry lavorava. Mi dissero che non lo vedevano più da parecchio tempo. Ma credevano di aver sentito dire che era partito per gli Stati Uniti.

Mi ricordai allora di Borruso, il conduttore dei vagoni letto, che aveva imprestato ad Harry mezzo milione, e che mi aveva lasciato il suo recapito romano. Borruso era in viaggio, sarebbe tornato dopo qualche giorno,

Quando infine lo vidi, mi disse quanto sapeva. Harry era tornato negli Stati Uniti definitivamente. Prima di partire, era andato a trovarlo. Gli aveva restituito i denari. Aveva venduto la jeep, gli disse. Tornava in America, riprendeva il suo posto d'insegnante all'Università. Però, neanche a lui aveva dato l'indirizzo. Provai a domandargli, senza accennare a Dorothea di cui non potevo supporre che Borruso conoscesse l'esistenza, se Harry fosse partito solo.

« Solo. Sì. Perchè? Si capisce, con chi vuole che partisse? Era solo, qui, mi pare... »

« Suppongo, » dissi. « Comunque in America sarà tornato dalla moglie. »

Borruso mi guardò stupito:

« Dalla moglie? Si è risposato? Non lo sapevo. »

« Ma no, da sua moglie, la prima, sempre la stessa... »

« La signora Jane? » disse allora Borruso. « Lei non sapeva che è morta? È morta in un incidente aereo. Due anni fa. Si ricorda quell'aereo che partì da Parigi per New York verso la fine di luglio? Quello che cascò verso le Azzorre, e c'era sopra anche quel campione di boxe... »

Dunque Jane era morta. Tutto il racconto di Harry prendeva, adesso, un altro significato. Tornai a casa, e rilessi alcuni tratti del dattiloscritto, soprattutto dove diceva di Jane, dell'ultimo viaggio da Napoli a Parigi, della catenina con la Madonna di Lourdes...

Conoscevo appena Jane, l'avevo vista soltanto due o tre volte, anni prima. Non potevo sentire, alla notizia, altra pietà di quella che si sente per tutti gli ignoti che vivono, soffrono, amano, e trovano una morte improvvisa, atroce e liberatrice. Tuttavia il suo carattere impetuoso e tormentato, la sua figuretta snella e magra, erano vivi, dalle pagine di Harry, davanti a me. Fui assalito dall'immaginazione dei pochi orribili istanti che dovettero precedere la sua morte. A chi avrà ella pensato, mi dicevo, in quegli istanti? Ai bambini, ad Harry, oppure ad Aldo, oppure a tutti insieme, in uno spasimo di dubbio estremo sul senso della vita? Che cos'è la morte? E come si spiega che, dovendo un giorno, o presto o tardi, o lentamente e sapendolo e preparandovisi, o nello strazio di un solo attimo mostruoso, subire questo supremo e inevitabile di tutti i tormenti, gli uomini si ostinino mentre vivono a volere continui minori tormenti proprio come se non dovessero morire?

Per lungo tempo non ebbi più nessuna notizia di Harry.

Finalmente, verso i primi di febbraio dell'anno successivo, mi giunse una lettera. Diceva:

« Long Island, 30 gennaio 1951

« Carissimo Mario,

« Dopo questo enorme silenzio, il mio primo dovere è di chiederti scusa. Neppure credo che gli ultimi avvenimenti, i quali hanno sconvolto la mia vita e mi hanno costretto a fare proprio ciò che meno desideravo e meno prevedevo, siano una giustificazione alla mia pigrizia. Ammetto che avrei potuto, e dovuto, scriverti un biglietto, o almeno telegrafarti a Parigi, per avvertirti del mio matrimonio con Dorothea e del mio ritorno negli States insieme a lei.

« Ma sapevo che tu ignoravi la morte di Jane; e come prima, scrivendo il lungo racconto che ti spedii a Parigi, non avevo mai avuto il coraggio di parlartene, così ora esitavo e rimandavo di giorno in giorno questa confessione che mi pesava, la più grave di tutte.

« Una settimana fa, infine, scrissi due righe al signor Borruso pregandolo di una piccola commissione da parte di Dorothea. Ricevo in questo momento la sua risposta. Egli mi dice di averti visto e di averti, per caso, informato della disgrazia.

« Avvenne il 28 luglio 1948, all'alba, presso le isole Azzorre.

« Da quel giorno, per più di due anni, ho sentito la morte di Jane come una colpa. E soltanto adesso che

Dorothea ha preso il suo posto, anche presso i bambini, in un modo che non avrei mai potuto prevedere, comincio a pensare di essermi, in fondo, accusato a torto, e a ritrovare non la pace, che non ho mai avuto, ma almeno un po' di serenità. Caso mai, ciò di cui soffro oggi, è un male nuovo, un male che non avevo mai provato prima, almeno non fino a questo punto: la noia.

« Aborro gli States, desidero una cosa sola: tornare in Italia. Prenderei qualunque pretesto. Dorothea, naturalmente, vuole restare qui. Non me ne importa proprio niente. La lascerei qui con i bambini molto volentieri, visto che le fa piacere. E verrei da solo. Ho bisogno, capiscimi bene, *bisogno* di tornare a Roma. Non potresti trovare tu questo pretesto? Almeno per un breve periodo: tre, quattro mesi. Ti assicuro che mi bastano pochi, pochissimi denari. Trentamila lire a settimana andrebbe benissimo. L'importante non sono i denari, è *la scusa* per venire, un lavoro cinematografico, la stesura del soggetto, un doppiaggio, quello che vuoi. Ma una scusa che sia vera, si capisce; che corrisponda a qualunque vero, benchè ingiustificato, lavoro.

« Posso chiedere vacanza all'Università quando voglio. Dirò che si tratta dei miei studi. Offner, nonostante lo scandalo dell'Unesco, continua a proteggermi. Quindi, non ho paura di perdere il posto. D'altra parte, i genitori di Jane che, come mi pare di averti detto, hanno dei mezzi, passano un mensile più che sufficiente a mantenere decorosamente i bambini e Dorothea. Ormai i genitori di Jane ebbero modo di conoscere e di frequentare, anche a lungo, Dorothea; e hanno per lei una sorprendente ammirazione, e una sconfinata fiducia. Nello sfacelo della mia vita, almeno questa è andata bene. Come puoi

capire, è l'ultima cosa che avrei pensato. Assolutamente non ci contavo.

« Guarda dunque un po' tu, carissimo Mario, di fare il miracolo e di mandarmi a chiamare. Dal canto mio, vedrò di riprendere il racconto interrotto, finirlo al più presto e spedirtelo. Ne farò due copie, in modo da potertelo mandare per posta senza preoccupazioni. Quando ricevesti la prima parte a Parigi, mi scrivesti due o tre lettere piene di entusiasmo. Mi dicesti che ti pareva, con opportuni tagli e modificazioni, di *vedere* il film. E che c'era anche la probabilità di collocare il soggetto, perchè c'erano le parti per due grandi attori americani. Spero che tu sia sempre della stessa idea. Aggiungevi che eri ansioso di conoscere la fine; anche perchè, in un buon soggetto, la parte più difficile e più importante, e comunque quella che colpisce di più le scarse fantasie dei produttori, è sempre il finale.

« Ora non so se il finale che ti manderò andrà bene per il cinematografo. Temo molto di no. Ma io, come ho fatto per la prima parte, non posso, purtroppo, che raccontarti la verità.

« Rispondimi subito, ti prego. Ho bisogno di una tua parola d'incoraggiamento.

« Ti abbraccio con tutto l'affetto,

tuo vecchio HARRY.

« P.S. Ormai puoi rispondermi con assoluta libertà. Da quando è in America, Dorothea è così felice, che non mi dà più il minimo fastidio. Lavora tutto il giorno, occupandosi dei bambini e attendendo alle faccende di casa. È impazzita (dalla gioia) per i meccanismi di

cucina. Ha imparato a guidare l'automobile. Prende lezioni d'inglese. E non legge più la mia posta. Ma l'America, che noia. H. »

Lo stesso giorno in cui ricevetti questa lettera, Borruso mi telefonò per darmi l'indirizzo di Harry. Lo ringraziai della sua gentilezza, dicendogli che Harry aveva scritto anche a me. Allora Borruso mi disse che l'indomani, a mezzo di un impiegato della T. W. A. suo amicissimo, egli avrebbe mandato in America un pacchetto che Harry gli aveva chiesto. Se volevo scrivere, o mandare qualche cosa anch'io, disponessi pure liberamente. Ebbi un'idea. Era troppo ingombrante, domandai a Borruso, un panettone?

Mandai dunque a Dorothea e ai bambini di Harry e di Jane un panettone di Milano. Ma che cosa conteneva il pacchettino che Harry gli aveva chiesto e che, io sapevo, era per Dorothea?

Andai a casa di Borruso a portare il panettone; e la mia curiosità fu subito soddisfatta.

Erano quelle perline multicolori di zucchero fine, probabilmente introvabili in tutta l'America, con le quali Dorothea soleva cospargere la famosa scarcella.

21

CIRCA due mesi dopo, ricevetti la continuazione del dattiloscritto di Harry. Eccone la traduzione:

CONTINUAZIONE E FINE DEL DATTILOSCRITTO DI HARRY

Avevo interrotto il mio racconto al punto dove avrei dovuto dirti della morte di Jane. La morte di Jane segnò una pausa, e come un enorme vuoto, nella mia vita. Arrivato a quel punto, era naturale che non avessi più la forza di continuare a scrivere. Il fatto, il delitto era ancora troppo vicino. Dico il delitto perchè l'anno scorso, a Roma, in via Margutta, mentre scrivevo il mio racconto, pensavo ancora alla morte di Jane come a un omicidio che avevo commesso.

Se, infatti, io non avessi, scioccamente, morbosamente, colpevolmente seguito Jane nei suoi scrupoli e nei suoi rimorsi, non mi sarei lasciato sconvolgere dalla telefonata, non avrei acconsentito ad andare con lei a Capri da

Don Raffaele: l'avrei calmata, persuasa a partire da Ciampino con l'aereo in cui aveva prenotato il posto da tempo, fino da New York. Ma la mia coscienza era sporca. Associavo, confondevo, senza saperlo, la mia colpa alla colpa di Jane. E come, finchè avevo creduto che il ricatto provenisse da Dorothea, vi ero corso incontro quasi voluttuosamente, preparandomi nelle tasche i mazzi di biglietti da diecimila, così, poi, ero partito per Capri eccitato e desideroso di trovare in Don Raffaele un autentico farabutto.

Avevo dato a Jane la catenina con la Madonna di Lourdes... Ebbi la notizia dai giornali della sera. Quando uscii dall'ufficio, gli strilloni sugli Champs Elysées gridavano dell'aereo caduto. Vorrei poter annotare qui fedelmente, minuto per minuto, ora per ora, ciò che provai da quel momento fino a quando fui certo della sua morte. Il sospetto, in principio, per un attimo, di aver capito male ciò che gridavano gli strilloni. Perchè doveva essere proprio l'aereo di Jane? E l'altro sospetto, contro me stesso, di avere, per una frazione di quell'attimo, addirittura desiderato la morte di Jane, per liberarmi di lei, per sposare Dorothea. E già avevo comprato il giornale, già correvo all'American Press, telefonavo all'Air France, al nostro Consolato. Mi informavo disperatamente, non volevo rassegnarmi alla verità. Per tre giorni e per tre notti non dormii nè toccai cibo. Fumavo e bevevo. Finchè non ci furono più dubbi. Telegrafai ai miei suoceri a Philadelphia. Per fortuna Donatella aveva pochi mesi, e lo stesso Duccio neppure due anni.

Ma a quale scopo fare la cronaca minuta di quei giorni? Anche se scrivessi centinaia di pagine, non potrei fare che ciò che è accaduto non sia accaduto. Jane era

scomparsa. Jane era morta. Jane non l'avrei vista mai più. Da quel momento la morte non mi fa più paura. Oppure, sì, mi fa sempre paura; ma quando ci penso, penso a Jane. Penso a Jane che ha già fatto quel passo. Ha già saputo che cosa siano quegli istanti. E, penso, come posso non accettare anche io la stessa prova? Sia che esista, o che non esista un aldilà; sia che Jane e io ci rivediamo e riconosciamo, oppure no: in tutti e due i casi, la morte mi è, da quel momento, più familiare. Penso e parlo della morte più volentieri di quello che non facessi prima, perchè ora la morte ha preso Jane. E a volte mi sembra addirittura impossibile che non ci rivediamo. Quando ho bevuto mezza bottiglia di whisky, Jane è lì, al mio fianco, invisibile, che mi aspetta. Questione di tempo. Di anni, di giorni, forse di ore o di minuti. Non importa. È lì che mi aspetta, e io sono contento.

Molte volte l'ho sognata (se, per assurdo, credessi a ciò che sto per dire, non avrei il coraggio di dirlo), l'ho sognata che era morta e che era all'inferno; ma che, per qualche oscuro disegno del demonio e imperscrutabile permesso divino, era tornata sulla terra per pochi giorni o poche settimane. Jane morta, Jane all'inferno, e intanto lì, col suo corpo, il suo volto, il suo sguardo, i suoi movimenti, perfino i suoi abiti, lì tra di noi, e io so che viene dall'inferno e che ci tornerà. Tornerà all'inferno a cui per l'eternità appartiene. La abbraccio disperatamente. La stringo a me. Questo avviene per la strada, all'angolo del boulevard Saint Germain e della rue des Ciseaux, vicino a un ristorante italiano dove andavamo qualche volta la sera, e nello stesso quartiere dell'albergo dove abitavo, dove dormivo mentre facevo questi sogni.

Lasciavamo la macchina sul boulevard, all'angolo della rue des Ciseaux. È sera anche adesso, è notte. Le vecchie botteghe sono chiuse, con le loro ante di legno e le sbarre di ferro attraverso. Ed è lì, sul marciapiede, dopo che sono sceso dalla macchina, è lì, a due passi, che incontro Jane. La stringo a me e poi la guardo. Uno strano, spaventoso rossore è sulle sue guance, che, da viva, sempre pallide aveva, ma di un pallore sano, asciutto e nervoso. Ora le sue guance sono rosse, come infuocate. E *io so* che cosa significa quel rossore, *io so* da dove viene la povera Jane. I suoi occhi brillano. Mi guarda. Non mi dice nulla. Ma i suoi occhi sono pieni di lacrime e brillano terribilmente, quasi senza più amore per me nè per nessuno altro perchè sono occhi che hanno visto e vedono ancora il luogo che vedranno per sempre. Eppure è qui, adesso cammina al mio fianco, mi dà il braccio. È come se fosse malata di una malattia orribile e inguaribile e colpevole, soprattutto colpevole. L'inferno è tutto in quest'idea della colpa. Lo aveva voluto lei. E perfino adesso, con quel rossore, con quello sguardo brillante e disperato, in piena coscienza dell'infelicità eterna a cui si condanna, e, perciò, in una contorsione mostruosa della propria volontà, lo vuole ancora. Lo vuole, e non può non volerlo. E come lei non ha più amore per me, io non ho quasi più pietà per lei. E soffro di questa mancanza come di un martirio. Ho la pietà di non sentire pietà.

« Jane, » le dico avviandomi con lei verso il ristorante italiano, « non si può proprio fare più niente? È deciso? È proprio deciso per sempre? »

Mi guarda, e non mi risponde... Oh, i suoi occhi rossi di pianto, di orrore, di odio, di disperazione! Il

mio cuore è stretto in un pugno di pena. È dunque vero, mi dico, che Iddio è giusto fino a fare il male? questo massimo male? la tortura eterna di una sua creatura? Abbiamo sperato a torto nella Sua misericordia? Guardo Jane, fisso i suoi occhi che mi fissano disperati, e non posso più pregare questo Dio. L'unica cosa che posso fare è questa: amare Jane, amare Jane contro ogni evento e contro lo stesso Dio, amare Jane perchè è la mia Jane, la mia compagna diletta. Io so quanto essa è buona. Io so quanto essa è soave. Io so che nel più profondo del suo cuore c'è l'innocenza e la carità. Come mai Dio ha permesso che essa fosse giudicata non per quello che era, ma per quello che ha fatto o pensato in qualche momento, lungo o breve, della sua vita? E ora, come permette che essa torni sulla terra, con il suo corpo, all'angolo del boulevard Saint Germain e della rue des Ciseaux? Qual è lo scopo di questo prodigio? C'è speranza per Jane?

E lo chiedevo a lei, parlandole, stringendole il braccio:

« Jane, amore mio, c'è una speranza? »

Ma Jane mi guardava con quegli occhi torvi, cupi, gli stessi che le avevo visto quando parlava al telefono nella camera del Grand Hotel a Roma, soltanto che, in più, adesso, scintillavano orribilmente; mi guardava con quegli occhi, e non rispondeva nulla. C'era una speranza, sì o no?

E il peggio era che, nel sogno, mi veniva, a tratti, il dubbio di sognare: perchè, mi dicevo, questo non è possibile, Jane è morta, l'apparecchio è caduto, si è sprofondato nell'Atlantico presso le Azzorre, quindi il corpo di Jane non può essere qui sul boulevard Saint Germain all'angolo della rue des Ciseaux, quindi niente di ciò

che vedo e sento e tocco è vero, e io sto sognando. Ma no, in quel momento passava un'auto sul boulevard, o un uomo che fischiava allegramente, e io mi accorgevo, nel sogno, di non sognare: era vero, era tutto inspiegabilmente vero. Jane era lì col suo corpo, e doveva, DOVEVA tornare all'inferno. Ma perchè era venuta? Perchè io lo sapessi? E quale era stata, in fondo, la sua colpa? Quella per cui aveva perso l'anima?

Nel sogno pensavo, pur senza dirlo alla povera Jane, che la sua colpa fosse stata il suo peccato con Aldo: il suo fornicare con Aldo, prima; e poi il lungo accarezzamento dei pensieri, peccato di desiderio; e infine il sacrilegio del voto non compiuto, e l'adulterio. Ma quando mi svegliavo... Balzavo a sedere sul letto, ero madido di sudore, il cuore mi batteva forte, sbarravo gli occhi nell'oscurità, atterrito accendevo la luce. Ero solo nella cameretta del mio albergo, in rue des Saints Pères. Un albergo piccolo, familiare, di cui conoscevo ormai da tempo il padrone, il personale e molti clienti. Tuttavia, di notte, risvegliandomi da questi sogni orribili, mi sentivo solo, e capivo che non avrei più potuto vivere così, senza una compagna per la notte, la quale con la presenza del suo corpo nudo nel letto cacciasse il diavolo dalla mia camera. Pensavo a Dorothea. Non perchè la desiderassi di già. Ma soltanto perchè era, con Jane, la donna che più avevo conosciuto.

Mi svegliavo e sospiravo dal gran sollievo di aver sognato. Avevo gli occhi bagnati di lacrime trattenute. Ripensavo a Jane, come l'avevo vista in sogno, e scoppiavo allora a piangere e singhiozzare senza freno. Allora sì avevo pietà per lei. Per la sua vita così breve e così dolorosa. Ma com'era possibile, mi dicevo, che Iddio

l'avesse condannata? No, no, non era possibile. Anche se la sua vera colpa non era quella. Perchè la vera colpa di Jane era un'altra. Ora pensavo da sveglio e ricordavo. Era la colpa di cui essa stessa si era accusata, alla fine della sua confessione a me. Era la colpa di non aver osato peccare fino in fondo coraggiosamente; la colpa di credere troppo nel male e poco nel bene; la colpa di non aver sposato Aldo; la colpa di non aver resistito alla tentazione di fare il voto, e di non essere andata con lui quella notte ad Anacapri. Ebbene, anche se la colpa era questa, perchè non averne pietà? Perchè non perdonarla? Il Cristo aveva perdonato alla Maddalena che, prima di soffrire, aveva amato e goduto. Perchè non avrebbe perdonato anche a Jane che, prima di soffrire, aveva avuto paura di amare e di godere? Non era, questa paura, questa riserva, questa costrizione, questa avarizia, questo indietreggiare di fronte all'amore, non era anche tutto questo una forma di amore?

E scendevo dal letto e per la prima volta anch'io, dopo l'infanzia lontana, pregavo. Pregavo pietà per Jane, pietà per me e per i miei bambini, pietà anche per Dorothea, pietà per tutti gli esseri umani.

Mi sembrava impossibile che Iddio non volesse concedere pietà. Ero solo. E se, quando spegnevo di nuovo la luce, mi pareva che al lato del mio letto, nell'oscurità si celasse una presenza invisibile e malvagia, il demonio di cui temevo di vedere improvvisamente gli occhi rossi (forse la Jane che mi era apparsa in sogno non era Jane vera ma un demonio che aveva preso le sue fattezze); se sentivo uno scricchiolio prodotto da lui, e quasi il suo alito su di me, il suo ghigno sommesso: tornavo a pregare. Signore, dicevo, rimetti a noi i nostri debiti come noi

li rimettiamo ai nostri debitori. E liberaci dal male. Amen.

Fu soltanto dopo molti mesi che tornai a desiderare una donna... Dopo ciò che sai di me, dopo tutto quanto ti ho raccontato, sento che non mi credi; sento che mi sospetti d'ipocrisia. Sarò, dunque, sincero fino in fondo. Ammetto che la mia espressione sia ambigua, e si presti, da parte mia, a una riserva mentale. Ma tu, invece, prendimi alla lettera. Per molti mesi non ho desiderato, ciò non vuol dire che non abbia avuto, una donna. Desideravo di desiderare, ecco. Volevo stordirmi, stancarmi. E ci riuscivo soltanto in parte. Riprendevo una vecchia abitudine. Uscivo di notte, a piedi, andavo su e giù per i boulevards battuti dalle prostitute, molte volte mi limitavo a dare dei denari senza chiedere nulla in compenso se non la loro compagnia, per mezz'ora, in qualche lurido bistrot, davanti a un bicchiere di armagnac.

Non avevo bisogno di fare all'amore. Avevo soltanto bisogno di compagnia. E l'unica compagnia che potessi sopportare era quella delle prostitute. Perchè? Chi lo sa, ogni falsità, ogni convenzione, ogni superstruttura mi annoiava. Volevo la verità. E mi pareva di poterla trovare solamente nell'umiltà senza pretese di quelle ragazze, soprattutto quando non erano belle nè giovani. Esse mi consideravano pazzo, alcune mi sospettavano impotente, altre degenerato. Io non mi curavo di provar loro il contrario. A che scopo? Le lasciavo pensare di me quello che volevano. Mi bastava che acconsentissero a tenermi compagnia ogni sera, ascoltassero le mie divagazioni, le mie mezze confessioni, e rispondessero alle mie domande parlandomi della loro vita, dei loro gusti, del loro passato, e dei loro progetti per l'avvenire. Sco-

privo, anche fra di loro, la più grande varietà di caratteri e di opinioni. C'erano le amare, le scettiche, le disperate, le ribelli, le sovversive. E c'erano anche le ingenue, le felici, le fiduciose, le conformiste, le conservatrici. Tutte avevano comunque conservato una grande illusione, sia che, individualmente, sperassero, sia che ormai disperassero realizzarla: il potere del denaro. Neanche su questo argomento, mi curavo di contraddirle. Del resto, come avrei osato? con che coraggio spiegato loro che il denaro, in qualunque modo lo si possieda od ottenga, è sempre ed esattamente pagato con la perdita di qualche cosa di vivo, se non altro con la perdita del dolore? Se avessi fatto loro tale ragionamento, le avrei offese, e inutilmente, perchè non mi avrebbero capito. Esse erano troppo dentro al giuoco per misurarne la posta.

Il denaro! Il denaro per cui esse sacrificavano la vita, anch'io tornavo, lentamente con il lento allontanarsi della morte di Jane, a desiderarlo. Ma tornavo a desiderarlo solamente per il bisogno di perderlo, anzi di esserne derubato.

Il primo sintomo di ripresa che avvertii nella mia mortificata volontà di vivere dopo i mesi che seguirono la morte di Jane, mesi di rimorso e paure notturne, e di indifferenza diurna a qualunque forma di attività, il primo sintomo di vita (ma forse anche perchè era collegato alla morte di Jane) fu proprio questo: cominciai a ricordarmi delle lettere da Capri. Dove erano andate a finire? Chi le aveva? Tornai a pensarci su.

Era molto improbabile che Jane avesse udito male al telefono. Con molta fatica, io avevo allora architettato l'ipotesi di un equivoco. Ma l'avevo fatto soprattutto per

calmare Jane. Ed era un'ipotesi troppo arzigogolata: a ripensarci con calma, non reggeva.

Le lettere: colui che le aveva (fosse Aldo fosse chiunque altro) poteva ancora ricattare. A questo sospetto, a questa idea, come se avessi toccato un punto, il solo punto rimasto vivo ed eccitabile di un'epidermide in narcosi, sentivo un lieve fremito, e come, per un attimo, un mancamento al cuore: la tentazione di un piacere profondo, la quale, da sola, era più profonda e più piacevole dello stesso piacere, e dalla quale mi ero illuso di essere libero per sempre, non avendola da molto tempo più gustata. Le sei lettere di Jane! Cominciai a dirmi che era mio dovere cercare di recuperarle; e ciò non tanto per difendere me e i miei figli da un eventuale scandalo, quanto per evitare un'offesa alla memoria di lei. Non sarei sincero, tuttavia, se non confessassi che provavo, nascosta e confusa da tale senso del dovere, una forte curiosità; e che nemmeno questa curiosità era semplice, bensì mista di pietà, di gelosia, di invidia, di perfidia, forse, a voler scoprire fino dove fosse giunta la follia della povera Jane; di oscuro godimento che mi ripromettevo da quella lettura, come se avessi voluto continuare e perfezionare il peccato di lei.

Ma questa, si capisce, è un'analisi che faccio oggi, a due anni di distanza. Allora era un unico viluppo di tutte queste passioni insieme; e lo sentivo dentro di me, chiuso, cieco, vivo e sempre più attivo, ogni volta che ripensavo (e ci ripensavo, gradatamente, sempre più spesso) all'esistenza delle lettere.

Finchè, un giorno, questo lento lavorio d'immaginazione ed esaltazione maturò il frutto di un impulso che mi parve naturale ed improvviso. Partii per Roma.

Eravamo sotto le feste di Pasqua e sorpresi Dorothea, verso l'ora del mezzogiorno, con un grembiule stretto alle forti anche, un fazzoletto intorno al capo, le mani impastate di farina, il volto senza trucco, le labbra senza rossetto, gli occhi senza il solito bistro. Una bellezza classica, stupenda, come forse mai l'avevo vista. Non poteva darmi la mano. Alzò le braccia e allargò i gomiti perchè l'abbracciassi. Lo feci, benchè non l'avessi previsto nè desiderato. E il contatto del suo corpo prepotente, l'afflato del suo profumo, il ricordo subitaneo di tante e tante gioie alle quali non avevo mai più pensato, mi fecero, sul momento, dimenticare il solo scopo del mio viaggio e della mia visita.

Dorothea stava impastando la farina per la scarcella, il pane rozzo e dolce che già altre volte avevo gustato e che essa faceva di tanto in tanto lungo l'anno, ma che per Pasqua, mi disse, al suo paese era di rito. Non poteva interrompere il lavoro. La seguii in cucina. Sedetti su di una sedia impagliata e, distraendo a forza la mia attenzione dallo spettacolo inatteso e seducente delle sue mosse festose, robuste, antiche e meravigliosamente estetiche, cominciai a parlare della ragione per la quale ero venuto. Naturalmente, per arrivare alle lettere e ad Aldo, dovetti cominciare dal principio. Dirle ciò che le avevo sempre nascosto. Il mio matrimonio. E che mia moglie era stata quella stessa Jane da lei conosciuta.

Parlavo, e Dorothea, impastando la farina sul tavolo, mi volgeva quasi le spalle. Notai, con stupore, che essa non si stupiva a quanto dicevo. Seguitava a lavorare, come se non udisse o come se non le dicessi nulla di nuovo. La cosa era così strana che fui obbligato a interrompermi io.

« Che cos'hai? » le dissi. « Non mi hai capito? »

« Ma sì, va' avanti, » mi fece con tono d'indifferenza: impastando, mi parve, con maggior violenza e velocità, « va' avanti, vieni al sodo. »

Avevo, infatti, cominciato il mio discorso con uno studiato preambolo. Le avevo detto, prima di venire alla rivelazione, che avevo bisogno da lei di un grande favore; che, almeno per questa volta, come poi lei avrebbe capito da sè, la mia visita non aveva altre intenzioni; ma che le sarei stato ugualmente riconoscentissimo e glielo avrei provato.

« Vieni al sodo, » aveva detto senza guardarmi, e impastando; nel tono della sua voce, ora mi accorgevo, c'era più che indifferenza: c'era del risentimento. Pensai che si volesse mostrare, o che fosse veramente, offesa perchè le avevo sempre nascosto d'essere sposato e padre. Mi alzai, mi avvicinai a lei, con le due mani la presi sui fianchi, mormorando:

« Cosa c'è, Dora? Ti rincresce che io sia stato con te così bugiardo? »

Si voltò appena, e appena rallentando il lavoro mi sorrise dolcemente, quasi maternamente:

« Ma che cosa vai pensando? Sei matto! Per me non eri bugiardo perchè, tanto, l'ho sempre saputo. Ancora prima che ti sposassi, sapevo che eri fidanzato con lei. Sapevo tutto. Che cosa m'importava che me lo dicessi? La conoscevo bene, poveretta, era così buona. »

« Hai saputo anche della disgrazia? » feci, sbalordito.

Essa aveva smesso di lavorare. Si era voltata verso di me, e mi parlava guardandomi negli occhi, seria e semplice:

« Certo, il *Messaggero* pubblicò i nomi delle vittime,

no? Anzi, il primo momento, leggendo, e vedendo il tuo cognome, ho pensato che fossi tu. Poi, invece, c'era anche scritto che tu l'avevi accompagnata a Parigi venendo dall'Italia, il giorno prima; e che soltanto per una combinazione lei aveva preso quell'apparecchio, perchè invece doveva partire da Roma. È vero? »

« Sì, è vero, » dissi.

« Poveretta. Tre o quattro giorni prima, quando eravate a Roma, era venuta a trovarmi. Era carina, così fine, così elegante. Sapessi, Harry, quanto mi è rincresciuto. Mi è rincresciuto per lei, e anche per te. Ci credi che quella notte ho pianto, e non ho potuto dormire? Domandalo alla signora... »

Accennò con il capo verso le altre stanze, per indicare la padrona di casa.

Io guardavo Dorothea quasi con lo stesso stupore con il quale avevo guardato Jane quando essa mi aveva confessato la sua colpa. Soltanto che questa volta lo stupore non era doloroso, ma addirittura ammirativo. Dunque Dora aveva sempre saputo, e sempre taciuto; e finto di credere a quanto le dicevo di me. E io avevo, ostinatamente, creduto di doverle nascondere il mio matrimonio per timore ch'essa mi ricattasse. Senza dubbio, essa aveva indovinato anche il motivo della mia lunga e stupida dissimulazione; ma non se n'era sdegnata e aveva avuto il garbo, la grazia di assecondarmi.

Tutto ciò era straordinario. Sarebbe stato da non crederci, se non ne avessi avuto la prova, lì, sotto i miei occhi. Guardavo Dorothea, e mi pareva di vedere in lei un nuovo essere, un'anima piena di nobiltà e di delicatezza in un corpo... ma perfino il suo corpo, ora, sembrava un altro. E aveva perso ogni incanto: o per lo

meno ogni incanto che aveva avuto fino a un momento prima, di vizio, di piacere, di sensualità.

Mi domandai se non si trattasse di un'impressione mia e transitoria; o se piuttosto questa natura buona, materna, giudiziosa, casalinga, che già in passato avevo a volte sospettato oltre le apparenze e le abitudini del mestiere di Dorothea, non fosse la sua più vera e più fonda natura.

Aveva ripreso a impastare di lena. E io la guardavo, e tacevo, e sentivo in me una grande calma, una grande malinconia, e più nessun desiderio. Tornai col pensiero alle lettere. Ormai, davvero, era l'unica cosa che m'appassionasse.

Chiesi a Dorothea, molto seriamente, di Aldo. Poteva darsi che le avesse lui? Se Dora non era più che certa del contrario, me lo dicesse: non avrei badato a sacrifici, anche di denaro, anche di molto denaro, pur di recuperarle.

Dora, senza esitare, e con estrema semplicità, mi rispose di essere sicura che Aldo non le aveva, e che non le aveva mai ricevute. Mi spiegò anche come mai non le aveva ricevute. A Jane non aveva potuto spiegarlo perchè allora Aldo era a Milano e Dora non lo aveva visto e gliene aveva parlato soltanto dopo.

Aldo, scrivendo a Capri a Jane, le aveva detto di rispondergli all'Hotel Excelsior a Roma. Le aveva dato quell'indirizzo parte perchè si vergognava del proprio, una locanda di infimo ordine; parte per impressionare Jane, farle credere ch'egli ormai era un noto attore cinematografico, e frequentava il bel mondo di via Veneto. In realtà egli era un extra, gli italiani dicono un generico. Lavorava a volte come ballerino nelle riviste.

E, siccome era un bel ragazzo, aveva, di tanto in tanto, una fortunata avventura con qualche attrice o qualche cantante. Ora, Aldo sapeva della sua presa su Jane. Avrebbe voluto approfittarne, riuscire, chissà? a farla divorziare, e a sposarla. Ma tutto questo a parole; anzi, nemmeno a parole; soltanto nella sua fantasia. Perchè Aldo credeva di essere furbo, cinico e calcolatore; e si riprometteva sempre di fare, un giorno o l'altro, qualche gran colpo: in realtà era un bravissimo ragazzo, piuttosto timido e piuttosto pigro, che non avrebbe mai avuto la costanza e la durezza di approfittare di una situazione fino in fondo. E così, sebbene avesse dato l'indirizzo dell'Excelsior in perfetta buona fede, e cioè con le peggiori intenzioni, non aveva poi avuto nemmeno il coraggio di entrare nella hall dell'Excelsior, abbordare il portiere, dargli la necessaria mancia, e ritirare la corrispondenza. « Vuoi vedere che se vai dal portiere dell'Excelsior, forse ce le trovi ancora? » concluse Dorothea.

Dopo due anni? Mi pareva impossibile. Comunque tornai subito al Grand Hotel, e pregai Guglielmo, promettendogli un grosso premio, della necessaria ricerca.

Prima di sera, avevo le lettere, tutte e sei. Filavo all'aeroporto. Tornavo a Parigi. E mi dimenticavo persino di telefonare a Dorothea, per ringraziarla come avrei dovuto.

22.

DISTOLSI lo sguardo dal finestrino, dove vedevo sprofondare e allontanarsi nell'oro del tramonto la nostra cara vecchia città, e cominciai ad osservare le sei lettere che avevo tra le mani. Nessuna traccia d'infrazioni, di manomissioni, d'incollature. Erano tutte perfettamente sigillate, e un po' ingiallite agli angoli. Dunque la voce, al telefono, non aveva parlato di lettere. Jane, nella sua angoscia, aveva frainteso.

Decifrai i bolli postali e le ordinai secondo la data. Una dopo l'altra, le aprii, le lessi.

Le ricopio, ahimè! quali sono: folli, penose, ma forse soprattutto ridicole. Non sarei così crudele da fartele conoscere se non intendessi rivolgere tale crudeltà molto più contro me stesso che contro la memoria della povera Jane. Perchè le lettere che io avevo scritto a Dorothea da Parigi erano peggiori di queste. Ed io peggiore di Jane, che non ebbi nemmeno il coraggio di spedirle.

(I)

« Capri, 6 aprile 1947

« Aldo, amore mio,

« grazie! Prima di tutto, prima di tutto quello che voglio dirti e devo dirti, grazie, grazie! Ho davanti a me la tua lettera. Dal momento che l'ho ricevuta — il momento più felice e più intenso e più vivo della mia vita dall'ultima volta che ti ho visto — dal momento che l'ho ricevuta, vivo con la tua lettera. Non mi stanco di leggerla, di guardarla, di palparla, di baciarla. Ormai ne conosco a memoria la forma di ogni parola, le curve, e le linee che hai tracciato con la tua mano pensando a me.

« Pensando a me. Hai pensato a me. A me che sono indegna che il tuo pensiero si soffermi su di me anche per un solo istante. Perchè sei così superiore a me. E io sono così colpevole di fronte a te.

« Sì, questo è il sentimento mio più profondo verso di te. La mia colpa. Colpa aggravata dal fatto che è passato tanto tempo senza che io facessi il mio dovere. Che è quello di prosternarmi a terra nella polvere davanti a te e chiederti perdono singhiozzando.

« Lo faccio adesso. Ecco, mi sono gettata nuda sul pavimento come quando ti attendevo nella pensione della danese ad Anacapri, e schiaccio i miei seni contro le fredde maioliche, e ho davanti questi fogli e ti scrivo.

« Amore, non ho più avuto la grazia, la fortuna, la felicità di vederti dalla vigilia di Natale del 1944. Mi avevi dato appuntamento per l'indomani, ti ricordi? appuntamento per il giorno di Natale, a mezzogiorno, al caffè Picarozzi a Santa Maria Maggiore. Dovevamo fare colazione insieme, passare insieme tutta la giornata, e la notte, e il giorno dopo. Ho rinunciato, con gesto folle di

presuntuosa e di ribelle, a tutto questo enorme bene che nella tua grande bontà mi offrivi. Ti ho insultato, ti ho offeso bassamente; e la mia mano, ora, scrivendoti, trema. Non venni all'appuntamento, e come se l'offesa non fosse sufficiente, non ti ho neppure telefonato per avvertirti, per chiederti scusa, per dirti che ripartivo, per salutarti. Dovrei darti... oh non delle spiegazioni! Non c'era motivo alcuno (come puoi ben capire) che potesse giustificare la mia follia, la mia superbia, il mio errore. Però dovrei raccontarti quale fosse il mio sragionamento: le assurdità che mi persuasero a non vederti più. In una parola, eccole: il pomeriggio della vigilia di Natale tu, nella tua bontà, nella tua bellezza, nella tua grandezza, mi avevi reso così felice, mi avevi colmato di tale gioia, mi avevi trasportato in un tale Paradiso, che, la notte, a Messa, sentii chiara una voce nella mia coscienza che mi diceva di accettare la tua proposta, di legarmi a te per la vita, per la vita e per la morte, di diventare la tua sposa fedele, la compagna della tua vita. Era un immenso onore che tu facevi, a me miserabile. Eppure sono stata così empia, così *suicida* da non avere questo coraggio. Ecco perchè non ti ho più visto, e sono ripartita senza telefonarti. Perchè, in quel momento, non avrei più potuto avere con te la piccola, o grande, avventura passeggera. Era tutto. Era il matrimonio. O era niente. Hai capito?

« Ora, questo *tutto* sarebbe finito. Come avrai saputo da Dorothea, sono sposata ad un americano, un bravissimo e simpaticissimo uomo ma che non amo, oppure no, che amo, ma amo come un fratello, un figlio, un padre, un po' di tutti e tre questi affetti insieme, ma non come un marito o come un amante, niente, niente,

neanche un poco e neanche per un solo istante come un marito, un amante, un uomo. E ho avuto un bambino. Un bambino il quale, insieme a te, è l'essere del mondo che più amo.

« Conto di vederti a Capri, presto, prestissimo. Mio marito parte domani e non tornerà qui che alla fine di maggio o ai primi di giugno. Abbiamo perciò davanti due lunghi mesi di felicità. Vedi? Come sono presuntuosa, come sono sciocca, come sono egoista. Dico: felicità. E penso soltanto a me. Tu sarai felice? Mi vorrai ancora bene? La tua lettera è molto gentile, molto buona. Ma non so se mi ami ancora come una volta.

« Ebbene, guarda, sono sincera. Anche se non mi ami, io sarò felice lo stesso, basta che tu venga a Capri e ti degni di nuovo di tenermi tra le tue braccia. Se sapessi quanto le ho sognate, le tue braccia, le tue spalle!

« Come potrei pretendere che tu mi ami, quando io sono stata così pazza e così criminale da rifiutare la tua offerta e da mancare all'appuntamento che mi avevi dato per la vita, per sposare un uomo che rispettavo profondamente ma senza amarlo?

« Non pretendo nulla, Aldo, Aldo mio, e perdonami se oso chiamarti mio. Non pretendo nulla. Soltanto ti supplico di venire, venire presto a riprendere possesso della tua umilissima serva e schiava

JANE.

« P. S. Se per caso non potessi partire subito appena ricevi questa lettera, scrivimi però subito, due righe, due righe sole per dirmi che ritardi, e non farmi stare in troppa pena. Ti adoro. Ti bacio la mano. La mano sinistra, ricordi? La mano del mio padrone. La bacio. La bacio. La bacio. Tua J. »

(II)

« Capri, 11 aprile

« Signore e padrone della mia vita,

« sono tre giorni che attendo la tua risposta inutilmente. Mi sembra di impazzire. Ho bisogno, capisci? ho bisogno *almeno* di vedere la tua calligrafia.

« La tua calligrafia è come te, perchè sei tu con la tua mano destra (non la mano del padrone vera, ma la sua compagna), sei tu con la tua mano destra che scrivi.

« Stamattina mi sono svegliata alle cinque. Il mio bambino, che piangeva, mi ha svegliato. C'è la Schwester che pensa a lui, e quindi non devo preoccuparmi. Ma ho pensato subito a te e non ho più potuto prender sonno.

« L'unica consolazione, l'unica vita è scriverti. Questa è la seconda lettera che ti mando. Ma se tu sapessi quante te ne ho scritte e mai mandate. È più di un anno che ti scrivo. In America c'è stato un periodo che ti scrivevo quasi ogni giorno. Poi le ho bruciate tutte.

« Ho atteso fino all'arrivo della posta — cioè fino all'ora in cui la persona a cui devi indirizzare (ti ripeto il nome caso mai lo avessi perso: Maresciallo Raffaele Criscuolo, Capri, basta così) — ho atteso fino all'ora in cui Don Raffaele, dopo l'arrivo della posta, avrebbe potuto essere da me. Ma invano. E poi mi sono messa a scriverti, amore mio.

« Amore mio, Aldo, perchè non mi scrivi? Perchè? Che cosa ti ho fatto?

« Lo capisco che non merito nulla. Ma una riga, una parola sola. Non puoi essere così crudele. Sì, lo so e lo ripeto, io sono colpevole davanti a te e, perciò, anche davanti a me stessa. Colpevole di aver dimenticato la

gioia giusta che mi hai dato. Ma perchè, ora, vuoi punirmi così?

« Penso che se non mi scrivi forse è perchè sei già partito o stai partendo per venir qui, e quindi fai a meno di scrivere.

« Vado in piazza, quando arrivano le funicolari dei battelli. Alla mattina e alla sera. Guardo se ci sei.

« Forse arriverai oggi? Chi sa?

« Ma, se non sei già partito, e se devi tardare per forza, scrivi.

« Quando arriverà la tua lettera, bacerò ogni parola. Lo sai? rileggo continuamente la tua prima e unica lettera. Dicono che nella calligrafia c'è il carattere delle persone. E io vedo il tuo carattere, così bello, nella forma delle tue parole. Mi piace come fai le vocali, gli *o* e gli *a,* così tondi, così carezzevoli, così abbraccianti. Mi sembra che ad ogni *o* e ad ogni *a* sia tu in persona col tuo corpo che mi avviluppa. Ma soprattutto mi piace la tua firma. La tua firma dove, manco a farlo apposta, c'è un *a* e un *o*. Ma anche l'*elle* mi piace. La tua firma è come te. Sei tu, vivo, caldo, calmo, affettuoso, bello. Aldo. Aldo.

« Bacio la tua firma, bacio la tua mano destra, bacio soprattutto la sinistra.

« Sono tua. Ti attendo ogni istante

JANE. »

(III)

« Capri, 17 aprile

« Padrone mio!

« Sono passati ormai undici giorni da quando ti ho scritto la prima volta, rispondendo alla tua cara e gentilissima lettera che tengo sempre con me, e sotto il cuscino quando dormo, e che rileggo ogni momento per darmi coraggio. Sono passati undici giorni e non mi hai ancora risposto. Questa è la terza lettera che ti scrivo. Mi hai aperto il cuore alla grande speranza. Perchè ora vuoi farmi soffrire così? Fino ad un certo punto capisco che è giusto. È doveroso che io soffra ed attenda. Ciò per pagare, in qualche modo, il grave debito che ho verso di me. È giusto che io ti attenda e soffra come soffro senza avere da te un cenno di risposta, perchè così misuro sempre più e sempre meglio il madornale sbaglio della mia vita. Se lo fai per questo, se taci, con questo scopo, se ritardi la tua visita per punirmi e darmi in tal modo il senso della tua realtà e della tua importanza, sii benedetto. Ma sii benedetto sempre e in ogni modo.

« Però, ti supplico in ginocchio e in pianto, che questo supplizio giunga a una fine. Che mi sia concesso nuovamente, a me indegna e colpevole, ma migliorata dall'attesa se non purificata ed assolta, sia concesso rivedere la bellezza del tuo volto, la dolcezza dei tuoi occhi e delle tue labbra, la meraviglia della tua Mano.

« La tua Mano (la sinistra, la mano del padrone) è sempre davanti a me. Quando verrai voglio adorarla come il simbolo vivo del tuo potere su di me. Voglio baciarla tutta per ore intere. Voglio che tu me la metta sul viso, così. È tanto grande che me lo copre tutto.

È tanto forte che potrebbe ammazzarmi senza sforzo. È tanto dolce che può fare da sola la mia felicità. Voglio che tu ti sdrai sul letto e, senza curarti altrimenti di me, posi sul mio volto la mano, e la lasci lì posata finchè io pure mi addormenterò. E sarà la notte più bella della mia vita.

« Molte volte mi sono chiesta perchè adoro così la tua Mano. Non ho trovato nulla. È un mistero. Ho pensato soltanto questo: che anche i cani adorano le mani dei loro padroni.

« E io voglio essere il tuo cane e nulla di più. Quando verrai (anche questa è una cosa che ho pensato da tanto tempo e tante volte) mi metterai attorno al collo la tua cintura. Tu passeggerai per la stanza tenendomi così al guinzaglio. E io camminerò a quattro zampe. Ridi? Sì, certo, sono ridicola, lo so. Vuol dire che per te saranno divertimenti, e per me gioie, lungamente desiderate e immaginate, finalmente vere.

« Nel pensare alla tua mano, per esempio, quante volte ho desiderato di regalarti un anello con un brillante, il più bello, il più costoso che mi posso permettere, e che tu accetti il mio dono come segno della mia devozione. Quando stavo a Parigi, appena finita la guerra, non potevo mai passare davanti alla vetrina di una gioielleria senza che mi venisse questo pensiero. Qualche volta ero con mio marito. Mi fermavo davanti alla vetrina, ed egli credeva che desiderassi qualche gioiello per me. E si fermava volentieri, anche a lungo, a guardare i gioielli senza dire nulla. È così buono! E non sospetta nulla, ma proprio nulla, di me. Posso dire che non mi conosce.

« Tu invece, dopo i primi cinque minuti che mi hai

parlato, in quella chiesa, a Napoli, ti ricordi? dopo i primi cinque minuti avevi visto fino in fondo alla mia anima.

« E ti ricordi il primo bacio? fra le due porte, quando improvvisamente mi stringesti tra le tue braccia e mi baciasti? Se le mie parole, se i miei sguardi, se la mia agitazione non ti avevano ancora svelato abbastanza chi ero io, quel lungo bacio te lo aveva detto. Chi ero io? Chi sono?

« Tutto scompare. Nulla ha importanza. Nel mio profondo, nella mia verità, io sono soltanto amore. Amore di te. Il tuo riflesso. Dentro di me non c'è nulla se non te. Mi riempi tutta. Hai capito?

« Ma ci sono tante cose che non sai. Quanto tempo che io vivo per te e di te. Anche quando non avevo nessuna speranza di rivederti, ti dedicavo le ore segrete e più belle della mia vita. In America, per esempio, mentre mio marito era a scuola (allora insegnava all'Università) io restavo a casa, da sola, interi pomeriggi. E facevo il bagno, con degli olii profumati che mettevo dentro, e ne uscivo tutta fragrante, pensando a te, pensando che di là c'eri tu che mi attendevi. Ma non c'era nessuno. Entravo, nuda, dentro il letto, e sentivo il mio profumo come se fossi tu a sentirlo e mi stringevo alla vita con le mie povere mani, più forte che potevo, come se fossi tu a stringermi. E a poco a poco diventavo come pazza, abbracciata stretta con te che non c'eri.

« Ti mando una mia fotografia. L'ho fatta due giorni fa, alla Marina Piccola. Sono scesa apposta col costume, un costume che ho comprato a New York in Fifth Avenue prima di partire, per farmi fare delle fotografie e mandartele, se intanto tu tardavi ancora a venire a ve-

dermi viva. Hai tardato, purtroppo. Non sei ancora qui. E neppure mi scrivi. Di tutte le fotografie, soltanto questa è riuscita somigliante. Come vedi sono sempre giovane. Ho fatto un figlio. Ma non sono troppo cambiata. Ti piaccio ancora?

« Amore mio, dolcezza mia, forza mia, vita e morte mia, ti bacio, ti bacio come quella volta, tra le due porte della chiesa a Napoli, e di più, di più, molto di più.

« Tua JANE. »

(IV)

« Capri, 23 aprile

« Aldo mio,

« ieri sono stata ad Anacapri.

« Non è stata soltanto una gita sentimentale o rievocativa. Ci sono stata per vedere se la pensione della danese c'era ancora e poteva ospitarci, questa volta senza che tu abbia a venirci di nascosto, nè ad arrampicarti sulla bouganvillea...

« Sì, c'è ancora. Tutto come una volta. La signora mi ha riconosciuto ed accolto con grande gentilezza. Basterà, quando tu vieni, che alloggi lì da lei. Prenderai la mia vecchia stanza. È libera. E sarò io, questa volta, che ti verrò a trovare.

« Capirai che a casa mia è impossibile.

« Verrai, una volta o due, vedrai il bambino. Ma non potresti venire di frequente, nè potremmo stare insieme lì.

« La mia vecchia camera era tale e quale. La stessa coperta sul letto, le tende di cretonne a fiorami, lo

specchio con la toilette nell'angolo, tra le due finestre. Le persiane erano socchiuse. Una fessura di sole caldo e giallo batteva sul pavimento di maioliche verdi. Si sentiva, fuori, il chioccolio delle galline. Una grande pace. Una grande gioia pensando alla gioia di quando tu sarai qui. Mi sono ricordata di quella volta che sei rimasto nascosto, tutto il giorno, nella camera. Che paura! Ma com'era dolce quella paura! Avevi tanto sonno. Quante notti che non dormivi? Perciò quel giorno, che il colonnello non era a Capri ed eri libero, non hai avuto la forza di alzarti all'alba, come le altre volte, e di andartene via. E ti sei addormentato. Hai dormito quasi tutto il giorno. Mentre giravo in punta di piedi per la stanza non ti perdevo mai di vista. Dormivi sul mio letto. Eri nudo, solo con lo slip. E come sembrava piccolo il mio letto. Come eri grande! Una mano la tenevi sotto il guanciale, col braccio ripiegato. Ma l'altra, la Mano del padrone, pendeva da un lato, addormentata anche lei. Ricordo che mi sono inginocchiata e l'ho sfiorata con le mie labbra, piano piano per non svegliarti. Poi, quando ti sei svegliato, avevi fame, ti ricordi che fame avevi? Sono scesa in cucina, chiudendoti dentro a chiave, sono scesa a prenderti pane e prosciutto.

« Sono tornata qui a Capri, ancora più piena di te, se mai è possibile. Ho cercato di ricordarmi, una per una, di tutte le volte che siamo stati insieme. Prima ad Anacapri. E poi a Roma. Non credo di essermi potuta ricordare, esattamente, di tutte le volte. I luoghi sì. La camera di Anacapri. Poi la tua prima camera a Roma, nel quartiere di Trastevere; poi la seconda, in Prati; poi la terza, l'ultima, a S. Maria Maggiore, quando sono

venuta a trovarti dalla Francia la vigilia di Natale... E la pineta di Fregene, quel giorno di settembre che siamo andati con l'autobus, io avevo portato in un cestino sandwiches e birra, e siamo andati avanti e avanti nella pineta, fino in un punto completamente deserto, vicino al mare, e siamo stati così felici.

« Non te l'ho mai detto; ma sai che cosa pensavo, quasi tutte le volte, *subito dopo*? Sdraiata sopra di te, con la mia testa nel nido (ti ricordi che lo chiamavamo *il nido*, il posto per la mia testa tra la tua spalla e il tuo collo?), sdraiata su di te, respirando col tuo stesso respiro, pensavo, quasi tutte le volte e non so perchè, alla morte. Ero stata, ero, ancora, così felice, che desideravo morire. Non c'era più nulla se non morire. Ma no. Questo è vero; ma non esatto. Era una sensazione più complessa e più profonda. La pienezza dell'amore, che tu mi davi, era una cosa sola con l'idea della morte. Era certo, l'amore che mi davi, com'è certa la morte. Niente altro era altrettanto certo. Non avrei mai avuto niente altro di così vero come il tuo amore e la morte. E mi pareva allora, mentre ero distesa su di te, in silenzio, in pace, in una triste infinita felicità, di essere già morta, già queta, già certa delle due sole certezze che possiamo avere, la morte e l'amore. L'amore che passa. La morte che resta per sempre.

« Aldo mio! È necessario che ti dica che non ho mai provato nulla di simile con nessun altro uomo al mondo? Prima di te, te lo dissi, non ho mai avuto che degli sciocchi flirts con dei compagni di scuola. In seguito, mio marito. Oh! non ho mai, mai, neanche una volta sola, pensato alla morte dopo essere stata con mio marito.

« Che cos'è l'amore con mio marito? Acqua fresca;

e con te un liquore inebriante. Un atto volontario, voluto, forzato; e con te un irrefrenabile abbandono di tutta la mia natura. Un pensiero freddo, acre, presente in ogni attimo a se stesso; e con te la dimenticanza di qualunque pensiero per trasformarmi tutta in sentimento e in senso, come un fiore nel vento, una pietra al sole, un pesce nell'acqua.

« Con te il sonno veniva di sorpresa, non desiderato, nè previsto. Con lui tardava, angosciosamente invocato, provocato e perfino, nell'attesa, simulato. Quante volte ho finto di dormire, *dopo,* con mio marito. Egli sempre credeva alla mia finzione. Non ne aveva il minimo sospetto. E se, per tenerezza (perchè mi ama al di sopra di ogni cosa al mondo), aveva lasciato il suo braccio sotto la mia schiena, non osava ritirarlo per paura di svegliarmi. Io mi accorgevo che lui era sveglio e che il braccio ormai gli doleva... Ma continuavo a fingere di dormire perchè mi faceva pena e pensavo che lo avrei fatto soffrire molto di più, a togliergli quella pena fisica per dargli quella morale di scoprire la mia finzione e la mia insoddisfazione.

« Molto spesso, per trovare il modo e la forza di non rifiutarmi al suo abbraccio, pensavo a te. Chiudevo gli occhi, sospiravo profondamente, immaginavo che fossi tu a stringermi. Era male questo? Certo era male. Ma che cosa dovevo fare? Ero punita della mia stoltezza di averti fuggito come se tu fossi un errore, mentre eri, mentre sei, la verità. La mia verità, la mia via, e la mia vita.

« L'errore, invece, è stato mio marito. E per questo, a poco a poco, sono arrivata addirittura ad odiarlo. Odiarlo, non già con il ragionamento. Egli è sempre stato per-

fetto con me. Non ho mai avuto nulla da rimproverargli. Pieno di attenzioni, di cure, di delicatezze. Sono straziata di assistere alle manifestazioni del suo amore senza che esse mi commuovano.

« No, non l'ho mai odiato con il ragionamento. Ma con i miei sensi, col mio corpo. È una cosa più forte di me. A tavola, a volte, soprattutto quando mastica del sedano, o la crosta del pane, o una mela. Provo un impulso assurdo. Vorrei, se potessi, ucciderlo. E mi pare, in quei momenti, che lo farei senza rimorso.

« Ti ripeto, non ho nulla contro di lui. Non posso pensare e dire di lui che del bene. È intelligente, è lavoratore, è buono, non ama, al mondo, se non me, il nostro bambino, e il suo lavoro.

« Tuttavia io vedo in lui, ogni giorno più, il mio sbaglio. E lo odio perchè egli rappresenta il mio sbaglio. Se non avessi sposato lui, avrei sposato te.

« Questa è la quarta lettera che ti ho scritto, amore mio.

« Spero e prego Iddio che sia l'ultima.

« Non so chi mi dà la forza di tirare avanti.

« Se proprio non puoi venire a Capri, per via del tuo lavoro o altro, scrivimi pure francamente. Vedrò di venire io a Roma. Troverò un pretesto. Ma dimmelo, in nome del Cielo!

« Ti è piaciuta la mia fotografia? Non avrò sbagliato a mandartela?

« Basta, adesso, è tardi. Sono le due di notte. Ho la mano stanca a furia di scrivere. Ma non faccio altro. Soltanto così posso vivere.

« Ho interrotto un momento. Sono uscita sulla terrazza. C'è un'aria soffocante, e quel vento caldo che sai.

Ho visto, tra le piante, oltre lo spazio nero dei giardini e delle ville, le luci, lassù, della piazza e degli alberghi. E se tu fossi già arrivato, se tu fossi là, e io non ne sapessi nulla? Neanche questa sera, dopo l'arrivo del battello, eri alla funicolare. Ma potresti anche aver preso una macchina, od esser venuto su a piedi. Ecco, penso che se tu fossi qui a Capri, sarebbe tutta un'altra cosa, anche se per qualche tempo e per qualche ragione non ci potessimo vedere. Adesso, così, senza di te, Capri... è come una prigione e un supplizio. Quando finirà?

« Sono la tua JANE. »

(V)

« Capri, 2 maggio

« Mio tesoro e mia vita,

« sono una sciocca, un'imbecille, mi prenderei a schiaffi, tanta rabbia ho contro me stessa.

« Stanotte, come ormai mi capita da qualche notte, non potevo dormire per lo spasimo del desiderio che ho di te.

« Improvvisamente mi è venuta un'idea. Sono furiosa contro me stessa che quest'idea non mi sia venuta prima.

« Ho pensato che non ti decidi a venire perchè, forse, non credi di aver denari a sufficienza. E non vuoi dirmelo. E per questo non mi scrivi neanche.

« Ti accludo un assegno di centomila lire, nel caso che questa sia la verità. Ti supplico di incassarlo, e di venire subito. Me li restituirai quando potrai, durante uno dei tuoi prossimi film. Nella tua lettera mi hai detto che avevi speranza di un buon lavoro per quest'estate.

Dunque fa' conto che i produttori ti abbiano dato un anticipo.

« In ogni caso, non offenderti. Cerca di capire in quale stato d'animo mi trovo. Farei qualunque pazzia, pur di vederti qui!

« Ormai, ogni notte, prima di coricarmi, mi stringo alla vita, sulla carne nuda, con una grossa corda ruvida. Mi illudo che siano le tue mani a stringermi. La corda mi fa molto male. Quasi non mi lascia respirare. La mattina, quando me la tolgo, la mia pelle intorno alla vita è tutta rossa, livida, rovinata. I primi giorni, il segno alla sera era andato via. Ma ormai resta. Sento che se non facessi questo, farei altre pazzie. Forse picchierei il bambino. O tratterei male la Schwester. E allora mi persuado che è meglio così. Faccio soffrire soltanto me stessa.

« Da qualche tempo vado ogni mattina, per una lunga passeggiata, da sola, verso punta Tragara. Vado prima per i sentieri e poi per i prati di erba corta e dura, bruciata dal sole. Il sole scalda già come d'estate. Cammino per un'ora, forse più. Poi mi sdraio su una di quelle rocce porose e rugose, che sono sparse in quei campi. E resto lì, immobile, con un cappello di paglia sugli occhi, finchè la roccia mi fa male. E anche dopo che mi fa male, resisto. Resisto più che posso senza muovermi. Il dolore fisico è l'unica cosa che mi sollevi da questo terribile desiderio di te. Anzi, è stato sulla roccia, la prima volta, che ho capito questo. E la sera ho avuto l'idea di stringermi con la corda.

« Quando poi proprio non ne posso più, mi alzo tutta indolenzita. C'è una grande luce accecante, che anche lei mi fa male. Guardo questo paesaggio duro arido ed

eccitante, con le sue rocce contorte e accumulate senza forma, come sconvolte da un terremoto. Guardo il mare verde profondo, quasi nero, ai miei piedi. I faraglioni che ne emergono, enormi, assurdi. Guardo sfumata, in lontananza, la costa amalfitana. Montagne appena visibili, azzurro cenere. E biancheggianti a mezza costa macchiette incerte di case e villaggi. Anche laggiù, penso, vi è una vita. Vi sono lacrime e sofferenze e desideri torturanti come il mio. Tutto il mondo, di colpo, mi sembra fatto di dolore. Anche nel profondo di questo mare, che sembra così liscio e lucido, deve agitarsi una vita informe e penosa, lotte strazianti, morti, sciagure.

« E tuttavia, non riesco a impedirmi di immaginare, è possibile che proprio in questo momento tu arrivi a Capri. Hai cercato di Don Raffaele. Don Raffaele ti ha indicato la strada per andare alla villa. Alla villa, la Schwester ti ha detto che sono uscita per una passeggiata, verso Tragara. E allora tu sei venuto verso di me. Tu stai venendo, adesso, verso di me. Io non odo il tuo passo sull'erba. O forse lo odo, ma non oso credere di udirlo. Tu mi vedi, mi giungi alle spalle, mi afferri...

JANE. »

(VI)

« 6 maggio

« Aldo,

« questa è l'ultima lettera che ti scrivo, se non mi rispondi o se non vieni.

« Mi getto ai tuoi piedi. Voglio vivere come la tua serva. Farò in modo, se lo esigi, che anche mio marito e mio figlio siano tuoi servi.

« Non puoi chiedermi di più.

« Ma forse tu non vuoi chiedermi questo nè molto meno. Non vuoi chiedermi nulla. Semplicemente, non mi vuoi.

« Eppure, se tu lo volessi, io sarei pronta a... »

Salto tre pagine così folli che non posso ricopiarle. Ecco la fine della lettera:

« ...Stamane, all'alba, ero ancora sveglia. Come le altre mattine, cominciai a udire, sullo sfondo lontano della risacca, i gridi delle rondini. Stridenti, eppure freschi e dolcissimi. A poco a poco rapidamente aumentarono. Empirono l'aria, fino a coprire il rumore del mare.

« Mi sono alzata dal mio letto di strazi, e sono uscita sulla terrazza. Nella luce azzurra e fredda, tutto era calmo, fermo e senza colore. Meno le rondini, nere e bianche, che traversavano in tutti i sensi l'aria davanti a me.

« Tornai a letto. Supina, gli occhi chiusi, sentivo sempre lo stridio felice delle rondini. E allora pensai, per la prima volta, una cosa che sapevo da tanto tempo. Le rondini gridano così perchè sfrecciando nell'aria velocissime col becco aperto divorano insetti, e gl'improvvisi scarti e le curve e i guizzi del loro volo non hanno altro scopo. Divorano, uccidono. Vidi, con l'immaginazione, i loro becchi aperti, i piccoli occhi vivi voraci rapaci. Di colpo quello stridio, che tanto mi piaceva, mi parve orribile. Chiusi la finestra. Cacciai la testa sotto il cuscino. Ma udivo sempre, attutito, l'atroce stridio. Finchè, col sole che si alzava, a poco a poco cessò, e mi addormentai.

« Ho dormito fino a mezzogiorno. Naturalmente non sono più andata a Punta Tragara.

« Addio, Aldo. Ti aspetterò ancora?

« Ti aspetterò tutta la vita. Lo sai.

« Anche tu sei come le rondini. Forse senza saperlo, mi stai divorando, uccidendo.

« Ti amo lo stesso. Con tutta la mia anima e tutto il mio corpo, per sempre

JANE. »

La sera stessa del mio ritorno a Parigi, telefonai a Dorothea. La comunicazione giunse verso la mezzanotte. Dorothea, naturalmente, non era in casa.

« È andata al cinema, » mi disse la padrona.

« Le dica così che mi rincresce di essere partito senza poterle telefonare. Le dica che ho seguito il suo consiglio e che ho trovato quello che cercavo. Che la ringrazio. E che tutto va bene. E che ci rivedremo prestissimo. »

La prima, istintiva, irragionevole, incontrollabile reazione alla lettura delle lettere era stata quella: telefonare a Dorothea. Perchè?

Mi domandavo se veramente era andata al cinema. Forse sì, e forse no. Ma con chi era andata al cinema? E a che ora sarebbe tornata a casa? E sarebbe tornata a casa sola? Non potevo prendere sonno, pensando a lei.

Avevo pensato a lei, soltanto a lei, leggendo le lettere. I sentimenti che Jane aveva avuto per Aldo mi ricordavano quelli che io avevo per Dorothea.

L'ultima immagine di Dorothea, mentre leggevo la prima lettera, si era subito capovolta. Dorothea non era più una massaia mascherata da prostituta; era, invece,

una prostituta mascherata da massaia. La sua vera natura era proprio quella che avevo veduto in lei fin dal primissimo istante, quando la incontrai con Jane nella trattoria. Avevo forse ancora qualche dubbio? Ma se perfino la telefonata di poco prima... Non potevo prendei sonno. Finchè, alle tre di notte, telefonai di nuovo. E venne di nuovo la padrona. Era assonnata e, nonostante tutta la sua deferenza per me, arrabbiata. No, Dorothea non era ancora rincasata.

Tuttavia, l'immagine della massaia si sovrapponeva ormai e si confondeva all'altra immagine, della donna viziosa, fredda, energica, che non temeva per il denaro di dormire ogni notte con un uomo diverso. La figura di lei, con il tovagliolo intorno alle anche, le maniche rimboccate sulle forti braccia, che impastava la scarcella con mosse abili ed antiche, si insinuava, addolcendola, ironizzandola, e facendola in fondo ancor più tentatrice, nella figura della donna dipinta e carica di volgari gioie, che forse adescava ancora i passanti, seduti a un caffè di via Veneto, come ai tempi della liberazione e delle « segnorine ». Era una « segnorina » del Rinascimento, ecco che cos'era la mia Dorothea. La carnagione del suo volto olivastra e azzurrognola, e gli occhi luminosi e animaleschi, ricordavano, come già avevo osservato, le modelle di Sebastiano del Piombo. Ma quando era senza trucco e vestita da casa, quale l'avevo vista l'ultima volta, le sue forme statuarie, salde e tondeggianti, facevano addirittura pensare a Piero della Francesca.

Guardai di nuovo la fotografia della povera Jane, che era in una delle lettere. Lo sforzo da lei compiuto per trasformarsi in *vamp* mi feriva dolorosamente. Il bikini da lei comperato a Fifth Avenue, la posa goffamente

scosciata, il riso che voleva essere malizioso ed era soltanto isterico: una ragazzina di buona famiglia, truccata male da prostituta, in uno show di filodrammatici. Dio mio! questa era dunque la vera Jane? Era finita così, facendo dei figli, e senza tuttavia diventare donna? Non aveva mai dato la sua anima, e per questo l'aveva perduta?

Ero sempre nel mio letto, il letto dei terrori e delle angosce, all'alberguccio della rue des Saints Pères. Rividi Jane come l'avevo sognata. Jane torva e muta, i suoi occhi, che aveva grigi e dolci, ora brillanti e quasi neri dalla disperazione, le sue guance, così pallide, ora rosse di quel rossore innominabile...

Ero forse condannato anch'io alla stessa fine?

Ad ogni pagina, ad ogni linea, nelle lettere, mi ero riconosciuto. Gli stessi sentimenti, gli stessi desideri, le stesse follie.

E quando ci fermavamo insieme davanti alla vetrina di un gioielliere, e lei guardando gli ori e le gemme, simbolo del denaro, pensava ad Aldo e guardavo anch'io e pensavo a Dorothea.

Nella penultima lettera, c'era l'assegno di centomila lire. Nessuno lo aveva incassato. Era tornato indietro. Era tra le mie mani, ora. Ma che cosa volevano dire, quegli isterismi, quei tentativi, quegli slanci?

Io non pensavo che Iddio fosse così cattivo. Jane non era all'inferno. Aveva sofferto troppo. Era già stata all'inferno qui, su questa terra. Io piangevo per lei, io l'amavo ancora teneramente, come una sorella, più di una sorella, l'amavo come un altro me stesso fatto donna e che andandosene mi aveva lasciato quelle lettere, perchè io capissi che cosa dovevo fare.

23

ANDAI a Roma. Affittai lo studio di via Margutta. Pregai Dorothea di venire ad abitare con me. Dopo qualche esitazione, accettò.

Ogni lunedì mattina partivo per Parigi in aereo e tornavo a Roma col notturno ogni venerdì. Passavo con Dorothea due soli giorni per settimana, il sabato e la domenica.

Perchè non la portavo a Parigi?

Visto che avevo deciso di vivere con lei, perchè non facevo anche questo passo?

Me lo impediva un sentimento, oscuro e contraddittorio ma che era vicinissimo al motivo più profondo del mio amore per lei. Così avessi seguito questo sentimento anche dopo, e non l'avessi portata nemmeno in America. Ma tant'è, tutto ciò che accade deve fatalmente accadere, ed è vano lagnarsi e recriminare.

Temevo, portandola in una città straniera, lei che non era mai stata neppure a Milano, di averla tutta per me e, perciò, di perderla: voglio dire, di perdere l'interesse che avevo per lei. Perchè io l'amavo come essa era,

nella sua miserabile indipendenza, nella sua abbietta coabitazione con la ruffiana di via Boncompagni, nella sue misteriose assenze notturne.

Come mai allora, mi dirai, hai affittato lo studio di via Margutta? Perchè l'hai fatta andar là? Non era già questo un inizio di quel disincanto che volevi evitare non portandola a Parigi e lasciandola a Roma?

Sì, era. Ma appunto, il mio timore di non desiderarla più nascondeva come una forza inconscia che, per gradi e quasi insensibilmente, attraverso tormentose e decrescenti alternative di speranza e di delusione, mi spingeva alla meta, che è quella alla quale sono ormai giunto, di non desiderarla più.

Se l'avessi portata a Parigi, avrei affrettato i tempi. Ed era in fondo l'unica cosa che mi repugnasse. Perchè noi vogliamo sì perderci, ma a poco a poco, vilmente, illudendoci, dicendoci via via che continuiamo a salvarci.

I giorni che ero a Parigi, Dorothea mi assicurava di vivere e dormire a via Boncompagni. Ma io sospettavo (e non ti so dire ancora adesso se questo sospetto mi faceva più pena o più piacere, perchè, forse, mi faceva piacere e pena insieme), sospettavo che essa ricevesse i suoi amanti proprio a via Margutta.

Certo, dal momento che affittai lo studio di via Margutta, e vi passai ogni week-end con Dorothea, consacrandola così mia amica ufficiale, molte volte, durante la settimana, da Parigi, telefonai la notte per controllo; e sempre, dopo l'ora da me concessa e stabilita, mezzanotte e trenta, la trovai a casa in via Boncompagni.

Ma poteva benissimo fare ciò che voleva, ad altre ore o in altri luoghi, ed anche a via Margutta.

Ad ogni mio ritorno, così, erano scene assurde di gelosia. Assurde perchè se non trovavo, e infatti non trovavo mai, in un portacenere un mozzicone di sigaretta di una marca diversa da quella abitualmente fumata da lei, ero deluso.

« Chi c'è stato qui, ieri? Io ti caccio! Ti ammazzo! » gridavo torturato apparentemente dalla gelosia. Ma se fossi stato sincero, avrei dovuto, torturato come ero dal desiderio, mettermi in ginocchio davanti a lei e mormorarle: « Ti supplico, dimmi che ieri qui c'è stato qualcuno, dimmi che hai fatto l'amore qui, nel nostro letto! Dimmelo, anzi dammene la prova, e io ti benedirò e ti coprirò di baci! »

In altre parole, io avevo preso Dorothea per vivere con una prostituta. Non per trasformarla in una moglie. Ma non avevo fatto i conti con lei. Lei non l'intendeva così. Oppure l'intendeva proprio così: ma troppo bene.

Dopo qualche tempo, esasperato di non trovare mai, ad ogni mio ritorno, nessuna prova di tradimento, la feci sorvegliare da una agenzia di Informazioni Private. E i resoconti, ogni settimana, mi deludevano senza lasciare adito al più piccolo dubbio. L'impiegato dell'agenzia, che mi porgeva il foglietto, mi sorrideva soddisfatto. Sorridevo anch'io ricevendolo. Si andava avanti così. E non posso dire che, nella mia delusione, non fossi anche soddisfatto. Io, in fondo, che cosa desideravo? Un dolore. Ne conseguiva che, in parte, ero contento di evitarlo.

Avevo perfino raccomandato all'agenzia, in caso che Dorothea fosse vista entrare nello studio di via Margutta, o in via Boncompagni, o altrove, in compagnia di un uomo qualsiasi, di telegrafarmi urgente. Sarei piombato giù col primo aereo, forse l'avrei sorpresa, e dopo...

Nulla di questo avvenne. Il pedinamento mi costava molto caro e, visto che era inutile, ci rinunciai.

Infine domandai all'Unesco un mese di permesso, dicendo che volevo andare in America dai miei figli; e andai a Roma.

Passato quel mese, che vissi con Dorothea, si può dire, notte e giorno, non ebbi più la forza di staccarmi da lei e tornare a Parigi. Ero pazzo di quella assurda gelosia. Avevo continui sospetti ch'essa mi tradisse; ma mai una prova. Pareva che Dorothea avesse capito tutto; e cioè che, prima, la mia assenza di cinque giorni ogni settimana fosse sufficiente per mettermi, ad ogni ritorno, in questo stato d'incertezza; ma che ora fosse necessario qualche cosa di più: piccoli stimoli continui; telefonate che sorprendevo tornando a casa all'improvviso e che giudicavo, e che forse erano veramente, misteriose; uscite prolungate; ritardi agli appuntamenti; sguardi e sorrisi che, se passeggiavamo insieme per le vie di Roma, credevo, senza esserne sicuro, essa rivolgesse ad altri uomini.

Non potevo mai mettere la mano su un fatto positivo. Essa eludeva le mie domande ora con abbracci carezze giuramenti di fede; ora con risposte vaghe, con monosillabi a mezza voce, e mentre un riso strano e canagliesco le brillava in fondo agli occhi, un riso che non vi avevo mai visto prima; ora addirittura con scatti violenti e rabbiosi di sdegno, d'insofferenza, di fastidio, che mi facevano ammutolire senza tuttavia convincermi della loro sincerità.

Insomma, ero preso nel giuoco; e non mi sentivo la forza di abbandonarlo per tornare a Parigi come avrei dovuto. Cominciai a rimandare la mia partenza, di giorno in giorno. Poi avvertii la direzione dell'Unesco che ero

malato. Passò così un altro mese, forse più. Finchè qualche gentile mio compatriota, che non mi curai d'individuare, si prese la briga di informare i miei superiori che non ero affatto andato negli States come avevo dichiarato per ottenere la vacanza, e quale fosse ora in realtà la mia malattia.

Naturalmente, non sapevo ancora nulla di codesto eroico spionaggio, allorchè fui chiamato d'urgenza a Parigi. Intuendo la verità, e misurando le possibili conseguenze della mia risposta, cercai tuttavia di prender tempo. Non mi mossi da Roma. Dieci giorni dopo ero licenziato dall'Unesco. Fu ai primi di gennaio dell'anno scorso.

Cominciò allora con Dorothea una vita d'inferno. Le mie possibilità finanziarie erano diminuite di colpo. Dorothea mi aveva spinto a rinunciare all'Unesco. Qualche volta le avevo pur detto che avrei potuto portarla a Parigi con me. Non so perchè, Parigi non la interessava. Preferiva starsene a Roma. Era una cocciutaggine inspiegabile. Mi dissi che si trattava, forse, di un complesso d'inferiorità. Essa parlava un po' d'inglese che aveva imparato durante la liberazione nel modo che immagini; ma neanche una parola di francese. E chissà, Parigi, la città delle donne chic ed evolute, la intimidiva, la spaventava. Questo mi dissi. La verità la scoprii dopo, e per gradi, perchè Dorothea aveva un grande progetto, e questo progetto era per lei così importante, così vitale, che cercò di evitare ad ogni costo la mia opposizione e fu cautissima nello svelarmelo.

Fin dai tempi della liberazione, e forse fin da prima, quando bambina al suo paese vedeva partire gli emigranti per l'America, e dall'America tornare i milionari,

essa aveva sognato l'America, come un paradiso in terra. Era un'idea fissa, radicata, tetragona a qualunque esperienza. Chi conosce l'Italia meridionale capirà.

Ma, intanto, se l'America non fosse stato il paradiso in terra, non sarebbe stato così difficile entrarvi. Anche nel periodo matto della liberazione, riuscire a farsi sposare da un G. I. era sempre, per una ragazza italiana, « segnorina » o no, un bel colpo di fortuna. I militari americani allora apparvero anche a lei, come a tutte le altre, come gli angeli che potevano, se la Fortuna voleva, aprirle la porta di quel paradiso. E fra questi angeli io, che ero ufficiale e maggiore, ero addirittura l'arcangelo. Di qui per me la sua dolcezza imperturbabile, la sua arrendevolezza ad ogni mio capriccio, la sua pazienza di ogni mio sgarbo ed offesa. Essa vedeva, sovraimpressa sulla mia figura, la statua della Libertà, l'ingresso di New York. Non poteva, anche quando ero ai suoi piedi, vedermi altrimenti. E mi amava per questo, senza far distinzioni, e senza calcolo. Infatti, anche se, alla prima epoca della nostra relazione, essa poteva sperare che io la portassi in America, in seguito seppe che ero sposato, seppe che ero padre, e continuò senza dirmi nulla a mostrarmi la stessa docilità. Oh! non c'era calcolo! Il suo per l'America era un amore mistico: e io facevo parte di quell'amore, ne ero il simbolo e l'oggetto più vivo.

Il calcolo subentrò dopo. E come non avrebbe dovuto? Quando io la portai a via Margutta; quando cominciai per chiari segni a dimostrarle che non avevo più bisogno soltanto del suo corpo, ma anche della sua anima; quando infine rinunciai all'Unesco per stare a Roma con lei, allora, naturalmente, ella si accorse che il mito per la prima volta poteva precipitare nella realtà. Io

non ero più un arcangelo, io ero un cittadino americano in carne ed ossa, che potevo, che dovevo sposarla e portarla di là. Parigi, che cosa contava Parigi? Non valeva l'ultimo villaggio dell'Arkansas. A Parigi, ella sentiva, e certo a ragione, io avrei finito per stancarmi e distrarmi. No, no, stessi con lei, lì, in via Margutta, fino quando sarebbe giunto il grande momento.

Ella giuocò la partita come doveva giocarla; in modo perfetto. Dopo undici mesi che siamo sposati, dopo dieci che siamo insieme in America, io vedo le carte di Dorothea soltanto adesso. L'ultima l'ho vista ieri sera.

A via Margutta, non capivo nulla.

Lasciando un momento da parte l'America, forse Dorothea mi amava anche per me stesso, e forse no. Ma non era questo l'importante, perchè, in tutti e due i casi, essa non voleva perdermi e aveva capito che, per non perdermi, non aveva che una via da seguire, benchè fosse una via difficile e terribilmente faticosa. Doveva darmi quotidianamente il sospetto, e mai la certezza, della sua infedeltà. Doveva dunque essermi effettivamente fedele, per non rischiare in nessun caso di venire scoperta. Anche se non mi amava, la posta era per lei troppo grande, e meritava qualunque sacrificio. Perchè io volevo sì esser tradito. Lei non era così stupida da non vedere questa mia volontà viziosa attraverso le mie smanie ridicole, la mia gelosia tutta ansiosa di abiezione. Ma il suo buon senso antico, la sua diffidenza contadina le facevano vedere anche ciò che io non vedevo: il futuro, un futuro molto prossimo, ove ella avesse ceduto alle mie smanie, e mi avesse finalmente regalato l'abiezione a cui anelavo. « Questo, » doveva dire Dorothea a se stessa giudicandomi nella sua semplicità romanesca,

« questo se more perchè io lo faccia becco e gliene dia la prova matematica, e poi litigare, picchiarmi, essere picchiato, e finalmente fare l'amore. Ma io so, io so come vanno a finire queste cose. Due o tre volte, anche se non sono troppe: e la festa finisce. Lui ritorna bravo ragazzo, perchè è un bravo ragazzo. Io gli faccio schifo, e siccome l'ho tradito (ha la prova!) me caccia, e allora addio America, mi sono fregata co le mani mie! No, no, qui stamo serie e buone che a un certo momento anche lui la capirà che sono tutte pazzie. »

Il bello di questo ragionamento era questo: che poteva essere fatto, identico o quasi, da una donna sinceramente innamorata.

Del resto, che ne penso io? Dirò, oggi, che Dorothea non mi ha amato e non mi ama?

Sicuramente no. Anzi.

E anche se non mi ha amato e non mi ama di vero amore, dirò sempre che essa ha per me tenerezza, rispetto, e profonda riconoscenza. Verso se stessa, Dorothea è onesta. Su questo non c'è dubbio. Essa non dimentica quale sia stata la sua vita fino al giorno che le permisi di cambiarla. La quotidiana ansia, la necessità di procurarsi denaro ogni giorno per sè e per la madre e per una zia, vecchie e malate, che essa manteneva al paese. Aveva scelto il mestiere della prostituta. Avrebbe, forse, potuto e dovuto sceglierne un altro. Ma, aveva veramente *scelto*? Fino a che punto era colpevole? La vita era andata così. Comunque, essa non dimentica quanto mi deve, e me lo prova, col suo affetto, anche dopo undici mesi di legame matrimoniale.

Perchè dovrei dire che non mi ama?

Quando tu, mio caro Mario, m'incontrasti circa un

anno fa, a via Margutta, io e Dorothea eravamo, come forse avrai già capito, nel momento più critico della nostra convivenza.

Non crederai che io non mi sia accorto che Dorothea piaceva anche a te. Ho vivissimo il ricordo della gita che abbiamo fatto al mare a Tor San Lorenzo. Dorothea tra noi due sulla jeep. Vedevo, capivo, sentivo tutto. E anche tu, forse, avrai capito che io capivo e che, purtroppo, la mia gelosia era, come dire? ambigua. Dorothea civettava con te. Sono sicuro che avrai tentato le tue chances. Magari fossi riuscito! Ma sono sicuro di no. Dorothea era una roccaforte impenetrabile. Stalingrado, mio caro.

E quando, a poco a poco, i denari per vivere diminuirono sempre più e vennero infine a mancare, l'America, di cui prima con Dorothea avevo sempre parlato oziosamente, accademicamente, come di una possibilità teorica, l'America si presentò quale unica soluzione.

C'era sempre Offner, col quale ero rimasto in corrispondenza e per il quale di tanto in tanto facevo qualche lavoretto, le fotografie, le misure di un quadro, il controllo di una collocazione. Scrissi a Offner. E Offner mi rispose, a volta di aereo, che venissi subito: alla New York University, egli non si sentiva di tenere il suo solito corso della Summer Session. Potevo sostituirlo io. Ero l'ideale, mi disse.

Era, anche, l'ideale di Dorothea.

La sposai dopo una settimana. Testimoni per lei, il sedicente cognato, quello dei fuochi artificiali, e il vecchio amico della padrona di casa di via Boncompagni, un dottore settantenne, panciuto e rimbecillito; per me Peter Tompkins e Dale McAdoo. Avrei voluto telegra-

farti a Parigi, di venire tu. Ma sapevo che non avresti potuto, eri troppo occupato col tuo film. Del resto, avrei ancora dovuto spiegarti troppe cose.

Il 29 luglio Dorothea vide, coi suoi occhi, la statua della Libertà. Siamo venuti in piroscafo. Dorothea aveva paura dell'aeroplano.

Che cosa mi aveva deciso al matrimonio e al ritorno in America?

La mancanza di denaro? La necessità, quindi, in cui mi sarei trovato poco dopo, di abbandonare Dorothea?

Era tanto orribile questa necessità, che io non avessi cuore di affrontarla?

No, mio caro, io ho sposato Dorothea e l'ho portata in America per tutt'altra ragione, o almeno seguendo tutt'altro impulso. Un impulso secondario e transitorio. Eppure, senza quest'impulso, non l'avrei sposata.

La sera che giunse la lettera di Offner, fu il momento della decisione. Io avevo scritto a Offner perchè Dorothea mi aveva spinto a scrivergli. Ma speravo che la risposta, almeno per il momento, fossse negativa.

Quando invece giunse la lettera di Offner e fu chiaro che in America avevo, subito e sempre, denaro e lavoro, e che dipendeva soltanto da me prendere o lasciare, conservare Dorothea e andare con lei in America, o restare in Europa da solo, per la prima volta fui messo di fronte alla realtà, per la prima volta pensai a che cosa sarebbe accaduto in realtà se avessi sposato Dorothea e l'avessi portata negli States. L'avrei presentata ai genitori di Jane? Ai fratelli, agli zii? Ai miei colleghi tipo Tutts? Ad altri e ad altri, peggiori ancora di questi, più ipocriti, più acidi, più imbecilli? A tutta quella gente che odiavo dal profondo del mio cuore? A quel mondo fili-

steo che era stato la prima causa della vita e della morte sbagliate della povera Jane?

Immaginai la reazione puritana e provinciale di quei miei compatrioti a Dorothea. Come ne avrei goduto! Questa sì era una bella vendetta. Arrivare tra di loro, presentare loro mia moglie, una prostituta.

Profanavo la memoria di Jane? Pensavo alle lettere e mi dicevo che, piuttosto, ascoltavo il suo suggerimento, eseguivo il suo testamento, facevo io con Dorothea ciò che Jane si rimproverava di non aver fatto con Aldo. Sceglievo per la vita, sposavo la creatura con la quale avevo creduto di peccare più fortemente, l'essere che, disprezzando, desideravo più di ogni altro.

Tuttavia, una sottile, quasi inconfessabile speranza di profanazione, l'avevo nel cuore. Dorothea avrebbe fatto da madre ai miei bambini. Quest'omaggio che le facevo della loro innocenza, questa contaminazione del mio affetto paterno che offrivo alla sua impudicizia, questo sacrilegio... appena l'idea mi si presentò, sentii la mia natura insorgere, irrigidirsi, repugnarvi. No, questo no, è troppo, mi dissi; anche se sposo Dorothea, anche se la porto in America, non vivremo coi miei bambini. La mia natura, impasto di eredità fisiologiche, educazione, tradizione, religione, cultura, orgoglio e pietà, si ribellava.

Eppure fu proprio questa e soltanto questa la scintilla che, promettendomi coll'incendio di tante care vecchie cose un nuovo piacere, mi fece decidere.

Nello studio di via Margutta, quella sera, tornato a casa verso le nove, avevo trovato la lettera di Offner. L'avevo letta, l'avevo tradotta a Dora. La quale non aveva detto nulla. Aveva seguitato, durante la lettura e dopo, ad andare e venire tra la cucinetta e la stanza,

preparando la cena. Anch'io, finita la lettura, non dicevo nulla. Guardavo la lettera e guardavo Dorothea, ogni volta che essa tornava dalla cucina: la guardavo cercando di scoprire sul suo volto che cosa ne pensasse. Oh! che cosa ne pensasse lo sapevo anche troppo: cercavo di scoprire che cosa mi avrebbe detto, quando si fosse decisa a parlare.

Venne infine con la zuppiera che fumava. La posò nel centro della tavola. Scodellò. Si sedette. E allora parlò.

« Vieni, » disse. « Mangia adesso. Dopo deciderai. »

Ed io mangiai. E mangiando la guardavo. E guardandola pensavo tutto quello che ti ho detto. Cioè pensavo, per la prima volta, alla realtà di sposarla e di portarla negli States. E quando mi venne in mente dei bambini, provai un dolore così acuto che mi interruppi, mi alzai da tavola, e non potei più continuare.

Uscii sul terrazzo.

Dora non mi aveva detto niente. Forse capiva. Forse intuiva.

Uscii sul terrazzo, il cortiletto tra le piccole case digradanti, e davanti a me la massa buia e alta del Pincio.

Lassù in cima, lungo il viale, tra le fronde degli alberi, a intervalli regolari, le luci dei fanali; e bassi, saettanti, incrociantisi, i fari delle macchine. Le coppie camminavano lente, si affacciavano al parapetto sulla oscurità.

Soffrivo pensando ai bambini, ai bambini miei e di Jane, soffrivo pensando che non avrei resistito alla tentazione di dare loro per seconda madre una prostituta, e che, anzi, era soltanto l'idea di questa sofferenza, con

le voluttuose speranze suo frutto, a decidermi al grande passo.

Se fossi un uomo, mi dicevo guardando su verso la massa nera del Pincio, se fossi un uomo avrei la forza di sposare Dora e di andare con lei in America, e di resistere tuttavia a questa contaminazione.

Oppure capirei che non avrei questa forza e quindi rinuncerei completamente e per sempre a Dorothea.

Ma non sono un uomo. Sono un adolescente che invecchia, egoista, complicato, vile; sentimentale finchè basta per adorare i bambini, e tutte le tenere tradizioni nelle quali sono stato educato; cinico quel tantino di più che è sufficiente per anteporvi il mio piacere, se trascurare bambini e tradizioni fa il mio piacere.

Come se avessi ignorato il risultato ultimo del mio dibattermi, continuavo a dirmi: perchè non sarei un uomo? Perchè non avrei questa forza? E provavo ad immaginarmi l'una e l'altra soluzione che evitavano la terza, l'unica alla quale ormai fossi portato. Abbandonare Dorothea? Oppure sposarla e portarla negli States ma non vivere coi bambini?

Naturalmente propendevo per quest'ultima. Perchè, nonostante la solenne promessa che facevo a me stesso, m'illudevo che, una volta in America, avrei ancora potuto cambiare parere.

E non sono stato sincero, adesso, insinuando che non ignoravo come sarebbe andata a finire. Per diminuire le nostre colpe passate, cerchiamo sempre di ricordarle come fatali. Ci persuadiamo di aver lottato per scrupolo, per generosità, per egoismo, mentre sapevamo fin dal primo momento che non c'era niente da fare, la tentazione troppo forte, la partita persa. Eppure, se siamo

onesti, se rievochiamo quegli istanti, talvolta ahimè così brevi, nella loro tragica minuzia, ci ricordiamo di essere stati liberi, liberi di decidere in un senso o nell'altro, col sacrificio di un piacere, o col sacrificio di un dovere: e il rimorso di oggi non è che la certezza di essere stati liberi allora.

Guardavo la massa nera del Pincio e le luci saettanti delle auto lassù, tra gli alberi del viale. Sapevo che, alle mie spalle, attraverso la porta aperta, Dorothea ancora seduta a tavola mi guardava. Questa passione che già sentivo giunta al suo massimo e quindi sul punto di cominciare a decadere, l'avrei dunque frustata col sacrificio dei miei sentimenti più teneri e antichi?

Una voce fresca di ragazza gridò da qualche parte, nella notte:

« Nando! Maria! »

Un gatto miagolò.

Oh Dio, Dio mio, dovevo decidere.

No, soltanto *con l'eventualità* di tale sacrificio, mi dissi alfine. E sospirai profondamente. E mi volsi. Dorothea era seduta a tavola, Ma non mangiava, nè mi guardava. Leggeva un giornaletto illustrato.

Rientrai, le posai una mano sulla spalla. Essa alzò gli occhi dal giornaletto e li fissò su di me:

« Be', » disse calma, « hai deciso? »

I suoi occhi verdegialli pieni di pagliuzze d'oro, i suoi occhi misteriosi nei quali avevo tante volte e così a lungo sognato, in quel momento non mi dicevano più nulla, non racchiudevano più nessun mistero. Essa non era più niente, lo vedevo. Non era il male e neppure il bene, era un essere umano qualsiasi che aveva i propri

e particolari problemi, e questi problemi non mi riguardavano.

« Ho deciso, » dissi sorridendo; e fu come il salto nel vuoto, nel nulla, di chi si uccide gettandosi da un precipizio.

24

UNA volta in America, come avrai già capito dalla lettera che ti scrissi due mesi fa, tutto andò alla rovescia. Ne sono ancora sbalordito.

Il mio corso alla New York University cominciava in settembre. Arrivammo il 29 luglio. Avevamo, quindi tutto un mese per noi. La prima settimana, la passammo a New York. Offner, che conosceva la situazione, fu generoso ed umano: volle ad ogni costo compensarmi di tutti i lavori che avevo fatto per lui in Italia, e mi pregò di accettare duemila dollari.

Allora rivestii Dorothea all'americana da capo a piedi. Le feci tagliare i capelli, accorciare le unghie, ecc. Dopo una settimana la portai ad Atlantic Highlands, dove i miei suoceri erano in una loro villa, ai bagni di mare con i bambini.

Non vi fu neppure diffidenza iniziale. I miei suoceri accolsero Dorothea, fin dal primo momento, con gentilezza pacata e affettuosa; e furono loro, anche se io non lo avessi voluto, a insistere perchè i bambini familiariz-

zassero senz'altro con lei. Sembrava che mio suocero, il quale non aveva mai visto di buon occhio il mio matrimonio con sua figlia, ora per la prima volta fosse soddisfatto. « La morte della povera Jane è stata certo una terribile disgrazia; ma ora tutto si è messo per il meglio, » sembrava egli pensasse. Conoscevo il suo odio per la Europa e per gli europei, il suo disprezzo secolare per i popoli latini, soprattutto per gli italiani. E non riuscivo a capire la ragione della sua simpatia per Dorothea, della sua fiducia in lei.

Per mia suocera, che invece aveva adorato Jane e approvato senza riserva qualunque sua decisione, il fatto era ancora più sorprendente, ancora meno spiegabile.

Pensai che, nonostante l'affetto per i nipotini, ci fosse sotto semplicemente il fastidio che i due piccoli davano ai due vecchi coi loro strilli, con la loro vivacità, e con la responsabilità che procuravano. I bambini avevano sconvolto la loro vita, ordinata, metodica, ed egoistica, com'è la vita di tutti i vecchi, specie se ricchi. Non vedevano l'ora di liberarsi di quell'impiccio. Dorothea era la salvezza.

Probabilmente, dunque, non bisogna cercare altra spiegazione. È certo che se Dorothea non li avesse impressionati così favorevolmente, essi avrebbero avuto la onestà di continuare, col sacrificio delle loro comodità, a occuparsi dei bambini.

Ma Dorothea fu perfetta. In primo luogo, non parlava quasi mai. In secondo luogo, si dedicò, per i quindici giorni che fummo ad Atlantic Highlands ospiti dei miei suoceri, alla cucina.

Ogni giorno faceva un nuovo piatto con le sue mani. Gli spaghetti, i ravioli, le fettuccine, gli gnocchi, fece

provare ai miei suoceri tutto il repertorio della cucina italiana, e anche la famosa scarcella, che però non ottenne grande successo se non presso me e i bambini.

Dorothea è una grande cuoca. Chi cucina quei piatti, si dicevano i miei suoceri e si dissero anche i miei cognati quando vennero una domenica ad Atlantic Highlands, chi cucina quei piatti non può non essere una gran brava ragazza. « From the people, of course. » Una ragazza del popolo, naturalmente. Ma brava, onesta e simpatica. Del resto, le persone anche più conservatrici, e le più contrarie a superare le differenze sociali, non guardano tanto per il sottile quando si tratti di stranieri, e quando ci sia la convenienza. Dorothea era una popolana. Ma quasi non ci se ne accorgeva perchè era italiana e non parlava inglese: quindi tutto andava benissimo.

In settembre ci trasferimmo, coi bambini, a Long Island. Avevo affittato una graziosa casetta, con un bel giardino intorno. Per andare all'Università, a Manhattan, avevo poco più di un'ora di subway. Ma l'aria era buonissima, con tutto quel verde intorno, e il mare non lontano. Quello che ci voleva per i bambini. E Dorothea?

Dorothea è felice.

Ma, per me, Dorothea non è più niente. Quella luce che vidi già spenta nei suoi occhi l'ultimo attimo della mia libertà, non si è più riaccesa. I miei suoceri hanno perfettamente ragione. Dorothea oggi è una brava ragazza. Non la desidero più. Ogni notte succede di nuovo come con Jane. Un atto volontario, disperato, pensato.

Mi domando ancora, senza posa, come ciò sia possibile. Come si sia dissolto, dileguando dal suo corpo quasi una carica radioattiva che si consumi fino ad estinguersi, l'incanto che mi travolgeva.

È forse questo che io, in fondo, senza saperlo, cercavo?

Se è questo, posso dire di aver raggiunto il mio scopo.

Sono le tre di notte. Al piano di sopra, Dorothea dorme, e i bambini.

Scrivo queste ultime pagine nella casa di Long Island, dove ancora abitiamo, dopo circa un anno. Il lavoro va bene, i bambini crescono, Dorothea ingrassa, tutto va bene. Meno io che mi sento morire di noia. È possibile che tu non trovi qualche pretesto per chiamarmi a Roma?

Penso a quella telefonata misteriosa che ricevemmo al Grand Hotel, io e la povera Jane. Chi è stato a telefonarci? Chi ricattava? Un amico di Dorothea? O un amico di Aldo? Vorrei venire a Roma a conoscere questo Aldo. Chissà.

Ieri sera Dorothea ha scoperto l'ultima carta. È incinta. Capisci che cosa vuol dire?

Allora quest'oggi, verso le cinque del pomeriggio, quando ho finito le mie lezioni, le ho telefonato che avrei tardato molto a rincasare; che non mi aspettasse a cena; che andasse pure a dormire. Avevo mal di testa, e avevo bisogno di moto. Volevo fare una pazzia: tornare a casa a piedi. Una pazzia, perchè sono più di dieci miglia, circa venti chilometri.

L'ho fatta. Sono venuto a casa a piedi. Ho traversato il ponte di Brooklyn, e poi tutto Brooklyn. Il ponte e l'East River, bellissimo. Ma poi, che orrore. Tutte queste strade, tutte queste case, senza forma, senza carattere, un'accozzaglia di edifici che servono a qualche cosa e che non hanno altra ambizione se non questa, di servire a qualche cosa. Un cinema, un garage, una drogheria, un apartment house, un altro cinema un altro garage un'altra drogheria, un altro apartment house. E i colori

e i cartelli pubblicitari, anche loro che servono a qualche cosa. D'accordo, anche le città antiche, al loro tempo, erano state fatte per servire a qualche cosa. Ma ora non sono più l'ideale, a quello scopo. C'è di meglio. Esse non servono più. Sono inutili o mal pratiche e, quindi per questo solo fatto, già quasi belle.

E la sera, mentre camminavo, a poco a poco è scesa anche qui, nelle vie di Brooklyn e di Long Island, come a Parigi, a Capri e a Roma.

Lunghi, interminabili vialoni di Long Island, di qua e di là le case circondate dai loro prati e dai loro alberelli, le finestre illuminate, le voci e le musiche della televisione, le brave famiglie americane a cena. E ogni tanto le case s'infittivano. Ecco negozi, il drug-store, l'undertaker, il cinema. Mi fermo, mangio un sandwich, bevo una salsaparilla. Riprendo a camminare. Fa caldo. I piedi cominciano a dolermi. Mi tolgo la giacca, la porto sul braccio. Sento, contro l'avambraccio, nella tasca interna della giacca, il pacchetto delle lettere di Jane, che porto sempre con me, anche se non le rileggerò mai.

Cammino, è notte ormai. Già qualche casa, nel verde, è buia e silenziosa. Avanti, avanti. La mia casa è ancora lontana. A un crocicchio deserto, mi fermo e mi riposo dieci minuti. Mi siedo sullo scalino del marciapiede. Fumo una sigaretta. Guardo quello che vedo, davanti a me. La notte, tre quattro strade che si perdono nella notte, con le loro prospettive di fanali bluastri. Case qua e là, tra gli alberi. Gli asfalti puliti e ruvidi, con i loro chiodi, con le loro righe bianche. Qualche cartello pubblicitario. I nomi delle strade, in altri cartelli, rettangolari, chiari, ciascuno al suo posto. Frecce direzionali, su altri appositi cartelli gialli, di località vicine.

In mezzo al crocicchio ondeggia, al vento di mare che si è levato, un grande fanale azzurro. Le luci del traffico, rosse, verdi, si alternano ad intervalli regolari. Passano rare macchine, molto rapide. Se le luci sono rosse, arrivano, si fermano, aspettano, ripartono.

Guardo quel fanale azzurro che ondeggia contro il cielo nero, ondeggia al vento disperatamente. Mio Dio, che io debba finire la vita qui?

Eppure, queste visioni dovrebbero essermi familiari. Il paesaggio della mia infanzia è questo, o uno molto simile a questo. Perchè penso a Roma?

Infine mi alzo, riprendo la marcia.

Due ore fa, verso l'una di notte, sono giunto in vista della mia casa. La *mia* casa. La casa dove dorme Dorothea e i miei bambini. Sono stanco, ho voglia di un bicchiere di whisky che lì, in casa, troverò. E di fumare una pipa. E di finire di scrivere. Ma mi fermo, guardando la casa, a cento passi di distanza. Le finestre sono buie. Il cuore mi si stringe, a tornare lì dentro. Se fuggissi? Così, senza dir nulla, sparire nel mondo. Dove, nel West, nel Messico?

No, no, io voglio tornare a Roma.

Mi siedo di nuovo sullo scalino del marciapiede. Cavo dalla tasca della giacca il pacchetto delle lettere da Capri. È da tanto che lo voglio fare: decido di bruciarle adesso. Le tolgo, a una a una, dalle loro buste. Tengo gli occhi semichiusi per evitare di leggere, anche senza volerlo, una frase, una parola. Adagio adagio, ogni busta, ogni foglio, strappo tutto: poi cerco, e trovo lì vicino, nel prato, un rametto secco. Lo spezzo. Faccio una piccola armatura, come un'impalcatura, appoggiando i legnetti allo scalino del marciapiede. Poi, sempre te-

nendo gli occhi semichiusi, vi dispongo sopra le lettere e le buste lacerate. C'è vento. Due pezzi volano via. Devo cacciarmi tutti gli altri in tasca e correre a riprendere quei due. Poi rimetto ogni cosa sui rametti, e studio la direzione del vento, m'inginocchio in modo da far riparo col mio corpo. E accendo. Le lettere bruciano rapidamente.

Sono bruciate. Mi rialzo.

Un uomo si avvicina, un uomo di mezza età, con la barba lunga, vestito di tela, un tipo di irlandese o di tedesco. Mi guarda con lo sguardo cattivo. Penso che si fermi e mi chieda l'elemosina. Ma no, niente. Mi guarda con quello sguardo cattivo, di odio, di disprezzo, forse d'indifferenza, e si allontana nella notte.

Ora sono fermo, davanti alla mia casa. Bisogna che mi decida a entrare. L'uomo che è passato... Mi sembra di aver già vissuto questo momento. Forse una notte a Princeton, quando ero con Jane.

Ora devo entrare. Ecco, mi avvio. Devo soltanto attraversare la strada. Tiro fuori la chiave di casa.

Mi chiedo se riuscirò a fuggire un'altra volta.

Ma quando?

Quando mi chiamerai?

FINE

FINITO DI STAMPARE
IL 10 LUGLIO 1956
NELLE OFFICINE GRAFICHE
ALDO GARZANTI, EDITORE
IN MILANO

D0998253